Hispanos en los Estados Unidos

© Rodolfo J. Cortina y Alberto Moncada

EDICIONES DE CULTURA HISPÁNICA
INSTITUTO DE COOPERACIÓN IBEROAMERICANA
Avda. Reyes Católicos, 41. 28040 Madrid

Diseño de la colección y portada: Alberto Corazón

NIPO: 028-88-013-8
ISBN: 84-7232-453-2-X
Depósito legal: M. 28535

Impreso en Gráficas 82, S.A. Lérida, 41 -2.º - 28020 Madrid

Edición a cargo de
Rodolfo J. Cortina y
Alberto Moncada

Hispanos en los Estados Unidos

Ediciones de Cultura Hispánica
Madrid, 1988

ÍNDICE

Parte tercera: ANÁLISIS SECTORIAL

INTRODUCCIÓN

Hispanos en los Estados Unidos

Desde el censo de 1980 el término hispano comprende, al menos a efectos formales, la variopinta legión de quienes, de una forma u otra, relacionan su pasado con la Hispanidad. Hasta entonces, muchos chicanos no se sentían especialmente cercanos a los puertorriqueños, y menos a los cubanos. Tampoco los hispanos oriundos veían antes muy claramente lo que tenían en común con los espaldas mojadas del río Grande ni con los latinoamericanos que hacen su peculiar viaje al Norte.

Sea por influencia legal o comercial —no hay que olvidar el gran interés mercantil que tiene el mercado latino para las corporaciones—, o por reacción frente a una etapa particularmente poco amable de la administración norteamericana, hay cada vez más personas a quienes no les incomoda plantear su americanidad desde su hispanidad e incluso desean explorar lo que les une, como americanos de ese origen.

Docenas de científicos sociales hispanos, «anglos» y aun forasteros, llevan años analizando el fenómeno pero hasta ahora dicho análisis tenía dos limitaciones: se solía estudiar a grupos concretos, sin muchas referencias al lazo común y los trabajos se realizaban mayoritariamente en la lengua del imperio, es decir, en inglés.

Y aquí es donde entran los españoles. En junio de 1986, la Casa de España de Nueva York patrocinó una de las primeras reuniones de hispanos de los varios orígenes residentes en Estados Unidos, reunión que se desarrolló, también por una de las primeras veces, en español.

La Universidad Internacional de la Florida siguió pronto el ejemplo y su Centro de Estudios Multiculturales y Multilingüísticos organizó una reunión similar en febrero de 1987. Así las cosas, era inevitable que la iniciativa atravesase el océano y en octubre de 1987 el Instituto de Cooperación Iberoamericana, continuando con sus anteriores acercamientos al fenómeno, convocó y celebró otra reunión de Hispanos de los Estados Unidos.

Los textos que aquí se coleccionan son las ponencias de las reuniones de Miami y Madrid. El ICI ha querido patrocinar también su edición, como una contribución más al Quinto Centenario.

En el libro hay aportaciones de muy diversa naturaleza aunque todas ellas responden a esa preocupación común por subrayar lo que une más que lo separa. Estamos seguros de que junto a la literatura en inglés, que es una exigencia del mundo académico y editorial norteamericano, seguirá surgiendo esta otra bibliografía en español —en castellano, dirían los puristas— para ensanchar el número de lectores de este formidable acontecimiento, que unos han llamado la latinización de América y otros desean simplemente que constituya parte de esa conversación entre hispanos —y no sólo entre ellos— que está teniendo lugar en América en el umbral del siglo veintiuno.

Rodolfo J. Cortina y Alberto Moncada. Editores

PARTE PRIMERA

HISTORIA Y ESTUDIOS

Carlos M. Fernández-Shaw

Factores de la aportación española a la historia de los Estados Unidos

Factores de la aportación española
a la historia de los Estados Unidos

En las últimas décadas del siglo XX en las que está correspondiendo a los Estados Unidos aportar una serie de factores —en la mayoría de los casos, decisivos— a la historia de numerosos países del planeta, España incluido, es refrescante volver la vista atrás y contemplar lo acontecido en unas determinadas coordenadas del tiempo y del espacio, ejercicio sano del que cabrá extraer una serie de conclusiones constructivas. Un marco distendido, con protagonistas de peso específico y enfoque objetivo, puede proporcionar una visión histórica que aproxime a los pueblos y desdramatice el acontecer de sus encuentros. Es este enfoque el que me propongo utilizar para el despliegue a renglón seguido de los años de vida común entre los españoles y los habitantes del continente norte de América, sin pretender agotar el tema ni romper moldes en la materia. Aclararé, sin embargo, que el paisaje en que nos vamos a mover es el de los Estados Unidos, en cuyas tierras y aguas han dejado sus huellas y sus estelas los hombres hispanos, sus animales, sus aperos de labranza, sus naves, etc. Lo acaecido en el escenario español con acento norteamericano, bien puede ser objeto de otras escaramuzas dialécticas, ajenas al presente compromiso.

Procedamos ahora a la representación de estos factores.

1) Tiempo

España y los Estados Unidos llevan unidas muchos años por este puente inmaterial. Dentro de él, cabe distinguir varios períodos dentro del correspondiente al dominio de España, en función soberana, de las tierras al norte del río Bravo. Comienza en 1513, con el arribo de Ponce de León a las playas de Florida y termina en 1822 con la partida del último gobernador español de California.

Dentro de este período, podemos hacer los siguientes distingos:

1) 1492-1606 (entre descubrimiento de Colón y fundación por el capitán Smith de la primera colonia anglosajona en Virginia). En este siglo largo, España campa sola en el continente (con la excepción de la efímera presencia gala en Florida en 1565).

2) 1606-1776 (presencia anglosajona hasta proclamación de la independencia). España ya no está sola: comparte su presencia con Francia e Inglaterra. España sigue activa y en 1763 incorpora los inmensos territorios de Luisiana.

3) 1776-1822 (España participa en la lucha de la independencia en contra de Inglaterra. Con posterioridad, entra en conflicto con el nuevo país, resolviéndose pacíficamente las diferencias). España desaparece en función soberana con la independencia de México, que incorpora los territorios de California, Arizona y Nuevo México.

España anduvo sola, pues, por el continente norte, sin compañía de cualquier otro país europeo, 114 años; compartió su presencia con Inglaterra y Francia durante los 170 años que siguieron; y quedó con los recién formados Estados Unidos, y sólo con ellos, durante los 46 años finales. La suma de dichas cifras proporciona un total de 330 años, que son los dedicados por mi país a este continente norte; de ellos casi 310 pertenecen a Florida, dado que por estas costas aparecieron Ponce de León y sus huestes en 1513, en el mes de abril precisamente y con la misma Pascua Florida de que nosotros disfrutamos hoy, y que la implementación del Tratado de cesión se llevó a cabo en 1821.

2) Espacio

Los contactos entre ambas orillas se han realizado a todo lo ancho de la geografía norteamericana, y en muchos puntos desconocidos para la mayoría de los ciudadanos de ambos países.

En *Nueva Inglaterra* y *Nueva York*, desde 1525 con las exploraciones de Esteban Gómez. De aquí la denominación de «Tierras de Gómez» en el mapa de Diego Ribeiro de 1529.

En *Virginia*, desde 1561, con el desembarco de los hombres de Villafañe. En 1570 fundaron los jesuitas una misión en Axacán.

En las *Carolinas*, desde 1526, con la fundación por Lucas Vázquez de Ayllón de la colonia de San Miguel de Gualdape.

Georgia fue visitada ya por Hernando de Soto en 1539, y por Pardo y Boyano en 1566; los franciscanos establecieron duraderas misiones a partir de 1565.

Todas las tierras anteriores recibieron la denominación de «Tierras de Ayllón» en el aludido mapa.

Florida perteneció a la Corona española desde 1565, en que Menéndez de Avilés fundó la ciudad de San Agustín, hasta 1819 en que fue cedida por el Tratado Adams-Onís (con el interregno de 20 años de ocupación británica, 1763-1783).

Las tierras que bordean el golfo de México fueron bautizadas con el nombre de «Tierras de Garay» en el mapa de Ribeiro.

Los Estados de *Florida, Georgia, Tennessee, Alabama, Mississippi, Arkansas* y *Luisiana* fueron visitados por Hernando de Soto entre 1539 y 1542; sus gentes pisarían Texas al año siguiente, que ya había sido pateada por Cabeza de Vaca a partir de su naufragio en 1528.

Los Estados de *Oklahoma, Kansas* y *Nebraska* recibieron la visita de Vázquez de Coronado en 1541 y volvieron a hospedar en 1601 a Oñate. *Michigan* fue testigo de una victoria española en San José (actual Niles) en 1780 sobre los ingleses; también *Wisconsin* presenció un éxito militar español en 1796 durante la guerra contra Gran Bretaña.

Iowa, las dos *Dakotas* y *Nebraska* se pusieron en contacto con el mundo occidental gracias al pionero español don Manuel Lisa, entre 1800 y 1820. *Colorado* recibió frecuentes incursiones españolas a partir de la visita de Juan de Zaldívar, allá por 1600, y su colonización estuvo directamente ligada a Nuevo México. La presencia de España en *Utah* se destaca con la visita al Utah Lake del padre Silvestre de Escalante en 1776.

Los inmensos territorios de la *Luisiana* fueron cedidos por Francia a España en 1763 y permanecieron bajo el dominio hispano hasta su retrocesión en 1803. De aquí la impronta peninsular en Nueva Orleans, Missouri, Arkansas, etc.

Texas, Nuevo México y *Arizona* han sido extensos territorios con temprana presencia española: de aquí que conserven muchos recuerdos hispanos. Cabeza de Vaca los visitó en 1535 y sus informes provocaron el interés del virreinato de Nueva España por ellos: fray Marcos de Niza, Vázquez de Coronado, Juan de Oñate, Diego de Vargas, etc. son los nombres de los conquistadores más sobresalientes.

California fue avistada en 1542 por Rodríguez Cabrillo, y *Oregón* en 1543 por su sucesor, Ferrelo. El actual Estado de *Washington* fue visitado por Juan Pérez en 1774, quien tomó posesión de las tierras de *Alaska,* en nombre de S. M., en el mismo año. La colonización de *California* comenzó en 1769 con la expedición de Portolá y fray Junípero Serra.

3) Lengua española

En este punto cabe también realizar los siguientes apartados:

a) Como lengua propia. Después del inglés, el español es el idioma más hablado en los territorios de la Unión. Y aquí cabe distinguir todavía:

a') por descendientes de los colonizadores. Se conserva en los Estados de Nuevo México, Arizona, Texas, California, Colorado y Nevada. También en la ciudad de Mobile (Alabama), en algunos puntos de Florida y en ciertas localidades de Luisiana. Aparte del idioma heredado, en su versión más o menos antigua, subsiste también aunque deteriorado como en el caso del «pachuco» (El Paso, Los Angeles) y el «chamorro» (isla de Guam) o en el utilizado por los indios yaquis;

b') por inmigrantes: entre éstos hay que incluir a los considerables contingentes de mexicanos en las zonas fronterizas de su país y en Chicago, de cubanos (muchos como exiliados) en Miami, de puertorriqueños en Nueva York, y colombianos, nicaragüenses, etc. en diferentes puntos.

b) Como lengua oficial: en Nuevo México figura como tal desde 1846 y en Colorado lo ha sido hasta 1921. La primera Constitución de California estuvo redactada en castellano. Y todos conocemos los avatares de nuestra lengua en la hora presente.

c) Como lengua aprendida: fueron pioneros en su enseñanza Franklin, Jefferson y la cátedra Smith de la Universidad de Harvard (Ticknor, Lonfellow, Lowell, etc.); desde 1917 el Middlebury College con su Spanish School.

d) Origen español de los nombres de muchos Estados: Florida, Texas, Nuevo México, Colorado, California, Montana, Nevada, Arizona y Oregón.

e) Ciudades con nombres españoles.

a') Bautizadas por españoles: Los Angeles, San Francisco, San Diego, Santa Bárbara, New (Nueva) Iberia, Lake (Lago) Charles, San Antonio, Alburquerque, Santa Fe, Tucson, New (Nuevo) Madrid, New (Nuevo) Bourbon, St. Augustino (San Agustin), etc.

b') Bautizadas por los propios nativos: Madrid (5), Málaga (5), Cádiz (5), Toledo (5), Granada (3), Sevilla (2), Avila (1), Valencia (1), Segovia (1), Zaragoza (1), Galveston (por Gálvez), etc.

f) Nombres de montañas, ríos, cabos, puertos, etc. La enumeración sería inacabable.

4) La religión

España se desplazó al otro lado del Atlántico en un momento en el que la explosión del protestantismo protagonizaba la historia de Europa. Por otra parte, los Reyes Católicos habían acabado en 1492 la reconquista de la península del Islam y habían procedido a la expulsión de los judíos, por motivos exclusivamente religiosos (y no raciales). La obra de España en América no pudo por menos de llevar la preocupación de extender la fe de Cristo por los nuevos territorios, tarea en la que el nuevo Estado gastó importantes sumas de su casi siempre enflaquecido erario. La historia de España en los Estados Unidos va acompañada de su empeño en la evangelización de los nativos.

Cabe concluir que se levantaron unas 203 misiones, algunas de extraordinaria belleza como San Xavier del Bac en Arizona, San José en Texas o Santa Bárbara en California; en Florida sólo, y en torno al año 1675, cabe cifrarlas en 66.

En 1542 se produjo el primer martirio por la fe: el del franciscano fray Juan de Padilla, en las llanuras de Kansas; le siguió en la consecución de las palmas santificadoras el jesuita Pedro Martínez, en 1566, ante las costas de Georgia.

5) La sangre española

Toda la presencia española en el continente norteamericano lleva implícita una generosa entrega del esfuerzo y de la propia sangre. Los territorios de la Unión se hallan, pues, regados de ella con la esperanza de fructificar en flores de civilización y de hermandad. Los españoles no arribaron a aquellas tierras con el propósito exclusivo de comerciar y de partir después, sino con el de asentarse y constituir una nueva patria. Las primeras presencias no fueron sólo de guerreros y exploradores, sino también de pobladores; he aquí algunos ejemplos de expediciones, con los nombres de sus jefes:

— 1526. Vázquez de Ayllón. Colonia de San Miguel de Guadalupe (en las dos Carolinas): con mujeres...

— 1528. Pánfilo de Nárvaez. Tampa (Florida): con mujeres...

— 1540. Vázquez de Coronado. Nuevo México: colonos y tres esposas.

— 1559. Tristán de Luna. Pensacola y Georgia: familias, ...

— 1560. Mateo del Sauz. Alabama. Idem.

— 1561. Villafañe. Santa Elena (Georgia) y Virginia. Idem.

— 1565. Menéndez de Avilés. San Agustín (Florida). Idem.

— 1598. Juan de Oñate. Nuevo México, Colorado..., 130 familias y 270 varones solteros.

— 1731. Gobernador de Texas. San Antonio. Contingente de canarios.

— 1769. Portolá y fray Junípero. California: familias, etc.

— 1776. Juan B. de Anza. San Francisco: colonos de Arizona.

— 1778. Bernardo de Gálvez. Luisiana: grupo de canarios.

Además procede recordar que:

— el primer occidental que pisó tierras norteamericanas fue Juan Ponce de León, en 1513, Florida;

— la primera dama que arribó a dichas tierras fue una de las componentes de la colonia de San Miguel de Gualdape, 1526;

— el primer blanco nacido en ellas es probablemente un hijo de una de las mujeres de dicha colonia. Se sabe que en 1566 nació en San Agustín el luego sargento mayor Martín de Argüelles;

— la primera partida de Registro civil que se conserva se refiere al matrimonio Solana, celebrado en San Agustín en 1594;

— la primera dama que llegó a California fue doña María Antonia Carrillo de Ortega, en 1774.

Los *orígenes* de la población española en los Estados Unidos se encuentran en:

a) Islas Canarias: San Antonio y San Saba (1731 y 1757) y Luisiana (1778).

b) Islas Baleares (Menorca): New Smyrna y S. Agustín (1767).

c) Asturias y Galicia: Tampa (Ibor City) (1886) procedentes de Cuba.

d) Andaluces: Luisiana.

e) Vascongadas: Nueva York y Florida (pelotaris). California, Colorado, Idaho, Wyoming, Oregón, Montana, Nevada (pastores) en el siglo XX.

f) Catalanes: California.

g) Sefarditas: especialmente antes del siglo XIX, concentrados en Nueva Inglaterra, Nueva York y Georgia.

6) La economía

Realizaremos algunas puntualizaciones:

A) Ganadería. Su origen se halla en los animales que los conquistadores y colonizadores fueron aportando en sus diferentes arribos. Así:

— en 1540 Vázquez de Coronado llevó a Nuevo México 500 caballos, 500 vacas y 5.000 ovejas;

— en 1539 Hernando de Soto había traído ganado similar al desembarcar en Florida;

— en 1565 Menéndez de Avilés comienza la primera granja, en Florida, produciéndose en dicho territorio gran florecimiento de la ganadería hasta 1702;

— en 1598 Juan de Oñate introduce ganado en Nuevo México;

— en 1770, existían en la misión de Espíritu Santo, Goliad (Texas), 4.000 cabezas de ganado vacuno;

— en el curso de los siglos XVII y XVIII entra ganado español en los territorios del sudoeste: son el origen del famoso «long-horn»;

— en 1769 Portolá y fray Junípero irrumpen en California llevando ganado de todo tipo.

La figura del «cow-boy» es un trasunto del caballista español, hasta en su atuendo.

B) Agricultura. Los españoles introdujeron, en sus distintas expediciones, una serie de productos occidentales: trigo, avena, centeno, cebollas, melones, sandías, olivos, vides, naranjos, limoneros, albaricoques, melocotones, almendros, nueces, café, etc.

C) El dólar, hijo de España. Su nombre, de origen centroeuropeo, procede en última instancia, del «dólar español» circulante en Perú y México, y aun en las Trece Provincias, como consecuencia de la escasez en éstas de monedas de plata. Hasta el signo $ se debe a la imitación de las columnas de Hércules y al lema a ellas enrollado «Plus Ultra», que aparece en el escudo español de aquellas monedas. El «dólar español» sirvió para financiar la revolución independentista y para garantizar las primeras emisiones de papel del nuevo país.

7) La literatura

En este punto cabe señalar dos corrientes inversas y con distinta influencia en el tiempo: la norteamericana en España con gran predominio en los últimos años y la española en los Estados Unidos con considerable impacto en el siglo XIX y comienzos del XX.

En lo que se refiere a la española en USA, el conocido libro del profesor Stanley Williams es el mejor «vademecum» en el tema. Señalemos antes los primeros contactos literarios:

— la primera representación teatral en el continente norte se debió a las tropas de Oñate, en Nuevo México, en 1598, con la obra de Farfán de los Godos sobre *Moros y Cristianos;*

— el primer libro redactado en USA se debe al Hno. Domingo Agustín Báez S.M.: una *Gramática* para los indios de Georgia en 1569;

— la primera descripción sobre el territorio norteamericano fue escrita por Alvar Núñez Cabeza de Vaca en *Naufragios,* publicada en 1542;

— se continúan representando piezas teatrales de la época de la conquista en el sudoeste del país, tales como: *Moros y Cristianos, Adán y Eva, El niño perdido, Los Pastores, Los Reyes Magos,* etc.

Saliéndonos un poquito del período propuesto, quizás valga la pena consignar esquemáticamente influencias españolas en algunos de los más eminentes escritores de Estados Unidos durante los siglos XIX y XX: Ticknor (historiador de la literatura española), Prescott (biógrafo de la reina Isabel y de las conquistas del Perú y México), Lowell *(Impresiones sobre España),* Washington Irving *(Cuentos de la Alhambra, Colón),* Longfellow (la traducción de las *Coplas* de Jorge Manrique), Mark Twain *(Tom Sawyer, Huckleberry Finn),* Maxwell Anderson *(Noche sobre Taos),* John Dos Passos *(Rocinante vuelve al camino),* Eugenio O'Neill *(La fuente),* Hemingway *(Muerte al atardecer, Por quién doblan las campanas),* Steinbeck *(La copa dorada),* Tennessee Williams *(El camino real),* Thorton Wilder *(El puente de San Luis Rey),* Archibald McLeish *(El Conquistador),* etc.

8) La música

El estudio más completo al respecto es el del profesor Gilbert Chase: *The music of Spain.* Debemos, por otra parte, recordar los siguientes aspectos:

— el primer *profesor de música* en USA fue fray Percival de Quiñones, en Nuevo México, e importó un órgano en el siglo XVII;

— sobreviven en Texas, Nuevo México, Arizona y Colorado

— los villancicos y danza de matachines en Navidad,

— los alabados en Semana Santa;

— tiene presencia actual el folklore vasco (coros, emisiones radiofónicas y televisivas, etc.) debido a la emigración vasca establecida en los Estados de Idaho, Oregón, Nevada, California, etc.

Los compositores norteamericanos en quienes se puede apreciar la influencia española son, entre otros: Louis Moreau Gottschal, Charles Martin Loeffler, Harl McDonald, Emerson Whithorne y Meredith Wilson.

9) La arquitectura y otras artes

En este apartado, conviene hacer la diferenciación entre la obra realizada por los españoles y la llevada a cabo por los nativos estadounidenses:

a) Realizada por los españoles: baste una apresurada enumeración de algunas obras que sobreviven: Castillo de San Marcos en St. Augustine, Presidio en Monterrey, Misiones de California, Misiones de S. Xavier del Bac en Arizona y de San José en San Antonio, «La Villita» en San Antonio, «Avila Adobe» en Los Angeles, el «Vieux Carré» en Nueva Orleans, los palacios de los gobernadores en San Antonio y Santa Fe (éste es el edificio público más antiguo del país), la misión de San Miguel en Santa Fe (la iglesia en uso más antigua), etc.

b) Realizada por norteamericanos. Cabe recordar la utilización de elementos españoles, tales como el patio, las tejas, los azulejos, las rejas, los faroles, los muebles, el uso de la asimtería, el contraste de colores, etc. En este movimiento, que se dio sobre todo en los años veinte de este siglo, la figura del arquitecto Adison Mizner es señera. Y cabe mencionar las residencias en Palm Beach, Coral Gables, Washington D.C., Denver, Santa Bárbara, etc. y los edificios de las Universidades de Texas, Stanford, California (en Los Angeles), Rice, New México, Tampa, etc. También las obras con intervención del valenciano Guastavino, tales como la Biblioteca Pública de Boston, la capilla de la Universidad de Columbia, etc.

10) Banderas, escudos y otros símbolos estatales

La bandera de *Alabama* es blanca con la cruz tradicional de San Andrés; su escudo con cuatro cuarteles incluye en el superior derecho a dos castillos y dos leones hispánicos. La bandera de *Arizona* cuenta, en su mitad superior, con siete franjas y seis gualdas. La de *Arkansas* ostenta tres estrellas en representación de Francia, España y USA, en tanto que la de *Colorado* destaca una «C» bermeja en un espacio amarillo y en su costado izquierdo. La bandera de *Florida* es igual a la de Alabama, mientras la de *Luisiana* (de 1861) tiene un fondo colorado y una estrella dorada, además de trece listas blancas y azules. El lema de *Montana* reza, en español, «oro y plata» y el árbol representativo de *Nevada* es un «piñón». La bandera de *Nuevo México* combina un campo de oro con un sol rojo. *Oregón* muestra en su escudo una carabela, así como el de la ciudad de *Mobile* un conjunto de castillos y leones y el de la de St. Augustine las armas imperiales de Carlos V. El lema de la Universidad de Toledo (Ohio) es: «coadyuvando el presente, formando el porvenir».

11) La ilusión

La obtención del oro y de la plata, el encuentro con el paraíso terrenal, el hallazgo de ricos dominios, etc. fueron algunos de los móviles de los españoles en América. Englobándolos o superándolos, el tema del hallazgo de El Dorado, del lugar fabuloso narrado en las historias antiguas y fomentado por los relatos de los nativos, fue uno de los motores de muchas empresas españolas. Como dijo Rubén Darío: «mientras haya una viva pasión, un noble empeño, / un buscado imposible, una imposible hazaña, / una América oculta que hallar, vivirá España!»

Las siete ciudades de Cíbola entrevistas por la imaginación de Cabeza de Vaca y más tarde por la de fray Marcos de Niza, en Nuevo México, promovieron las expediciones españolas que, desde Nueva España, exploraron las tierras al norte del río Bravo hasta Nebraska y la colonización del sudoeste norteamericano.

«Quivira» fue otra semejante quimera que empujó a más de un iluso en el sector aludido: de ella queda rastro en el nombre de alguna población del continente.

California debe su nombre a la leyenda de la existencia en el costado occidental del país del reino de la fabulosa princesa Calafia, jefa de las amazonas, jinetes sin uno de los pechos y enemigas a muerte de los varones a quienes sólo admitían temporalmente como reproductores.

12) El amor

Ortiz, un soldado de la expedición de Pánfilo de Narváez, quedó perdido por las selvas de Florida y hubo de refugiarse en una de las tribus locales. Se casó con la hija de uno de los caciques, pero cuando apareció Hernando de Soto no pudo por menos de seguirlo (en compañía de su esposa). Los conocimientos lingüísticos de Ortiz y el amor conyugal de aquélla sirvieron en gran medida a salvar la expedición en más de un momento difícil.

El gobernador de Puerto Rico, Juan Ponce de León, viendo que su envejecimiento era obstáculo para sus proyectos matrimoniales con una dama joven, hija de un antiguo amor platónico, cayó en la tentación de intentar la búsqueda de la «fuente de la juventud» que al decir de los nativos informantes, se hallaba en la hoy península de Florida. Aparejó para ello una expedición que produjo el encuentro físico del primer hombre blanco con el continente. La porfiada insistencia en el empeño ocasionó años más tarde la muerte al enamorado galán.

Los amores de la hija del gobernador de California, Conchita Argüello y el representante del Zar, conde Rezanov, en 1805, evitaron que las costas occidentales se poblaran de rusos y se cambiara así la historia de los Estados Unidos, incumpliéndose quizás la tesis del «destino manifiesto». El conde, que traía instrucciones superiores de asentamiento en las entonces despobladas regiones costeras del Pacífico, se enamoró perdidamente de la española, por lo que decidió regresar a su patria en busca del permiso imperial para su matrimonio. El conde murió en el camino, y Conchita, cuando se cercioró de que no regresaría, ingresó en un convento.

Gran valedora encontró la revolución de las Trece Provincias en Teresa de Leyba, hermana del gobernador español en San Luis, Missouri, el enamorarse —y ser correspondida— del caudillo Clark, y al convencer a aquél de la procedencia de ayudar a la causa de los sublevados.

Agotada la docena de factores, quizás cupiera la adición sosegada de otros. Baste por hoy, no sin subrayar la importante circunstancia de la retirada de España, en función soberana, del continente norte de América, de manera pacífica: de los vastos territorios de la Luisiana desapareció por la cesión forzada de ellos a Francia en el Tratado de 1803; la venta de Florida se instrumentó por el Tratado de 1819, hecho realidad dos años más tarde; y la pérdida de Texas y los territorios del sudoeste, California incluida, quedó involucrada en la independencia de México, nuevo país que heredó dichas vastas posesiones.

Alejandro Portes y Cynthia Truelove

El sentido de la diversidad: recientes investigaciones sobre las minorías hispanas en los Estados Unidos

El sentido de la diversidad: recientes investigaciones sobre las minorías hispanas en los Estados Unidos

I. Introducción

Los hispanos son aquellos individuos cuyos ascendientes reconocidos o ellos mismos nacieron en España o en los países latinoamericanos. Hasta hace poco, esta rúbrica no existía como una autodesignación para la mayoría de los grupos así calificados, siendo esencialmente un término conveniente para uso de los organismos gubernamentales y la investigación académica. Por tanto, lo primero significativo que hay que decir sobre esta población es que no es una minoría consolidada, sino más bien un grupo en gestación cuyas fronteras y autodefiniciones se encuentran todavía en estado fluido. El surgimiento de una «minoría» hispana ha dependido, hasta ahora, mucho más de las acciones del gobierno y de las percepciones colectivas de la sociedad angloamericana que de la iniciativa de los individuos designados como tales.

La razón principal para la creciente atención que este tipo de gente ha acaparado es su rápido crecimiento durante las dos últimas décadas, lo que es, a su vez, una consecuencia de las altas tasas de fertilidad en algunos grupos nacionales y, de mayor importancia aún, consecuencia de una acelerada inmigración. Además, la alta concentración de esta población en ciertas regiones del país ha aumentado su visibilidad. Más del 75 por 100 de los 14,5 millones identificados por el Censo de 1980 como hispanos se han concentrado en sólo cuatro Estados: California, Nueva York, Texas y la Florida; California por sí sola absorbió casi un tercio (*U. S. Bureau of the Census 1983*).

La falta de una autoidentidad colectiva sólida en esta población es un resultado de su gran diversidad, a pesar de su aparente «mancomunidad» de lengua y cultura que aparece notoriamente en la literatura oficial. Bajo igual etiqueta, encontramos individuos cuyos antepasados vivieron en el país desde, por lo menos, la época de la independencia y otros que llegaron el año pasado; encontramos un número considerable de profesionales y empresarios junto a humildes trabajadores agrícolas y de factoría; hay blancos, negros, mulatos y mestizos; hay también ciudadanos y extranjeros no autorizados; y por último, entre los inmigrantes, hay los que vinieron en busca de empleo y un mejor futuro económico y los que llegaron huyendo de los pelotones de fusilamiento y de la persecución política en sus países de origen.

Aparte de las divisiones entre extranjero y nativo, no hay diferencia de mayor significación en la población de origen hispano que la de origen nacional. La nacionalidad no se entiende, simplemente, en razón de los diferentes lugares geográficos de nacimiento, sino que sirve de palabra clave para las muy distintas historias de cada flujo inmigratorio importante que moldeó, a su vez, sus patrones de entrada y adaptación en relación a la sociedad norteamericana. Es por esta razón por lo que la literatura producida por los estudiosos «hispanos», hasta hace poco, ha tendido a enfocar los orígenes y la evolución de sus propios grupos nacionales más bien que abarcar las diversas historias de todos los que caen bajo la rúbrica oficial.

El grueso de la población de origen hispano —al menos el 60 por 100— es de origen mexicano dividido en grandes contingentes de norteamericanos nativos e inmigrantes; otro 14 por 100 viene de Puerto Rico y son ciudadanos estadounidenses por nacimiento; el tercer grupo son los cubanos que representan alrededor del 5 por 100 y quienes son, mayoritariamente, inmigrantes recientes que vienen después de la consolidación de un régimen comunista en su país. Estos son los grupos principales, pero hay, además, contingentes notables de dominicanos, colombianos, salvadoreños, guatemaltecos y otros centro y suramericanos cada uno con sus propias y diferentes historias, características y patrones de adaptación (Nelson y Tienda, 1985; *U. S. Bureau of the Census 1983; U. S. Inmigration and Naturalizaton Service 1984*).

La complejidad de la etnia hispana es una consecuencia, en primer lugar, de estos diversos orígenes nacionales que con frecuencia condujeron a más diferencias que similitudes entre los varios grupos. El ponerlos a todos juntos en la misma canasta no es muy diferente que el intentar combinar inmigrantes de principios de siglo procedentes del norte de Italia, húngaros, serbios, y bohemios en una unidad basada en sus orígenes «comunes» en varios parches del imperio austrohúngaro. Una segunda dificultad es que la mayoría de los grupos de origen hispano no se hallan todavía «establecidos», sino que siguen en proceso de expansión y cambio como respuesta a una inmigración ininterrumpida y un contacto íntimo con el acontecer en sus países nativos. Este denso tráfico de gentes, noticias, y sucesos entre comunidades inmigrantes basadas en los EE.UU. y sus no tan remotos lugares de origen ofrece un paisaje mucho más desafiante, por ejemplo, que la situación de los grupos étnicos europeos cuyas fronteras están, generalmente, bien definidas y cuyos vínculos con sus países de origen son más y más remotos (Glazer, 1981; Alba, 1985).

II. Los hilos principales de la literatura sociológica sobre la población hispana

Esta diversidad de fenómenos bajo una etiqueta común se refleja en la literatura de investigación, lo que a su vez hace que ésta sea compleja y difícil de resumir. Para acometer esta tarea con alguna probabilidad de éxito, es necesario establecer los límites de la discusión que son, forzosamente, más estrechos que aquellos del tópico como un todo. En este ensayo, nos limitaremos a revisar la literatura sociológica con sólo una referencia de pasada a la que proviene de otras disciplinas y lo hacemos así al enfocar, deliberadamente, con mayor atención ciertas áreas específicas en lugar de otras. Ya que esta opción es necesariamente arbitraria, es justo presentar de entrada una breve reseña de lo que comprende la literatura sociológica sobre los hispanos hoy día.

Un primer tópico general cabe dentro del campo de la sociología histórica, es decir, los orígenes y la evolución en el tiempo de cada grupo nacional. Como se mencionaba anteriormente no tenemos hasta ahora una historia de los hispanos como tales, sino más bien las historias de los grupos nacionales individuales escritas casi siempre por estudiosos de la misma minoría. Los mexicanos son la más vieja y la mayor de las minorías que hablan español y no es sorpresa que la mayor parte de esta literatura trate sobre los orígenes de este grupo durante el siglo diecinueve y principios del veinte y sus subsiguientes patrones de adaptación. *Los Mojados, The Wetback Story* (1971), de Julián Samora, un texto que combina material histórico con los resultados del campo de investigación contemporánea es quizás el mejor y más conocido en esta tradición, pero otros le siguen de cerca incluyendo *The Mexican-American People* por Gebler, Guzmán y Moore (1970), un compendio de principios de la década de los 70; los muchos libros sobre los trabajadores emigrantes por Ernesto Galarza (1964, 1970, 1977); la cuidadosa investigación de Mario Barrera en *Labor and Class in the Southwest* (1980) y el reciente libro de Alfredo Mirande *The Chicano Experience* (1985). Con pocas excepciones, las reseñas históricas de la población méxico-norteamericana se escriben desde una perspectiva crítica, utilizando un marco teórico de ideas derivadas de los enfoques de la dependencia, el colonialista interno, la lucha de clases, y otros puntos de vista afines.

Un filón teórico similar se nota en la literatura menos abundante sobre los puertorriqueños que muestra *The Puerto Rican Journey* de C. Wright Mills como una de sus tempranas y significativas contribuciones (Mills *et al.*, 1950).

Los estudiosos puertorriqueños en la isla han tendido a enfocar la condición y el peculiar *status* político de su nación, y por tanto la literatura sobre la minoría en tierra firme ha sido, en gran medida, el producto de estudiosos en los EE.UU. Dignos de mención en este sentido son: *Puerto Rican Americans* (1971) de Joseph Fitzpatrick; *Up from Puerto Rico* (1958) de Elena Padilla; *From Colonia to Community* (1983) de Virginia Sánchez Korrol; los trabajos recientes de Bonilla y Campos (1981, 1982); y *Labor Migration under Capitalism* (1979) del *Center of Puerto Rican Studies.* En una vena más antropológica, la comunidad emigrante fue también tema de la famosa obra de Oscar Lewis *La Vida, A Puerto Rican Family in the Culture of Poverty* (1966).

Los recuentos históricos de la comunidad cubana son aún menos comunes, debido sin duda a su condición reciente. El vacío se está llenando rápidamente por obras tales como *The Cuban-American Experience* (1984) por Boswell y Curtis; el celebrado *Masters of Survival* (1982) de José Llanes; y el ensayo histórico sobre el éxodo post-1959 de Silvia Pedraza-Bailey (1985). Contrariamente a la orientación crítica de la mayoría de las historias de los grupos de origen hispano, los que se relacionan con los cubanos tienden a ser del tipo de lucha y triunfo, reflejando el origen concreto y la situación presente de esta minoría. Otros grupos son mayormente muy pequeños o recientes para haber adquirido sus propios biógrafos. Entre las excepciones que merecen mención son *Dominican Diaspora* (1974) de Glen Hendricks, centrada en la historia de la emigración y situación actual de este grupo en el área de Nueva York y el estudio de Ramiro Cardona e Isabel Cruz sobre el idioma español de la emigración colombiana en los Estados Unidos y sus patrones de regreso (1980).

Un segundo hilo que debe considerarse es la más reciente investigación sobre los determinantes de la emigración contemporánea. A diferencia de la literatura histórica basada casi siempre en fuentes secundarias el trazo que distingue esta segunda línea de investigación es el trabajo de campo original en México, Cuba, Puerto Rico, la República Dominicana y otros países remitentes. El ejemplo principal es el estudio iniciado por Reichert y Massey (1979, 1980) y recientemente completado por Massey (1986a, 1986b) sobre los determinantes de la emigración y la migración que regresa en cuatro comunidades mexicanas. Un estudio igualmente ambicioso sobre la emigración dominicana por Pessar (1982) y por Grasmuck (1984) muestra una investigación de campo a fondo en remotas zonas rurales combinada con una amplia encuesta en vecindarios populares de Santiago, la segunda ciudad en tamaño de la República Dominicana. Un ejemplo algo diferente es el enjundioso análisis de Robert Bach (1985) sobre las condiciones interiores que dieron lugar al éxodo del Mariel de 1980 y que se basa en la observación personal y las entrevistas informativas con funcionarios del gobierno en Cuba.

Estos y otros estudios han hecho mucho para desbaratar anteriores mitos sobre los orígenes de la emigración basada en la miseria o en la desgracia psicológica individual. Estos han apoyado consistentemente, más bien, tres tesis: primera, que los muy pobres raramente emigran porque carecen de los medios o del conocimiento para llevar a cabo tales viajes de larga distancia; segunda, que las causas principales de la emigración tienen sus raíces en las contradicciones estructurales en los países remitentes que se reflejan, a nivel individual, en situaciones tales como el subempleo, la carencia de tierra, y un abismo creciente entre los patrones normativos de consumo e ingreso; tercera, que una vez que empieza un flujo migratorio, éste tiende a hacerse autosostenido por el surgir de fuertes redes sociales que vinculan los sitios de origen y destino. (Véase también Cornelius, 1977; Reichert, 1981; y Portes y Bach, 1985.)

Un tercer hilo significativo de la literatura es el estudio de la demografía de la población de origen hispano, ambas la nativa y la no nativa, incluyendo aspectos tales como la distribución regional, la segregación residencial, la fertilidad, y las tasas de intermatrimonios. A diferencia de los estudios históricos, la investigación demográfica ha tendido a aceptar la caracterización de esta población bajo una etiqueta étnica única, en parte porque mucha de la información del censo de la que depende, se organiza de esta manera.

Sin embargo, después de un número de estudios, se ha hecho claro que las diferencias en las características poblacionales entre los grupos incluidos bajo un término común, frecuentemente, exceden sus semejanzas. Por tanto, aunque todos los hispanos comparten una alta y creciente concentración urbana *(U. S. Bureau of the Census 1983);* las nacionalidades individuales difieren significativamente en fertilidad (Bean *et al.,* 1985); las tasas de intermatrimonios (Fitzpatrick y Gurak, 1979), y los patrones de residencia y segregación (Massey, 1981; Díaz-Briquets y Pérez, 1981). La explicación de estas diferencias ha de buscarse en variables distintas de las que se encuentran disponibles en las cintas para uso público sobre el censo. Un estudio resumen reciente por Bean y Tienda (1987) reseña la literatura existente sobre la demografía de los hispanoamericanos dentro de un marco de referencia sociológica más amplio que evita las generalizaciones del pasado.

Las restantes tres áreas principales de estudio son aquéllas a las que se dedica lo que queda del capítulo. Tratan, respectivamente, sobre la situación económica y de mercado de trabajo de los diferentes grupos nacionales, su uso del idioma, y sus patrones de organización política y de ciudadanía. Estas son las áreas donde la investigación sociológica reciente ha tendido a concentrarse y son, también, en las que las distintas características y la heterogeneidad de la población de origen hispano surgen con mayor claridad.

III. Las características del mercado de trabajo y el éxito

Una buena parte de la literatura sobre esta población se concentra en las comparaciones de su ejecutoria en el mercado de trabajo y su condición socioeconómica general con las de otros grupos étnicos y la de la población estadounidense total. La literatura sociológica sobre estos asuntos ha tratado de responder tres preguntas: primero, ¿existen diferencias notorias en la situación de los grupos hispanos tanto en comparación con la población estadounidense como entre ellos mismos?; segundo, ¿existen diferencias apreciables en el *proceso* por el que se logran la educación, el empleo y los ingresos?; y tercero, si es que existen diferencias en este proceso, ¿cuáles son sus principales causas? El Cuadro I presenta un resumen de estadísticas descriptivas, sacadas del censo de 1980. Aparte de la edad y el nacimiento, que se incluyen como información de fondo, el resto de las cifras indican que la ejecutoria socioeconómica de los hispanos es, generalmente, inferior a la de la población estadounidense total incluyendo a la mayoría blanca no hispana. Esto es cierto en educación, empleo, ingresos y actividad empresarial (medido por las tasas de autoempleo), aunque en menor cuantía en la participación en la fuerza laboral especialmente entre las mujeres. Las mismas cifras también indican disparidades mayores entre los grupos de origen hispano. En general, los puertorriqueños de tierra firme se encuentran en la peor situación socioeconómica como muestran sus altos niveles de desempleo, las familias encabezadas por mujeres, y la pobreza y los correspondientes bajos niveles de educación, empleo e ingresos entre ellos. Los mexicanos ocupan una posición intermedia, si bien consistentemente por debajo de la población estadounidense. Se hace notar que el tamaño de este grupo, que representa la mayoría entre los hispanos, posee un peso desproporcionado en el conjunto de las cifras que pretenden describir a la población total de origen hispano. Una situación más favorable es la de los cubanos —cuyas tasas de empleo, ingresos familiares y autoempleo se aproximan a los promedios estadounidenses— y la del grupo de «otros hispanos» que se comportan de manera similar. Esta última categoría es una suma de los grupos inmigrantes demasiado pequeños para ser contados individualmente y aquellos que declaran su ancestro como de origen hispano sin ulterior especificación. Debido a este heterogeneidad se hace difícil ofrecer una interpretación significativa tanto de la condición absoluta de esta categoría como de los procesos que nos llevan a ella.

El cuadro básico de la situación y heterogeneidad de la población de origen hispano es conocido por los sociólogos que trabajan en este campo (Nelson y Tienda, 1984; Pérez, 1986; Pedraza-Bailey, 1985b). Es más interesante la cuestión de los factores causales que producen las diferencias anteriores. Aquí la pregunta básica es si la situación de una minoría específica es explicable enteramente sobre la base de sus características de fondo o si esto se debe a otros factores. Si se observa que miembros de un grupo dado logran niveles socioeconómicos comparables a los norteamericanos nativos con dotes de capital humano, entonces las diferencias observadas pueden deberse a los niveles actuales de educación, experiencia laboral y otras variables causales significativas del grupo. Si, por otra parte, las diferencias persisten después de igualar, estadísticamente, el trasfondo de la minoría, entonces otros factores han de tenerse en cuenta. Si la brecha es de desventaja, se presume, generalmente, que la discriminación es un factor; si la brecha da ventaja a la minoría, entonces las características colectivas del grupo se exploran buscando una posible explicación.

Diversos análisis, especialmente los que tratan el logro educativo, tienden a mantener la hipótesis de la «no diferencia, no discriminación». Esta es la conclusión alcanzada, por ejemplo, por Hirschman y Falcón (1985) después de un estudio de amplia medición de los niveles educativos entre los grupos étnico-religiosos en los Estados Unidos. Sin embargo, estos autores también dicen que, después de controlar todos los posibles factores relevantes, el logro educativo mexicano todavía cae 1,4 años por debajo de la norma.

Igualmente, en un estudio sobre el logro ocupacional basado en el *Survey of Income and Education (SEI)* de 1976, Stolzenberg (1982) concluye que el proceso causal es, esencialmente, el mismo entre todos los grupos de origen hispano y que, después de uniformar las características individuales de fondo, no queda evidencia de discriminación. Sin embargo, Stolzenberg incluye en el análisis una serie de variables estatales arbitrarias a fin de controlar la posible confusión entre lugar geográfico y etnia. Lo que él hace es asegurar *a priori* que las diferencias étnicas fuesen insignificantes debido a la alta concentración de grupos particulares en ciertos Estados. El incluir la Florida como un factor causal, por ejemplo, elimina casi por completo el efecto específico de la etnia cubana ya que este grupo ha optado por concentrarse en ese Estado; lo mismo pasa con Nueva York y los puertorriqueños.

Aun con las variables estatales arbitrarias incluidas, efectos étnicos significativos sobre el logro ocupacional permanecen en el análisis de Stolzenberg de grupos mexicanos y cubanos. El coeficiente mexicano es negativo, e indica niveles ocupacionales más bajos que los que se esperan sobre la base de las características promedio del grupo; el efecto cubano es, sin embargo, positivo, señala un logro sobre el promedio y se hace más fuerte cuando se borran los controles estatales. Un análisis subsiguiente y más cuidadosamente específico de la data salarial de *SEI* por Reimers (1985) produce conclusiones parecidas. Reimers descubre que los niveles salariales de los puertorriqueños caen un 18 por 100 por debajo del promedio de los hombres blancos no hispanos; los de los mexicanos y otros hispanos están un 6 y un 12 por 100 por debajo de estos últimos respectivamente. Estas diferencias notorias se interpretan como evidencia de discriminación en el mercado laboral. Los hombres cubanos, sin embargo, reciben salarios un 6 por 100 *sobre* los de los blancos no hispanos de similares dotes de capital humano. Estas diferencias guiaron al autor a concluir que:

«... los grupos hispanos importantes difieren tanto entre ellos... que tiene poco sentido el agruparlos bajo una rúbrica de "hispano" o "minoría" única bien para el análisis o el tratamiento de política» (Reimers, 1985, 55).

Esta conclusión básica está respaldada por los estudios basados en cuerpos de datos más recientes y diferentes que, también, tienden a duplicar el hallazgo de desventajas significativas en el empleo y las ganancias logradas por los mexicanos y, en particular, los puertorriqueños y una pequeña, si bien consistente ventaja para los cubanos en relación a sus niveles de capital humano (Nelson y Tienda, 1985; Pérez, 1986; Jasso y Rosenzweig, 1985, Cuadro 4).

Estas diferencias naturalmente llevaron a la cuestión de mayor curiosidad sociológica sobre sus posibles causas. El argumento de que hay discriminación en el mercado de trabajo no es suficiente porque tal explicación no aclara por qué existen diferencias en el *modus operandi* entre grupos aparentemente similares y no hay tal diferencia en ciertos casos. Por tanto, no hay otra alternativa que profundizar en las características particulares y en la historia de cada grupo en búsqueda de respuestas adecuadas. Para hacer esto, debemos abandonar no sólo la etiqueta general de «hispano», sino también dejar atrás la categoría residual «otros hispanos». Esto es necesario no porque carezcan de importancia substantiva los grupos que la forman, sino porque la categoría es, en sí misma, demasiado heterogénea para permitir una explicación-sumario válida. En la nueva categoría permanecen los tres grandes grupos de origen hispano —los mexicanos, los puertorriqueños y los cubanos—.

Al comparar la ejecutoria socioeconómica de estos grupos, surgen dos grandes enigmas: primero, por qué los mexicanos y los puertorriqueños difieren tan significativamente en tales características como la participación en la fuerza laboral, la estructura familiar y la pobreza así como también en los niveles de discriminación salarial. Segundo, por qué los cubanos tienen empleos e ingresos familiares relativos a sus niveles de capital humano por encima del promedio. La situación socioeconómica por debajo del promedio de los dos primeros grupos *no* es de por sí un enigma puesto que la literatura histórica arriba mencionada ha aclarado las raíces de explotación y discriminación en el mercado de trabajo en ambos casos. Lo que las reseñas históricas no explican es por qué la situación actual de estos grupos es tan marcadamente diferente. De igual modo, la ventaja absoluta de los cubanos respecto a otros grupos de origen hispano no es un misterio ya que es bien sabido que esta minoría se formó, en gran medida, por la llegada de personas de las clases altas y medias que abandonaron Cuba después de la revolución castrista. El enigma en este caso es por qué el éxito colectivo de los cubanos ha de sobrepasar, a ratos, lo que puede esperarse basándose en el promedio de sus dotes de capital humano.

Una explicación bastante común de este último resultado es que los cubanos fueron acogidos en los Estados Unidos como refugiados de un régimen comunista y por ello recibieron ayuda gubernamental significativa negada a otros grupos. Esta explicación la mencionan de pasada Jasso y Rosenzweig (1985, 187, entre otros autores, y la defienden vigorosamente, Pedraza-Bailey (1985b) en su estudio comparativo de inmigrantes cubanos y mexicanos. Sin embargo esta interpretación choca inmediatamente con la evidencia de otros grupos refugiados que han recibido beneficios federales iguales o más generosos, pero cuya situación socioeconómica es más precaria. Los refugiados surasiáticos, por ejemplo, se beneficiaron de amplias medidas de ayuda dictadas por la Ley de Refugiados de 1980, de naturaleza más generosa que la que se dio a los cubanos en la década de los sesenta; sin embargo los niveles de desempleo, pobreza, y dependencia del bienestar social entre la mayoría de los grupos surasiáticos siguen siendo mayores que los de toda otra minoría étnica (Tienda y Jensen, 1985; Bach *et al.*, 1984). La recepción gubernamental favorable de los cubanos en los Estados Unidos es, sin duda, un factor que contribuye a su adaptación, pero debe ser vista como parte de un complejo que pudiera llamarse el *módulo de incorporación* distintivo de cada minoría inmigrante. Esta interpretación alternativa propone que la situación de cada grupo está en función, a la vez, de las características individuales promedio y del contexto social y económico en el que sus sucesivos coterráneos son recibidos. Una explicación sociológica de los enigmas mencionados se encuentra en los módulos de incorporación distintivos de los tres grandes grupos de origen hispano.

Los inmigrantes mexicanos y los nuevos entrantes méxico-norteamericanos en la fuerza de trabajo tienden a venir de orígenes socioeconómicos modestos y poseen niveles bajos de educación. Además, sin embargo, entran al mercado laboral en el suroeste y el medioeste, en donde los trabajadores mexicanos han suministrado, tradicionalmente, el grueso de la mano de obra no cualificada. Las redes sociales dentro de la comunidad étnica tienden a dirigir a los nuevos trabajadores hacia empleos similares a los de sus coétnicos, un patrón reforzado por la orientación de los empleadores. Al faltarles una comunidad empresarial coherente propia o una representación política efectiva, los trabajadores mexicanos asalariados son, por tanto, empujados hacia sus propios recursos individuales «descontados» por la historia pasada y la discriminación presente en contra de su grupo (Barrera, 1980; Nelson y Tienda, 1984). Debido a que muchos trabajadores mexicanos son inmigrantes y una proporción importante son indocumentados (Passel, 1985; Bean et al., 1983, 1986; Browning y Rodríguez, 1985), siguen siendo vistos por muchos empleadores como una fuente valiosa de trabajo barato y dócil. Esta «preferencia», que puede explicar las tasas promedio relativamente bajas de desempleo mexicano, crea barreras simultáneas para los que tengan aspiraciones de movilidad ascendente.

Los emigrantes puertorriqueños han desempeñado una función similar en la industria y la agricultura en el noroeste durante un período anterior, pero con dos diferencias significativas. Primera, entraron en mercados de trabajo que, a diferencia de los del suroeste, estaban altamente sindicalizados. Segunda, eran ciudadanos estadounidenses por nacimiento y, por tanto, con derecho a protección legal y no sujetos a una deportación inmediata como muchos de los mexicanos. Estos dos factores se combinaron a lo largo del tiempo para hacer de los trabajadores puertorriqueños una fuente de trabajo menos dócil, más costosa y mejor organizada. Las preferencias patronales en el noreste, por tanto, se cambiaron gradualmetne hacia otros grupos inmigrantes —trabajadores contratados de las Indias Occidentales en la agricultura (DeWind et al., 1977; Wood, 1984) y dominicanos, colombianos, y otros inmigrantes mayormente indocumentados para la industria urbana y los servicios (Sassen-Koob, 1979, 1980; Glassel-Brown, 1985; Waldinger, 1985). Al faltarles una comunidad empresarial que generara sus propios empleos y marginados por nuevas fuentes de trabajo inmigrante «preferido» en el mercado abierto, los puertorriqueños en tierra firme afrontaron una difícil situación económica. Cantidades sin precedentes de ellos han vuelto a la isla durante las dos últimas décadas, siempre que los que quedan en el noreste siguen experimentando niveles de desempleo y pobreza sólo comparables a los de la población negra (Bean y Tienda, 1987, Cap. 1; Centro de Estudios Puertorriqueños, 1979).

El patrón de adaptación cubano es diferente porque los primeros inmigrantes de este grupo crearon un contexto económicamente favorable para la recepción de los que llegaron después. Esto se debió al hecho de que el grueso de la temprana inmigración cubana estaba compuesto por los miembros desplazados de la burguesía nativa más bien que de trabajadores. Estos refugiados trajeron el capital y las capacidades empresariales con los que comenzar nuevos negocios después de un período inicial de adaptación. Olas de clase media subsiguientes tomaron una ruta similar, lo que llevó a la consolidación de una economía de enclave en el sur de la Florida. Las características del enclave cubano han sido, extensamente, descritas en la literatura sociológica (Wilson y Portes, 1980; Portes y Manning, 1986; Wilson y Martin, 1982). La fuerte orientación empresarial de los primeros cubanos se ilustra con las cifras del censo de los propietarios de negocios minoritarios, que se ofrecen en el Cuadro 2.

En 1977, cuando estas cifras fueron recogidas, los negocios de propiedad negra o mexicana eran los más numerosos en términos absolutos, reflejando el tamaño de sus respectivas poblaciones. En términos de *per cápita*, sin embargo, las empresas de propiedad cubana eran por amplio margen las más numerosas y las más grandes ambos en cuanto a la compraventa y al número de empleo. Las cifras en los últimos renglones del Cuadro 2 sugieren que el peso relativo de los negocios cubanos de Miami entre aquellos de propiedad hispana han seguido creciendo desde 1977. En 1984, cinco de las diez empresas más grandes de propiedad hispana en el país y cuatro de los diez bancos más grandes eran parte del enclave cubano, en un momento en que este grupo comprendía apenas el 5 por 100 de la población de origen hispano.

Para nuestros propósitos, la importancia de un módulo de incorporación tipo enclave es que éste ayuda a explicar cómo coterráneos sucesivos de inmigrantes cubanos han sido capaces de usar dotes de un capital humano anterior y sobrepasar, a ratos, el nivel de éxito que se anticipaba para ellos. El empleo en las empresas del enclave tiene dos ventajas para los que llegan nuevos: primero, esto les permite a muchos poner en uso sus capacidades ocupacionales y su experiencia sin tener que pasar por un largo período de adaptación. Segundo, esto crea oportunidades para una movilidad ascendente o bien dentro de las empresas existentes o bien mediante el autoempleo. El vínculo entre patronos y empleados coétnicos ayuda a las tambaleantes empresas inmigrantes a sobrevivir al aprovecharse de la mano de obra barata y, generalmente, disciplinada de los recién llegados; estos últimos se benefician a largo plazo, sin embargo, al obtener oportunidades de movilidad dentro del enclave que, generalmente, están ausentes en empleos fuera del mismo.

Un estudio longitudinal de inmigrantes cubanos y mexicanos realizado en la década de los setenta ofrece una ilustración de los diferentes patrones de adaptación, condicionada por la presencia o ausencia del módulo de incorporación tipo enclave. A principios de la década de los setenta, la emigración de la clase media desde Cuba había cesado y los recién llegados venían de orígenes socioeconómicos más modestos, comparables a los de los inmigrantes mexicanos legales. El estudio entrevistó un muestreo de refugiados cubanos e inmigrantes mexicanos legales en el momento de su llegada durante 1973-74. Se hizo un seguimiento de ambos grupos en el muestreo a lo largo de seis años, entrevistando encuestados dos veces durante ese intervalo de tiempo. Los resultados del estudio han sido mostrados extensamente en otras fuentes (Portes y Bach, 1985). El Cuadro 3 presenta datos de la última encuesta de seguimiento que se llevó a cabo en 1979-80. El primer hallazgo notorio es el grado de concentración de los encuestados cubanos, 97 por 100 de los cuales permanecieron en el área metropolitana de Miami. En comparación, el muestreo mexicano se dispersó por todo el suroeste y el medioeste, con la mayor concentración —24 por 100— asentándose en la ciudad fronteriza de El Paso.

Por otra parte, los muestreos eran similares en su conocimiento del inglés —bajo para ambos grupos después de seis años— y sus tasas de propiedad de viviendas. Sin embargo, se diferenciaban en las variables respecto a su posición en el mercado de trabajo. Más de un tercio de los cubanos que llegaron en 1973 eran empleados de empresas coétnicas en 1979 y una quinta parte se habían hecho autoempleados para entonces; estas cifras doblan y cuadruplican los porcentajes respectivos de los mexicanos en el muestreo. A pesar de su concentración en una región estadounidense de bajos salarios, el ingreso promedio mensual de los cubanos al cabo de seis años era apreciablemente mayor que el de los mexicanos.

Sin embargo, un análisis más cercano de los datos muestra que no había diferencias grandes entre los que estaban empleados en grandes empresas de propiedad anglo, comúnmente identificadas como parte del trabajo «primario». Ni tampoco había importantes diferencias entre los que trabajaban en las empresas menores identificadas con el sector «secundario» que, en ambos muestreos, eran mucho más bajos que los de los empleados en el sector primario. La diferencia notoria entre los inmigrantes cubanos y los mexicanos se halla en la gran proporción de los primeros que trabajan en empresas del enclave cuyo ingreso promedio fue, de hecho, el más alto en ambos muestreos. Adicionalmente, los inmigrantes cubanos que se hicieron autoempleados sobrepasaron el ingreso mensual combinado de ambos muestreos por un aproximado de $500 o la mitad del promedio total.

No existe la prueba empírica comparable actualmente para respaldar la hipótesis del módulo de incorporación como una explicación de las diferencias ocupacionales y de ingresos entre los mexicanos y los puertorriqueños. Esto se debe a la escasez de estudios comparativos entre los patrones de éxito de los puertorriqueños y los de otras minorías. (Véase Tienda y Lee, 1986, para una reciente excepción.) La información disponible apunta, sin embargo, a la gradual substitución de los puertorriqueños por nuevos grupos inmigrantes como fuentes de mano de obra de bajos salarios por parte de los patrones agrícolas y urbanos en el noreste (De Wind, 1977; Glaessel-Brown, 1985). Esta prueba es congruente con la interpretación de la situación actual de un grupo —los mexicanos— como un resultado de su continua incorporación como una fuente preferida de trabajo de bajos salarios en el suroeste y el medioeste y el del otro —los puertorriqueños— como una consecuencia de su creciente redundancia para el mismo mercado laboral en su principal área de concentración.

IV. El conocimiento del idioma inglés

En esta sección consideramos algunos datos en lo que respecta al uso del idioma entre los diferentes grupos de origen hispano. De acuerdo con el Censo de 1980, alrededor de la mitad de la población de los Estados Unidos que hablaba otro idioma distinto hablaba el español. El número absoluto, 11,5 millones, haría de los Estados Unidos uno de los países en el mundo en donde se habla más español aunque, como lo que pasa con la población de origen hispana en sí misma, el uso del idioma tiende a concentrarse en unos pocos Estados. El 70 por 100 de los que hablan español viven en sólo cuatro Estados —California, Texas, Nueva York y la Florida—. La más alta concentración estatal no se encuentra en ninguno de éstos sino Nuevo México en donde cerca de un tercio de la población mantiene el uso del idioma (Moore y Pachón, 1985, 119-122).

Los datos en el Cuadro 4 indican que la brecha mayor en la pericia en el uso del inglés existe entre los nativos y los nacidos en el extranjero. Más del 90 por 100 de los hispanos nativos informaron de que hablaban bien el inglés, esta cifra se mantiene, esencialmente sin variar en todos los grandes grupos nacionales. La proporción entre los nacidos en el extranjero varía, sin embargo, entre sólo la mitad hasta las dos terceras partes de las respectivas poblaciones. Nótese que, debido a que la inmensa mayoría de los cubanos son nacidos en Cuba, la proporción total de este grupo que informó que hablaba el inglés bien es, de hecho, mucho más bajo que entre las otras minorías.

A pesar de una aparente rápida asimilación lingüística después de la primera o inmigrante generación, existen pruebas de que los autoinformes de pericia en el uso del inglés son a menudo exagerados respecto al conocimiento actual y que las dificultades lingüísticas no se limitan a los nacidos en el extranjero. Según Moore y Pachón (1985, 119) cuatro de cada cinco hispanos que confesaron dificultades en el uso del inglés eran ciudadanos estadounidenses. Este resultado es, en parte, una consecuencia del predominio de los nativos en esta población, pero sugiere que el proceso de la adqusición del idioma es poco menos directo. Estas conclusiones están respaldadas por los resultados en los renglones intermedios del Cuadro 4, sacados del estudio longitudinal de los inmigrantes cubanos y mexicanos que se describe más arriba. Los datos muestran que los niveles de conocimiento del idioma inglés, como se mide por un índice objetivo, cambiaron notablemente poco a lo largo de los seis años del estudio, siendo casi tan bajos en 1979 como en el momento de la llegada en 1973 (1). Además, los autoinformes sobre la competencia en el uso del idioma inglés fueron mucho más altos que la ejecutoria misma, un resultado que arroja alguna duda sobre la validez de los informes del Censo, basados en evaluaciones subjetivas. Resultados parecidos, reflejados en los siguientes renglones del cuadro, se obtuvieron en una encuesta de refugiados cubanos del Mariel después de tres años de residencia en los EE.UU.

Aunque es casi seguro que la asimilación lingüística ocurrirá a la larga, la elasticidad del idioma español en el tiempo y la aparente dificultad de muchos inmigrantes para aprender el inglés aun después de un período substancial de residencia en el país es digno de mención. Hay tres factores que parecen desempeñar un papel central en la formulación de estos resultados. Primero, los niveles, generalmente, bajos de educación en la mayoría de los inmigrantes de origen hispano, lo que tiende a hacer la adquisición de un nuevo idioma más difícil. Segundo, la inmigración continua y el patrón de flujo y reflujo entre los países de origen y las comunidades de destino en EE.UU. (Moore y Pachón, 1985; 121; Browning y Rodríguez, 1985; Massey, 1986b). Tercero, la tendencia de los grupos de origen hispano a concentrarse en ciertas áreas geográficas y de los nuevos inmigrantes a establecerse en ellas también disminuye la necesidad de aprender el inglés para la vida cotidiana. Las características particulares del enclave cubano en Miami hace posible que los recién llegados vivan y trabajen dentro de los confines de la comunidad étnica, un patrón que contribuye, significativamente, a los bajos niveles de adquisición del inglés que se comentan anteriormente. Otros grupos, sin embargo, también tienden a concentrarse en sus propios vecindarios lo que facilita el proceso de adaptación de los recién llegados, pero retrasa su aprendizaje del idioma (2).

Los estudios sobre la adaptación de los inmigrantes y la de la segunda generación de nativos, generalmente reflejan altos niveles de satisfacción con la vida en los Estados Unidos y un propósito de permanecer en el país. Los grupos de origen hispano no son excepción (Rogg y Cooney, 1980; Cardona y Cruz, 1980; Browning y Rodríguez, 1985). Entre los inmigrantes, existe una

◆

(1) Esta medida —el Indice de Conocimiento del Inglés (KEI)— consiste en traducciones de nueve palabras y frases a un nivel de comprensión de escuela elemental e intermedia. Los análisis de factor realizados sobre cada muestreo en cada punto del tiempo indicaron, consistentemente, una estructura unidimensional. La confiabilidad de la consistencia interna según se mide por el Alpha de Cronbach, sobrepasó ,90 en cada una de las encuestas.

(2) El 70 por 100 de los inmigrantes mexicanos entrevistados en 1979 para el estudio longitudinal descrito más arriba se concentró en áreas centrales de la ciudad y casi igual proporción —el 66 por 100— informó de que su vecindario era predominantemente mexicano o méxico-norteamericano. Por tanto, el *barrio* étnico fue el lugar de residencia para una mayoría de este muestreo imaginario, no sólo al llegar sino después de seis años de residencia en los EE.UU.

correlación consistente entre la cantidad de tiempo en los Estados Unidos y los planes de quedarse permanentemente —los inmigrantes recientes son más propensos a manifestar planes de regreso, pero la proporción de los prospectivos retornantes disminuye rápidamente con el tiempo— (Massey, 1986b; Gramusck, 1984; Portes y Bach, 1985, 273). Los renglones finales del Cuadro 4 proveen prueba ilustrativa de estas tendencias. Nótese, sin embargo, que después de las dificultades económicas predecibles, el problema principal indicado por los inmigrantes cubanos y mexicanos es la falta de conocimiento del idioma inglés. Los problemas lingüísticos fueron la mayor dificultad para la adaptación mencionada, más frecuentemente, por ambos grupos después de tres años en los Estados Unidos y sigue siendo la respuesta modal entre los refugiados cubanos después de seis años. Por tanto, a pesar de la protección y la comodidad ofrecidos por la comunidad étnica, los inmigrantes recientes están subjetivamente conscientes del impedimento creado en sus vidas por la falta de dominio del idioma en la sociedad que les rodea.

V. La conducta política y la ciudadanía

Las diferencias entre los grupos de origen hispano, nuevamente, sobresalen respecto a sus intereses políticos, su organización y su efectividad. Independiente de su origen nacional, una gran brecha separa a los nativos —cuyos intereses están siempre ligados a su situación en los Estados Unidos— y los inmigrantes —cuya filiación política y acciones organizadas a menudo se relacionan con sucesos en el país de origen—. La sociología política de los hispanoamericanos puede, por tanto, resumirse bajo dos categorías temáticas principales: primera, los objetivos y las acciones de los grupos establecidos, incluyendo a los nativos y a los ciudadanos naturalizados; y segunda, las orientaciones políticas y, en particular, el giro problemático de la nacionalidad entre los inmigrantes.

a. *La política étnica*

Moore y Pachón (1985, Cap. 10) proveen un resumen lúcido de la política de los principales grupos de origen hispano. Su visión puede suplementarse por los estudios sobre los méxico-norteamericanos de Camarillo (1979), Barrera (1980), Murgía (1975) y de la Garza y Flores (1986); sobre los puertorriqueños por Falcón (1983), Bonilla y Campos (1981), Glazer y Moyniham (1963); y sobre los cubanos por Boswell y Curtis (1984), Llanes (1982), y Fagen *et al.* (1968).

La historia política de los méxico-norteamericanos se parece bastante a la de los negros norteamericanos, ambos en su inicial subordinación y su privación de derechos civiles, así como los intentos subsiguientes de diluir su fuerza electoral mediante mecanismos tales como las pruebas de alfabetismo, la demarcación arbitraria de los distritos electorales y la apropiación de sus dirigentes étnicos. Ambos grupos también son similares en sus reacciones actuales a la discriminación del pasado. Los méxico-norteamericanos difieren de los negros norteamericanos, sin embargo, en un aspecto crucial que es su proximidad y fuerte identificación con su país de origen. La vinculación con México y la cultura mexicana está fuertemente correlacionada con un sentido de «extranjeridad» aun entre los nativos y, por tanto, con tasas más bajas de participación política (García, 1981). Esta renuencia a cambiar lealtades nacionales parece ser uno de los mayores obstáculos en el camino hacia una labor de organización más efectiva por parte de los dirigentes méxico-norteamericanos.

A pesar de estos obstáculos, *sí surgieron* un número de organizaciones que articularon los intereses de uno u otro segmento de esta minoría. Estas abarcaron desde las *mutualistas* iniciales y la *Orden de Hijos de América* hasta la posterior *League of United Latin American Citizens (LULAC)* y el *G. I. Forum,* creado en defensa de los intereses de los méxico-norteamericanos veteranos de la Segunda Guerra Mundial (Moore y Pachón, 1985, 176-186). La década de los sesenta marcó un punto importante en la política méxico-norteamericana. Inspirados, en gran medida en el ejemplo negro, un número de organizaciones militantes surgieron con la intención de remediar agravios pasados por medios diferentes a la participación en los partidos estableci-dos. Un número de organizaciones de estudiantes y jóvenes radicales fueron creadas y un tercer partido, *La Raza Unida,* ganó una serie de victorias electorales significativas en Texas. Si bien las exigencias más militantes de estas organizaciones nunca llegaron a realizarse y muchas de ellas ya no existen, sí se tuvo éxito en áreas de pasado fracaso: la movilización de la población méxi-co-norteamericana y la creación de un grupo selecto de políticos que pudieran defender, enérgi-camente, sus intereses ante los dirigentes e instituciones nacionales. Hoy día, los aún existentes *LULAC* y *MALDELF* (el *Fondo México-norteamericano para la Defensa Legal)* son dos de las más poderosas y activas organizaciones hispanas. En 1984, diez de los once miembros del *Comite Político Congresional Hispano* representaban distritos con una numerosa población méxico-nor-teamericana (Roybal, 1984).

A diferencia de los mexicanos, los puertorriqueños son ciudadanos estadounidenses por na-cimiento y, por ello, no afrontan el obstáculo que representan los procedimientos de naturaliza-ción para lograr la participación política. Además, la población inmigrante puertorriqueña está concentrada en Nueva York, una ciudad y un Estado con una larga tradición de política étnica. Un número de factores han conspirado, sin embargo, para reducir el peso político de esta pobla-ción a lo largo de los años. Estos incluyen la falta de conocimiento del inglés, los niveles, general-mente, bajos de educación y empleo entre los inmigrantes, y la resistencia por parte de los «clubs» políticos establecidos —en manos de los judíos, los italianos, y otros inmigrantes más antiguos— para dejar entrar a los puertorriqueños. También, la fuerte orientación de transeúnte de muchos inmigrantes ha reducido su atención e interés hacia la política local. Por muchos años, el activis-mo puertorriqueño en tierra firme se centró en las demandas de mejoramiento del *status* econó-mico y político de la isla más bien que de la comunidad de Nueva York (Falcón, 1983; Jennings, 1977).

Aunque la preocupación por el bienestar de Puerto Rico no se ha abandonado, los sucesos y las necesidades de las comunidades en tierra firme, gradualmente, ganaron prioridad durante el período de post-Segunda Guerra Mundial. La política puertorriqueña siguió un curso paralelo a la de los mexicanos y los negros durante la década de los sesenta. Organizaciones de jóvenes militantes como los *Young Lords* y la *Organización de Trabajadores Puertorriqueños Revolucio-narios* hicieron su aparición. Hubo, también, avances significativos en la política cotidiana con un número de puertorriqueños victoriosos en contiendas locales y estatales. Al igual que los mexica-nos, los puertorriqueños votan, en su inmensa mayoría, por candidatos demócratas. Ya en 1982, había seis legisladores estatales puertorriqueños y un *Comité Político Conjunto Negro-Puertorriqueño* se había establecido. Durante la década de los setenta, los puertorriqueños, tam-bién, eligieron a su primer senador estatal y a su primer congresista. En la actualidad, el congresis-ta Robert García, elegido por el distrito 18 del Bronx, es el undécimo miembro del *Comité Político Hispano* en la Cámara de los Estados Unidos y es, todavía, el único representante puertorrique-ño. Hay otros dos distritos en la ciudad de Nueva York y dos en los suburbios de Nueva Jersey que poseen grandes cantidades de población hispana lo que haría viable la elección de más legisladores puertorriqueños (Moore y Pachón, 1985, 186-190). Esto dependerá, sin embargo, de un aumento en los niveles de inscripción electoral y de votación entre los puertorriqueños y de asegurar el respaldo de los inmigrantes naturalizados procedentes de otros países iberoamericanos quienes —como los colombianos y los dominicanos— componen una creciente proporción de la población del área.

A la par que los mexicanos, la primera generación de inmigrantes cubanos afronta el enigma de la naturalización y, al igual que los puertorriqueños, tienden a permanecer preocupados con lo que pasa en su país. Como estos dos grupos, los cubanos, generalmente, hablan poco inglés al llegar, lo que también conspira contra su participación efectiva. A pesar de los obstáculos, los cubano-norteamericanos se han convertido en una fuerza política potente en el sur de la Florida. Los alcaldes de las más grandes ciudades del área —Miami y Florida— son cubanos, como también lo son los de varias de las municipalidades más pequeñas y los numerosos concejales de ciudades y del condado. Los cubano-norteamericanos son influyentes en el partido republicano local y han elegido una nutrida delegación a la legislatura estatal. Los observadores concuerdan que es sólo una cuestión de tiempo para que esta comunidad envíe a sus primeros representantes al Congreso como candidatos de los distritos 17 y 18 de la Florida. Mientras tanto, un grupo de acción política, fundado por empresarios exilados —la *Fundación Nacional Cubanoamericana*— ha hecho cabildeo con efectividad en Washington en favor de tales causas como la creación de *Radio Martí* y el nombramiento de cubanos para puestos federales (Botifoll, 1984; Boswell y Curtis, cap. 10; Petersen y Maidique, 1986).

Hasta mediados de la década de los sesenta, la atención de los refugiados cubanos se centró en la isla y la esperanza de regresar después del derrocamiento del régimen de Castro. Hubo dos sucesos que redujeron estas esperanzas: primero, la derrota de la invasión de bahía de Cochinos en 1961 y segundo, el acuerdo de 1962 entre los EE.UU. y la URSS que sacó los cohetes soviéticos de Cuba a cambio de una promesa norteamericana de evitar que los refugiados lanzaran nuevos ataques militares. Ambos sucesos tuvieron lugar durante el gobierno de Kennedy y los cubanos han culpado a los demócratas por éstos desde entonces.

A medida que las esperanzas de retorno se desvanecían la comunidad refugiada giró su atención hacia adentro. Los cubanos se naturalizaron en números sin precedentes y se alinearon, firmemente, con el partido republicano. Con su apoyo, los republicanos —una fuerza minoritaria en la política floridana anteriormente— se han convertido, más y más, en contendiente de consideración por el poder (Nazario, 1983).

Hay indicaciones recientes, sin embargo, de que el conservadurismo monolítico del voto cubano pudiera ser más aparente que real. Es cierto que los cubanos respaldaron, masivamente, al presidente Reagan y a otros candidatos republicanos para cargos federales en 1980 y 1984; es también cierto que siguen oponiéndose como un solo hombre a toda iniciativa en política exterior que se perciba como «floja» frente al comunismo. Sin embargo, el voto en las elecciones locales se ha ido haciendo más progresista y guiado por asuntos e intereses locales. Por ejemplo, durante la última campaña electoral para la alcaldía de Miami, el candidato republicano terminó en un distante último lugar. La contienda final entre dos cubano-norteamericanos —un banquero conservador con el respaldo de las comunidades de negocios anglo y latina y un abogado que estudió en Harvard y que era más progresista—. Este último ganó por amplio margen, principalmente, debido al apoyo del voto popular cubano. Igualmente, hay indicaciones de que los representantes cubanos en la legislatura estatal tienden a preocuparse más por las cuestiones populistas, especialmente aquellas que involucran a las minorías étnicas, de lo que se preocupan sus compañeros republicanos (3).

Un importante tópico para investigaciones futuras es la aparente tendencia hacia la convergencia entre las organizaciones que representan a los grandes grupos de origen hispano.

Como se ha visto más arriba, existe poca similitud en los orígenes históricos o en la actual situación socioeconómica de estos grupos. Existe, sin embargo, la conciencia, entre ciertos dirigentes políticos de una mancomunidad de intereses básicos, sobre cuestiones tales como la defensa del bilingüismo y una imagen cultural común, y sobre la importancia de la fuerza de los números. Por tanto, si el término «hispano» significa algo substancial en el presente, esto es a nivel político. Una indicación de esta tendencia es el surgimiento de la *Asociación Nacional de Funcionarios Latinos Electos (NALEO)*, una organización de fuerza que agrupa a mexicanos, puertorriqueños y cubanos que son congresistas, legisladores estatales y alcaldes (Moore y Pachón, 1985; 194-198).

b. *Ciudadanía*

El primer paso hacia una participación política efectiva por parte de un grupo inmigrante es la adquisición de la ciudadanía. El Cuadro 5 ofrece datos que muestran cómo las diferentes tasas de naturalización han tenido lugar entre los extranjeros en años recientes. Durante la década de 1970, los inmigrantes mexicanos naturalizados representaban sólo el 6 por 100 del total, a pesar del considerable grupo de individuos elegibles —la más numerosa entre todas las nacionalidades, representando cerca del 20 por 100 de todas las admisiones legales durante la década anterior—. A modo de contraste, los inmigrantes cubanos —un grupo mucho más pequeño— contribuyó con el 12 por 100 de todas las naturalizaciones, sobrepasando la cifra del Canadá a pesar del número mucho mayor de inmigrantes canadienses elegibles. El resto de Latinoamérica contribuyó sólo un 3 por 100, pero esto se debe al tamaño más bien reducido de los coterráneos de inmigrantes legales de esa zona antes de la década de los setenta.

Las restantes columnas del Cuadro presentan datos sobre los inmigrantes en 1970 que son representativos de las tendencias de los años recientes. Las tasas más altas de naturalización corresponden a los inmigrantes asiáticos —chinos, indios, surcoreanos y filipinos— y cubanos. La adquisición de la ciudadanía entre estos grupos representó cerca de la mitad de las admisiones legales procedentes de sus respectivos países de origen en 1970. Tasas intermedias —cerca de una quinta parte de los inmigrantes al comenzar el período— la forman europeos occidentales, y centro y suramericanos. Las tasas más bajas, menos del 7 por 100, corresponden a los inmigrantes de dos países contiguos: México y Canadá. Los inmigrantes mexicanos son, también, los que más demoran en naturalizarse, como se ha indicado por el año en el que hubo más naturalizaciones durante la década —el noveno—, es decir, dos años completos más atrás de la norma para todos los países (Warren, 1979; Portes y Mozo, 1985).

◆

(3) Material inédito de entrevistas hechas por los autores con dirigentes de la comunidad en Miami en 1985. Véase, también, Portes (1984).

La literatura analítica sobre los determinantes de estas diferencias comprende dos tendencias distintas: primera, los estudios que tratan de explicar la variación entre las nacionalidades y segunda, aquellos que enfocan las causas próximas dentro de un grupo en particular. Una contribución a la primera fue la de Bernard (1936) quien identificó el alfabetismo, la educación, y el prestigio ocupacional como causas mayores de las diferencias en las tasas de naturalización entre los «viejos» y los «nuevos» inmigrantes europeos, como se definían entonces. Los estudios posteriores han, generalmente, respaldado la hipótesis de Bernard (4).

Adicionalmente, estudios cuantitativos más recientes han identificado otras variables, tales como el origen político de la emigración y la cercanía geográfica del país de origen como causalmente significativos. Los refugiados de los países bajo el dominio comunista se naturalizan en números más altos, aunque compartan otras características, que los inmigrantes regulares.

Estos países vecinos, especialmente esas naciones que comparten fronteras terrestres con los Estados Unidos, tienden a resistir el cambio de ciudadanía más que otros. Ambos resultados parecen reflejar el impacto de un factor más general, que pudiera llamarse la «reversabilidad» potencial de la emigración: los inmigrantes para los que el retorno se hace más difícil debido a las condiciones políticas en su país de origen o el alto costo y la dificultad de viajar tienden a naturalizarse en número mayor que aquellos para los que volver significa sólo un simple paseo en autobús (Jasso y Rosenzweig, 1984; Portes y Mozo, 1985).

Los estudios sobre los determinantes cercanos de la ciudadanía se han enfocado, generalmente, a esas minorías específicas con las más bajas propensiones para naturalizarse. Los inmigrantes mexicanos son notorios en este sentido, su conducta colectiva ha dado lugar al surgimiento de una enorme brecha entre la cantidad de ciudadanos potenciales elegibles (y votantes) y su tamaño real. Por esta razón, varios estudios recientes han tratado de identificar los principales determinantes de las predisposiciones y las conductas en relación a la ciudadanía norteamericana dentro de la población inmigrante mexicana. Esta investigación comprende análisis cuantitativos (Garcia, 1981; Grebler, 1966) y observaciones etnográficas (Alvarez, 1985; Fernández, 1984; North, 1985; Cornelius, 1981). Varios estudios han notado una correlación entre las variables sociopsicológicas, tales como la autoidentidad como mexicano, las actitudes hacia la sociedad norteamericana, y las esperanzas de regresar a México con los planes para la naturalización. Con pocas excepciones, sin embargo, estos resultados se basan en datos «cros-seccionales» y, por tanto, no es posible determinar si es que estas orientaciones subjetivas desempeñan un papel causal en la decisión individual o si es que éstas son, simplemente, racionalizaciones *post-factum*.

Los estudios que enfocan variables más objetivas han identificado características como el tiempo de residencia en los EE.UU., el nivel educativo, el conocimiento del inglés, el estado civil, la ciudadanía del marido o la mujer, y el lugar de residencia como potencialmente significativos. En general, la propensión a la naturalización surge en estos estudios como resultado de un complejo de determinantes que incluye: a) las motivaciones y necesidades individuales; b) el conocimiento y las destrezas; y c) los factores facilitadores. Los inmigrantes mexicanos cuya fortuna en los Esta-

◆

(4) La única excepción —un estudio por Barkan y Khoklov (1980) que se refiere, específicamente, al modelo de Bernard—, se basa en un cuestionable cálculo de variables y en un uso defectuoso del método analítico de factor.

dos Unidos está limitada a un trabajo de pobre paga con el que mantener a la familia o para futuras inversiones en México tienen poca motivación para obtener la ciudadanía estadounidense. Aquellos que, por otra parte, han adquirido propiedades, cuyos cónyuges o hijos son ciudadanos norteamericanos, y que comienzan a sentir dificultad para una movilidad ascendente debido a su *status* legal poseen muchos más incentivos para iniciar el proceso (Alvarez, 1985; Portes y Curtis, 1986).

La motivación no es suficiente, sin embargo, porque la adquisición de la ciudadanía no es tarea fácil. Para la mayoría de los inmigrantes, ello exige el conocimiento del inglés y algún conocimiento de cívica estadounidense a fin de pasar el examen de naturalización. Por tanto, los inmigrantes mejor educados, los que han vivido más tiempo en el país, y están mejor informados sobre esto tienden a enfrentarse con menos obstáculos que otros. Finalmente está la cuestión de la ayuda externa. Hay dos factores que desempeñan los papeles más significativos al respecto: las redes sociales y la conducta de los organismos oficiales a cargo del proceso. Las redes limitadas a los parientes y amigos de los mexicanos tienden a no apoyar el proceso de naturalización (García, 1981; Fernández, 1984) mientras que las que incluye parientes y amigos que son nativos o naturalizados norteamericanos pueden facilitarlo.

El principal organismo gubernamental ocupado en este proceso es el *Servicio de Inmigración y Naturalización de los EE.UU. (INS)* y su conducta hacia los solicitantes ha sido, decididamente, mixta. Las investigaciones etnográficas han identificado el «miedo al INS» como una barrera de significación entre los inmigrantes mexicanos (Alvarez, 1985). En *The Long Gray Welcome,* un estudio a fondo de los procedimientos de naturalización de la agencia, North (1985) destaca los numerosos obstáculos —desde gran atraso en el trabajo burocrático hasta examinadores arbitrarios— a menudo lanzados en el camino de inmigrantes pobres y de bajo nivel educativo. Frente a tales barreras, la pregunta apropiada pudiera no ser ¿por qué son tan pocos los mexicanos que se naturalizan? sino más bien ¿por qué tantos se deciden a hacerlo y lo logran?

VI. Conclusión

A diferencia de las investigaciones sobre las minorías étnicas europeas en las que el tópico de interés es más histórico en su orientación, el estudio de los grupos de origen hispano incluye cuestiones muy contemporáneas que llevan todas las de persistir y ganar relevancia en el futuro. Una cuestión importante es si la etiqueta «hispano» en sí misma perdurará. Como se ha visto más arriba, los dirigentes políticos de varios grupos han empezado a cooperar, al menos en forma limitada, en búsqueda de intereses comunes. Además, el uso gubernamental, periodístico y académico del término reforzará su actualidad. Por otra parte, la situación económica y social de los grupos así llamados parece estar evolucionando de maneras, crecientemente separadas y distintas. Además de la diferenciación entre los grandes grupos discutidos, otros —tales como los dominicanos, los colombianos y los salvadoreños— están creciendo con rapidez y, seguramente, aumentarán la complejidad del panorama. Cualquiera que sea el destino del término general de referencia, las investigaciones sobre las minorías de origen hispano es probable que se hagan más matizadas a medida que los estudiosos aprendan a apreciar la identidad propia y la situación económica de cada uno, y a medida que los nuevos grupos se identifiquen para ser estudiados.

Esta reseña de la literatura sociológica no ha sido ni exhaustiva ni representativa de todos los intereses. Los lectores que se interesen en una más amplia discusión pueden consultar un número de compendios recientes tan extensos como libros que incluyen *Los hispanos en los Estados Unidos* de Moore y Pachón y *La población hispana en los Estados Unidos,* de orientación demográfica pero de fácil lectura, por Bean y Tienda (1987). Aun así, los temas tocados en el limitado espacio de este capítulo —los módulos de incorporación al mercado de trabajo y sus consecuencias; la adquisición del idioma; la naturalización y la participación política— es bien probable que sigan siendo de central importancia para estas minorías étnicas y para los papeles que, individual y colectivamente, desempeñarán en la sociedad norteamericana.

Cuadro I. Características selectivas de los grupos de origen hispano

Variable	Mexicanos	Puertorriqueños	Cubanos	Otros hispanos	Total EE.UU.
Número en millones	8,7	2,0	0,8	3,1	226,5
Edad promedio	21,9	22,3	37,7	25,5	30,0
% de nativos	74,0	96,9	22,1	60,5	93,8
% de familias encabezadas por mujeres	16,4	35,3	14,9	20,5	14,3
Promedio de años escolares completados *(a)*	9,6	10,5	12,2	12,3	12,5
% de graduados de secundaria *(a)*	37,6	40,1	55,3	57,4	66,5
% con 4 o más años universitarios *(a)*	4,9	5,6	16,2	12,4	16,2
% en la fuerza laboral *(b)*	64,6	54,9	66,0	64,6	62,0
% de mujeres en la fuerza laboral *(b)*	49,0	40,1	55,4	53,4	49,9
% de mujeres casadas en la fuerza laboral *(c)*	42,5	38,9	50,5	45,7	43,9
% de auto-empleados *(d)*	3,5	2,2	5,8	4,5	6,8
% de desempleados	9,1	11,7	6,0	8,0	6,5
% profesional —especialidad, ejecutivo y gerencial—					
Empleos - hombres	11,4	14,1	22,0	19,0	25,8
Empleos - mujeres *(d)*	12,6	15,5	17,9	17,2	24,7
% de operarios y trabajadores - hombres	30,4	30,9	23,1	23,8	18,3
% de operarios y trabajadores - mujeres *(d)*	22,0	25,5	24,2	19,9	11,7
Promedio del ingreso familiar	14.765	10.734	18.245	16.230	19.917
Promedio del ingreso de matrimonios con sus hijos	14.855	13.428	20.334	16.708	19.630
% de familias con ingresos de $50.000 o más	1,8	1,0	5,2	3,6	5,6
% de todas las familias por debajo del nivel de pobreza	20,6	34,9	11,7	16,7	9,6

a) Personas de 25 años o mayores.
b) Personas de 16 años o más.
c) Mujeres de 16 ó más años; el marido presente e hijos menores de 6 años.
d) Personas empleadas de 16 años o mayores.

Fuente: U.S. Bureau of the Census: 1983a. Cuadros 39, 48, 70.
U.S. Bureau of the Census: 1983b. Cuadros 141, 166-171.

Cuadro 2. Empresas de origen hispano y de propiedad negra en los Estados Unidos

Variable	Mexicanos	Puertorriqueños	Cubanos	Hispanos	Negros
Número de empresas 1977	116.419	13.491	30.336	219.355	231.203
Empresas por 100.000 de población	1.468	740	3.651	1.890	873
Promedio bruto de recibos por empresa ($1.000)	44,4	43,9	61,6	47,5	37,4
Empresas con empleomanía pagada, 1977	22.718	1.767	5.588	41.298	39.968
Empresas con empleomanía por 100.000 de población	286	97	672	356	151
Promedio de empleados por empresa	4,9	3,9	6,6	5,0	4,1
Promedio bruto de recibos por empresa con empleados ($1.000)	150,4	191,9	254,9	172,9	160,1
Las diez mayores empresas industriales hispanas, 1984:					
% localizado en el área de la concentración del grupo (a)	40	10	50	100	—
Ventas aproximadas ($1.000.000) ...	402	273	821	2.317	—
Número de empleados	5.800	1.100	3.175	10.075	—
Los diez mayores bancos de ahorros de propiedad hispana, 1984:					
% en el área de concentración del grupo (a)	40	20	40	100	—
Total en valores ($1.000.000)	1.204	489	934	2.627	—
Total en depósitos ($1.000.000) ...	1.102	434	844	2.380	—

a) Las áreas del suroeste para los mexicanos; New York y sus vecindades para los puertorriqueños; el área metropolitana de Miami para los cubanos.
Fuentes: Bureau of the Census (1977), *Hispanic Review of Business* (1985).

Cuadro 3. La posición socioeconómica de los inmigrantes cubanos y mexicanos después de seis años en los Estados Unidos

Variable	Mexicanos (N = 455)	Cubanos (N = 413)
% en la ciudad de mayor concentración	23,7	97,2
% que habla bien el inglés	27,4	23,7
% de propietarios de viviendas	40,2	40,0
% de autoempleados	5,4	21,2
% de empleados por otros mexicanos/cubanos	14,6	36,3
Promedio de ingreso mensual (a)	912	1.057
Promedio de ingreso mensual de empleados en grandes empresas de propiedad anglo (a)	1.003	1.016
Promedio de ingreso mensual en empresas fuera del enclave (a)	880	952
Promedio de ingreso mensual en empresas del enclave (a) ..	—	1.111
Promedio de ingreso mensual de cubanos auto-empleados ..	—	1.495

a) dólares en 1979.
Fuente: Portes y Bach (1985), capítulos 6 y 7.

Cuadro 4. Auto-informes y medidas objetivas del conocimiento del inglés

Variable	Cubanos		Mexicanos		Puertorriqueños	
	nativos	no nativos	nativos	no nativos	nac. en EE.UU.	nac. en P.R.
% que dice habla bien el inglés, 1980 (a)	94,3 (3.503) (b)	58,0 (29.888)	92,6 (177.149)	45,4 (93.422)	96,1 (19.078)	69,5 (43.677)
% que dice habla bien el inglés —inmigrantes, 1979 (c)		38,3 (413)		46,2 (452)		
% con calificación alta en el Indice de Conocimiento del Inglés, 1979 (c) ...		16,0		17,3		
1973		12,3 (590)		14,5 (822)		
% que dice habla bien el inglés —entrantes del Mariel, 1983 (d)		33,7 (558)				
% con calificaciones altas en el Indice de Conocimiento del Inglés 1983 (d) .		22,6				

Variable	Inmigrantes cubanos (c)		Inmigrantes mexicanos (c)	
	1976	1979	1976	1979
% satisfecho con su vida actual	(427) 81,3	(413) 93,7	(439) 79,1	(454) 78,8
% que piensa quedarse permanentemente en los EE.UU.	88,5	95,9	85,2	88,3
Las mayores dificultades experimentadas para la adaptación en EE.UU., %				
Falta de inglés	42,3	49,1	43,9	28,7
Desempleo, bajos salarios, etc.	29,4	20,1	30,6	39,6
Costumbres, adaptación cultural	10,2	6,2	11,0	9,6
Problemas familiares	3,0	3,3	4,2	4,7
Problemas de salud	10,5	17,0	6,1	8,2
Otros	4,6	4,3	4,2	9,2

a) Datos del 5 % del Muestreo para Uso Público, Censo de 1980.
b) Cantidades de los muestreos entre paréntesis.
c) Estudio longitudinal sobre inmigrantes cubanos y mexicanos, 1973-79.
d) Encuesta de 1980 (Mariel) de refugiados cubanos establecidos en el área metropolitana de Miami.
e) Los que responden indican, al menos, un problema mayor.
Fuentes: Nelson y Tienda, 1985, Cuadro I; Portes y Stepick, 1985, Cuadro 4; tabulaciones por el autor.

Cuadro 5. La adquisición de la ciudadanía de EE.UU. por países y regiones selectivas, 1970-80

	Naturalizados 1971-80	% del total	Coterráneos de 1970 (b)	Naturalizados en la próxima década	% de coterráneos	Año tope en la década (c)
Cuba	178.374	12	16.334	7.621	47	8vo. (2.444)
México	68.152	5	44.469	1.475	3	9no. (404)
Centro y Sur América	40.843	3	31.316	6.161	20	9no. (1.480)
Canadá	130.380	9	13.804	856	6	8vo. (182)
Europa Occidental	371.683	25	92.433	17.965	19	7mo. (5.103)
Asia	473.754	32	92.816	44.554	48	7mo. (15.129)
Totales	1.464.772		373.326	94.532	25	7mo. (27.681)

a) Todos los países. Las cifras en las columnas no cuadran con los totales por la exclusión de otras regioens del mundo —Africa, Europa Oriental y Oceanía—.

b) El número de inmigrantes admitidos con residencia legal.

c) Los años de las más numerosas naturalizaciones durante la década después de la entrada legal. El número de naturalizados está en paréntesis.

Fuente: Servicio de Inmigración y Naturalización de EE.UU., Annual Reports.

Fuentes bibliográficas citadas

Alba, R.D. (1985), *Italian Americans: Into the Twilight of Ethnicitiy*, Englewood Cliffs, N.J., Prentice-Hall.

Alvarez, R.R. (1985), «A profile of the citizenship process among Hispanics in the United States: An anthropological perspective», *Special Report to the National Association of Latin Elected Officials*, 34 pp. (mimeografiado).

Bach, R.L. (1985), «Socialist construction and Cuban emigration: Explorations into Mariel», *Cuban Studies*, 15 (summer), pp. 19-36.

Bach, R.L.; Gordon, L.W.; Haines, D.W.; Howell, D.R. (1984), «The economic adjustment of Southeast Asian refugees in the U.S.», pp. 51-56, en *U.N. Commission for Refugees, World Refugee Survey 1983*, Geneva, United Nations.

Barkan, E.; Khoklov, N. (1980), «Socioeconomic data as indices of naturalization patterns in the United States: A theory revisited», *Ethnicity*, 7.

Barrera, M. (1980), *Race and Class in the Southwest: A Theory of Racial Inequality*, Notre Dame, en Notre Dame University Press.

Bean, F.D.; King, A.G.; Passel, J.S. (1983), «The number of illegal migrants of Mexican origin in the United States: Sex ratio based estimates for 1980», *Demography*, 20, pp. 99-109.

Bean, F.D.; King, A.G.; Passel, J.S. (1986), «Estimates of the size of the illegal migrant population of Mexican origin in the United States: An assessment, review, and proposal», pp. 13-26, en H.L. Browning and R. de la Garza (eds.), *Mexican Immigrants and Mexican Americans: An Evolving Relation*, Austin, Center for Mexican-American Studies, University of Texas.

Bean, F.D.; Swicegood, C.G.; King, A.G. (1985), «Role incompatibility and the relationship between fertility and labor supply among Hispanic women», pp. 221-242, en G.J. Borjas and M. Tienda (eds.), *Hispanics in the U.S. Economy*, Orlando, FL, Academic Press.

Bean, F.D.; Tienda, M. (1987), *The Hispanic Population of the United States*, New York, Russell Sage Foundation.

Bernard, W.A. (1936), «Cultural determinants of naturalization», *American Sociological Review*, 1 (december), pp. 943-953.

Bonilla, F.A.; Campos, R. (1981), «A wealth of poor: Puerto Ricans in the new economic order», *Daedalus*, 110, pp. 133-176.

Bonilla, F.A.; Campos, R. (1982), «Imperialist initiatives and the Puerto Rican workers: From Foraker to Reagan», *Contemporary Marxism*, 5, pp. 1-18.

Boswell, T.D.; Curtis, J.R. (1984), *The Cuban-American Experience*, Totowa, NJ, Rowman and Allanheld.

Botifoll, L.J. (1984), «How Miami's new image was created», *Occasional Paper*, 1985-1, Institute of Interamerican Studies, University of Miami.

Browning, H.L.; Rodríguez, N. (1985), «The migration of Mexican indocumentados as a settlement process: Implications for work», pp. 277-297, en G.J. Borjas and M. Tienda (eds.), *Hispanics in the U.S. Economy*, Orlando, FL, Academic Press.

Camarillo, A. (1979), *Chicanos in a Changing Society*, Cambridge, MA, Harvard University Press.

Candace, N.; Tienda, M. (1985), «The structuring of Hispanic ethnicity: Historical and contemporary perspectives», *Ethnic and Racial Studies*, 8 (jan.), pp. 49-74.

Cardona, R.C.; Cruz, C.I. (1980), *El Exodo de Colombianos*, Bogotá, Ediciones Tercer Mundo.

Centro de Estudios Puertorriqueños (1979), *Labor Migration under Capitalism*, New York, Monthly Review Press.

Cornelius, W.A. (1977), «Illegal immigration of the United States: Recent research findings, policy implications and research priorities», *Working paper*, Center for International Studies, M.I.T.

Galarza, E. (1977), *Farm Workers and Agri-business in California, 1947-1960*, Notre Dame, en Notre Dame University Press.

García, J.A. (1981), «Political integration of Mexican immigrants: Explorations into the naturalization process», *International Migration Review*, 15 (winter), pp. 608-625.

Glaessel-Brown, E. (1985), *Colombian Immigrants in the Industries of the Northeast*, unpublished Ph.D. Dissertation, Department of Political Science, Massachusetts Institute of Technology.

Glazer, N. (1981), «Pluralism and the new immigrants», *Society*, 19 (nov.-dec.), pp. 31-36.

Glazer, N.; Moynihan, D.P. (1963), *Beyond the Melting Pot: The Negroes, Puerto Ricans, Jews, Italians, and Irish of New York City*, Cambridge, M.A., M.I.T. Press.

Grasmuck, S. (1984), «Immigration, ethnic stratification, and native working-class discipline: Comparisons of documented and undocumented Dominicans», *International Migration Review*, 18 (fall), pp. 692-713.

Grebler, L. (1966), «The naturalization of the Mexican immigrant in the U.S.», *International Migration Review*, 1, pp. 17-32.

Grebler, L.; Moore, J.W.; Guzmán, R.C. (1970), *The Mexican-American People: The Nation's Second Largest Minority*, New York, The Free Press.

Hendricks, G.L. (1974), *The Dominican Diaspora: From the Dominican Republic to New York City*, New York, Teacher's College Press of Columbia University.

Hirschman, C.; Falcón, L.M. (1985), «The educational attainment of religio-ethnic groups in the United States», *Research in Sociology of Education and Socialization*, 5, pp. 83-120.

Hispanic Review of Business (1985), *Annual Survey of Hispanic Business, 1984* (june-july).

Cornelius, W.A. (1981), «The future of Mexican immigrants in California: A new perspective for public policy», *Working paper on public policy, 6*, Center for U.S.-México Studies of the University of California, San Diego.

De la Garza, R.; Flores, A. (1986), «The impact of Mexican immigrants on the political behavior of Chicanos», pp. 211-229, en H.L. Browing and R. de la Garza (eds.), *Mexican Immigrants and Mexican Americans: An Evolving Relation*, Austin, Center for Mexican-American Studies of the University of Texas.

DeWind, J.; Seidl, T.; Shenk, J. (1977), «Contract labor in U.S. Agriculture», *NACLA Report on the Americas*, 11 (nov.-dec.), pp. 4-37.

Díaz-Briquets, S.; Pérez, L. (1981), «Cuba: The demography of revolution», *Population Bulletin*, 36 (april), pp. 2-41.

Fagen, R.R.; Brody, R.A.; O'Leary, T.J. (1968), *Cubans in Exile: Disaffection and the Revolution*, Palo Alto, CA, Stanford University Press.

Falcón, A. (1983), «Puerto Rican politics in urban America: An introduction to the literature», *La Red* (july), pp. 2-9.

Fernández, C. (1984), *The causes of naturalization and non-naturalization for Mexican immigrants: An empirical study based on case studies*, Report to Project Participar (mimeo).

Fitzpatrick, J. (1971), *Puerto Rico Americans: The Meaning of Migration to the Mainland*, Englewood Cliffs, NJ, Prentice-Hall.

Fitzpatrick, J.; Gurak, D. (1975), *Hispanic Intermarriage in New York City*, New York, Fordham University Hispanic Research Center.

Galarza, E. (1964), *Merchants of Labor: The Mexican Bracero Story,* Santa Bárbara, McNally and Loflin.

Galarza, E. (1970), *Spiders in the House and Workers in the Field,* Notre Dame, en Notre Dame University Press.

Jasso, G.; Rosenzweig, M.R. (1985), «What's in a name? Country-of-origin influences on the earnings of immigrants in the United States», *Bulletin,* 85-4, Economic Development Center, University of Minnesota (mimeo).

Jennings, J. (1977), *Puerto Rican Politics in New York City,* Washington, DC, University Press.

Lewis, Oscar (1966), *La Vida: A Puerto Rican Family in the Culture of Poverty,* New York, Random House.

Llanes, J. (1982), *Cuban-Americans, Masters of Survival,* Cambridge, MA; Abt. Massey, D.S. (1981), «Hispanic residential segregation: A comparison of Mexicans, Cubans, and Puerto Ricans», *Sociology and Social Research,* 63, pp. 311-322.

Massey, D.S. (1986), «The settlement process among Mexican immigrants to the United States», *American Sociological Review,* 51 (forthcoming).

Massey, D.S. (1986), «Understanding Mexican migration to the United States», *American Journal of Sociology,* 92 (forthcoming).

Mills, C.W.; Senior, C.; Goldsen, R. (1950), *Puerto Rican Journey,* New York, Harper and Row.

Mirandé, A. (1985), *The Chicago Experience, an Alternative Perspective,* Notre Dame, en Notre Dame University Press.

Moore, J.; Pachón, H. (1985), *Hispanics in the United States,* Englewood Cliffs, NJ, Prentice-Hall.

Murguía, E. (1975), *Assimilation, Colonialism, and the Mexican American People,* Austin, Center for Mexican-American Studies of the University of Texas.

Nazario, S. (1983), «After a long holdoutl. Cubans in Miami take a role in politics», *Wall Street Journal,* june 7.

North, D.S. (1985), *The Long Gray Welcome: A Study of the American Naturalization Program,* Monograph report to the National Association of Latin Elected Officials (mimeo).

Padilla, E. (1958), *Up from Puerto Rico,* New York, Columbia University Press.

Passel, J.S. (1985), *Undocumented immigrants: How many?,* Paper presented at the annual meeting of the American Statistical Association, Las Vegas.

Pedraza-Bailey, S. (1985a), *Political and Economic Migrants in America: Cubans and Mexicans,* Austin, University of Texas Press.

56

Pedraza-Bailey, S. (1985b), «Cuba's exiles: Portrait of a refugee migration», *International Migration Review,* 19 (spring), pp. 4-34.

Pérez, L. (1986), «Immigrant economic adjustment and famility organization: The Cuban sucess story reexamined», *International Migration Review,* 20 (spring), pp. 4-20.

Pessar, P.R. (1982), «The role of households in international migration and the case of U.S.-bound migration from the Dominican Republic», *International Migration Review,* 16 (summer), pp. 342-364.

Petersen, M.F.; Maidique, M.A. (1986), *Success patterns of the leading Cuban-American entrepreneurs,* Innovation and Entrepreneurship Institute, University of Miami (mimeo).

Portes, A. (1984), «The rise of ethnicity: Determinants of ethnic perceptions among Cuban exiles in the United States», *American Sociological Review,* 49 (june), pp. 383-397.

Portes, A.; Bach, R.L. (1985), *Latin Journey, Cuban and Mexican Immigrants in the United States,* Berkeley, University of California Press.

Portes, A.; Curtis, J. (1986), *Changing flags, naturalization and its determinants among Mexican immigrants,* Unpublished research report, Program in Comparative International Development, The Johns Hopkins University.

Portes, A.; Manning, R.D. (1986), «The immigrant enclave: Theory and empirical examples», pp. 47-64, en J. Nagel and S. Olzak (eds.), *Competitive Ethnic Relations,* Orlando, FL, Academic Press.

Portes, A.; Mozo, R. (1985), «The political adaptation process of Cubans and other ethnic minorities in the United States», *International Migration Review,* 19 (spring), pp. 35-63.

Portes, A.; Stepick, A. (1985), «Unwelcome immigrants: The labor market experiences of 1980 (Mariel) Cuban and Haitian refugees in South Florida», *American Sociological Review,* 50, (august), pp. 493-514.

Reichert, J.S. (1981), «The migrant syndrome: Seasonal U.S. wage labor and rural development in Central México», *Human Organization,* 40 (spring), pp. 59-66.

Reichert, J.S.; Massey, D.S. (1979), «Patterns of U.S. migration from a Mexican sending community: A comparison of legal and illegal migrants», *International Migration Review,* 13 (winter), pp. 599-623.

Reichert, J.S.; Massey, D.S. (1980), «History and trends in U.S. bound migration from a Mexican town», *International Migration Review,* 14 (winter), pp. 475-491.

Reimers, C.W. (1985), «A comparative analysis of the wages of Hispanics, blacks, and non-Hispanic whites», pp. 27-75, en G.J. Borjas and M. Tienda (eds.), *Hispanic in the U.S. Economy,* Orlando, FL, Academic Press.

Rogg, E.; Cooney, R. (1980), *Adaptation and Adjustment of Cubans: West New York*, New York, Fordham University Hispanic Research Center.

Roybal, E.R. (1984), «Welcome statement», p. 7, en *Proceedings of the First National Conference on Citizenship and the Hispanic Community*, Washington, DC, National Association of Latin Elected Officials.

Samora, J. (1971), *Los Mojados: The Wetback Story*, Notre Dame, en Notre Dame University Press.

Sánchez-Korrol, V. (1983), *From Colonia to Community*, Westport, CT, Greenwood Press.

Sassen-Koob, S. (1979), «Formal and informal associations: Domicans and Colombians in New York», *International Migration Review*, 13 (summer), pp. 314-332.

Sassen-Koob, S. (1980), «Immigrant and minority workers in the organization of the labor process», *Journal of Ethnic Studies*, 1 (spring), pp. 1-34.

Stolzenberg, R.M. (1982), *Occupational Differences Between Hispanics and Non-Hispanics*, Report to the National Commission for Employment Policy, Santa Mónica, CA, The Rand Corporation.

Tienda, M.; Jensen, L. (1985), «Immigration and public assistance participation: Dispelling the myth of dependency», *Discussion paper*, 777-85, Institute for Research on Poverty, University of Wisconsin-Madison (mimeo).

Tienda, M.; Lee, D.T. (1986), *Migration, market insertion, and earnings determination of Mexicans, Puerto Ricans and Cubans*, Paper presented at the annual meetings of the American Sociological Association, New York.

U.S. Bureau of the Census (1980), *1977 Survey of Minority-Owned Business Enterprises*.

U.S. Bureau of the Census (1983a), *General Population Characteristics, United States Summary*.

U.S. Bureau of the Census (1983b), *General Social and Economic Characteristics, United States Summary*.

U.S. Bureau of the Census (1983), *Condition of Hispanics in America Today*, Special Release, september 13.

U.S. Immigration and Naturalization Service (1984), *Annual Report*.

Waldinger, R. (1985), «Immigration and industrial change in the New York City apparel industry», pp. 323-349, en G.J. Borjas and M. Tienda (eds.), *Hispanics in the U.S. Economy*, Orlando, FL, Academic Press.

Warren, R. (1979), «Status report on naturalization rates», *Working paper*, CO 1362, 6C, U.S. Bureau of the Census (mimeo).

Wilson, K.L.; Martin, W.A. (1982), «Ethnic enclaves: A comparison of the Cuban and black economies in Miami», *American Journal of Sociology,* 88 (july), pp. 135-160.

Wilson, K.L.; Portes, A. (1980), «Immigrant enclaves: An analysis of the labor market experience of Cubans in Miami», *American Journal of Sociology,* 86 (sept.), pp. 295-319.

Wood, C.H. (1984), *Caribbean cane cutters in Florida: A study of the relative cost of foreign and domestic labor,* Paper presented at the annual meetings of the American Sociological Association, San Antonio.

Frank de Varona

**España e Hispanoamérica: aliados olvidados
de la revolución americana**

España e Hispanoamérica: aliados olvidados de la revolución americana

Casi cualquier americano que haya estudiado historia de los Estados Unidos está consciente del papel tan importante que desempeñó Francia en la revolución americana. Los historiadores han descrito las contribuciones de franceses como el marqués de Lafayette, el conde de Rochambeau y el almirante de Grasse, así como la ayuda de los polacos Casimir Pulaski y Thaddeus Kosciusko y el alemán baron von Steuben, pero ¿está esta lista completa? ¡Por supuesto que no! España y sus colonias rindieron servicios valiosos a las trece colonias durante esa época aportando sustanciales fuerzas navales y militares así como considerable ayuda financiera. Muchos hispanos pelearon y murieron en batallas en el valle Mississipi y en el golfo de México. Muchas batallas, tanto grandes como pequeñas, se han reseñado en textos de historia; sin embargo, no dan referencia de las muchas batallas en las que pelearon soldados españoles, cubanos, mexicanos, puertorriqueños, dominicanos y venezolanos. Luis Botifol, como presidente del Republic National Bank de Miami, dice: «una conspiración del silencio».

Las razones de estas grandes omisiones históricas son enigmáticas. ¿Será porque España le declaró la guerra a Gran Bretaña en junio de 1779 como aliada de Francia y no de Norteamérica? ¿Será porque los historiadores norteamericanos han heredado la antipatía tradicional de Gran Bretaña hacia España? ¿Será porque los Estados Unidos peleó contra México y España en la guerra del siglo diecinueve? ¿Acaso persiste hasta la presente la leyenda negra propagada por Gran Bretaña para desacreditar a España durante la cumbre de su gloria en el siglo dieciséis? ¿O es sólo un caso de negligencia histórica? Cualesquiera que sean las razones, esta injusticia histórica tiene que enmendarse.

Los hispanos tienen derecho a saber, especialmente los estudiantes que asisten a escuelas e instituciones de enseñanza superior, que también ellos han contribuido al establecimiento y al crecimiento de la primera democracia del mundo moderno.

Este conocimiento no es sólo importante para los hispanos en términos de su amor propio, su orgullo y mejor apreciación de su herencia, sino también como medio de acrecentar su estimación hacia instituciones americanas que sus propios antecesores ayudaron a crear.

Hubiera sido muy fácil para las trece colonias emprender con éxito una guerra en 1775 contra Gran Bretaña, la potencia naval y militar más fuerte de Europa. Los historiadores estiman que solamente un tercio de los norteamericanos querían la independencia; otro tercio se oponía vivazmente, mientras que el resto se mantenía neutral. No cabe duda de que sin el gran apoyo financiero, naval y militar de Francia, España y los Países Bajos, aunque en menor escala, la revolución norteamericana no hubiera podido triunfar. También merece hacer notar que, en una serie de cartas, el general George Washington reconoce la importancia de la ayuda española a los esfuerzos de la guerra, aun después de la participación de Francia.

En una carta fechada el 4 de octubre de 1778, George Washington le confiesa a Morris: «Si los españoles hubieran unido su flota a la de Francia y emprendido hostilidades, mis dudas hubieran disminuido...» El 11 de noviembre de 1778, el general le escribió al presidente del Congreso: «Actualmente, los ingleses son enormemente superiores a los franceses marítimamente en América, y lo seguirán siendo en todos los aspectos, a no ser que España se interponga...» El 14 de noviembre de 1778, el general Washington le indicó a Laurens: «La verdad de la posición depende exclusivamente de los acontecimientos navales. Si Francia y España se unieran y obtuvieran una superioridad decisiva por mar, una reunión con Inglaterra sería de poco provecho...» El 3 de septiembre de 1779, después de recibir noticias de la declaración española de guerra contra Gran Bretaña, el general Washington le escribió a Sullivan: «Tengo el placer de informarte que España, al fin, ha tomado una parte decisiva... se espera que esta formidable bifurcación de la Casa de los Borbones no falle en establecer la independencia de Norteamérica en corto tiempo...» (Martínez, 1987, p. 10).

Los historiadores no han explicado adecuadamente el valor e importancia de la ayuda extranjera, tanto militar como monetaria, a la guerra de independencia. Es como si el reconocer este hecho, disminuyera o manchara de algún modo, el enorme coraje demostrado y los sacrificios sufridos por las tropas americanas durante la lucha.

Ayuda financiera a la revolución americana

Antes de firmar la Declaración de Independencia en 1776, el embajador español en Francia, el conde de Aranda, se reunió con el ministro francés de Asuntos Extranjeros, el conde de Vergennes, para discutir cómo podría cada nación ayudar a las colonias americanas. El rey de Francia, Luis XVI, era sobrino del rey de España, Carlos III. Ambos monarcas estaban unidos por el Pacto de Familia de los Borbones, y vieron la rebelión como una oportunidad para castigar a su antigua adversaria, Gran Bretaña. Francia y España habían sufrido mucho durante la guerra de los Siete Años, conocida también como la guerra Francesa e India. Gran Bretaña había ganado Canadá de Francia y la tierra este del río Mississipi, excepto la ciudad de Nueva Orleans. España había perdido La Habana a manos de Inglaterra, y había sido forzada a ceder la Florida, para recuperar la capital cubana. Francia, no interesada en quedarse con Luisiana, se la cedió a España. Ahora, sin embargo, ambas encuentran una oportunidad única, aunque de las dos, España tenía más que perder en una guerra contra Inglaterra. Si España resultara victoriosa, unos Estados Unidos independientes fijarían un mal precedente para su vasto imperio colonial en América del Norte, Central y del Sur. Si fuera derrotada, España pudiera perder más territorio en Europa o el Nuevo Mundo. A pesar de todo, se sobrepuso a sus temores de ser un «mal ejemplo» y decidió ayudar a las colonias y, más tarde, emprendió la guerra contra Gran Bretaña. También es importante indicar que el rey Carlos III quería recuperar Gibraltar, la isla de Menorca, la Florida, y quizás Jamaica, la cual había sido perdida a manos de Inglaterra en guerras anteriores. Esperaba que participando en la guerra lograría todo esto. Bajo el reinado de Carlos III, España experimentó un renacimiento en todas las áreas. Carlos III, uno de los mejores monarcas en la historia española, preparó bien a su país para la guerra contra Gran Bretaña.

El primer paso de Francia y España fue dar a las colonias un regalo de dos millones de libras tornesas, una moneda francesa; un millón cada país. Por la carta del embajador español en París al primer ministro español se sabe que lo siguiente fue entregado a los americanos: 216 cañones de bronce, 209 cureñas de cañón, 27 morteros, 29 locomotoras acopladas, 12.826 bombas, 51.134 balas, 300.000 cajas de pólvora, 30.000 escopetas y bayonetas, 4.000 tiendas de campaña y 30.000 trajes (Archivo Histórico Nacional, legajo 4072, 7 de septiembre de 1776). Una corporación española: Rodríguez, Hortález y Compañía se creó para manejar los embarques. Esta corporación también financió el viaje del barón von Steuben y, más tarde, la del general Lafayette, ambos habiendo rendido servicios incalculables al general Washington. España también permitió a privados norteamericanos usar sus puertos así como los de sus colonias. Benjamin Franklin, deseando obtener aún más ayuda española, envió a Arthur Lee a España. En Burgos, el 1 de marzo de 1777, Lee le entregó una lista de provisiones al marqués de Grimaldi. Actuando como intérprete en dicha junta se encontraba Diego Gardoqui, un rico banquero de Bilbao. Lee recibió 50.000 pesos de oro de España, 81.000 libras tornesas, y otros 100.000 pesos en junio (Fernández, 1985, p. 4). Mediante la corporación Gardoqui e Hijos, España continuó ayudando a las colonias americanas hasta el final de la guerra; Diego Gardoqui, más tarde, sirvió como embajador de España en Estados Unidos desde 1785 hasta 1789.

Las colonias españolas también aportaron considerable ayuda financiera a los norteamericanos. Los gobernadores de Luisiana, Luis de Unzaga y Bernardo de Gálvez le dieron pólvora, armas, alimentos, medicinas y otras provisiones vitales al general Charles Lee, segundo bajo el mando del general Washington y el general George Rogers Clark. La ayuda española resultó de mucha importancia para el ejército continental y la próspera campaña del general Clark en el valle Ohio. En California, fray Junípero Serra, el fundador de las misiones españolas en ese Estado, pidió que cada español contribuyera con dos pesos, y cada indio con uno. La cantidad recaudada fue enviada al general francés Rochambeau quien dirigía un ejército en suelo norteamericano.

En la primavera de 1781, tanto el general Washington como el general Rochambeau estaban desesperados. Ambos comandantes necesitaban dinero para comprar alimentos, armas, ropas y provisiones, así como para pagar los sueldos de sus soldados que estaban atrasados.

El general Rochambeau escribió una serie de cartas al almirante De Grasse, cuya flota acababa de llegar a Santo Domingo. Rochambeau le informó a De Grasse de que a los americanos se les estaban terminando los recursos y necesitaban 1.200.000 libras para lanzar un ataque contra los británicos. De Grasse no pudo recaudar esa considerable suma en la colonia de Santo Domingo, por eso envió a La Habana a tres de sus mejores fragatas, entre ellas *Aigrette* bajo el mando de Saint-Simon. Al llegar Saint-Simon, se puso en contacto con el gobernador de Cuba, Juan Miguel de Cagigal y su ayudante *(aide-de-champ)*, Francisco de Miranda. El dinero fue recaudado de distintas fuentes, principalmente por las damas de La Habana, que aportaron sus joyas y diamantes para la causa; muchos comerciantes habaneros también donaron fondos. ¿Por qué estaban las damas de La Habana interesadas en ayudar a los norteamericanos? Por una parte actuaba el deseo de extender el comercio y, por la otra, la lástima que sentían por la condición en que se encontraban otros colonos. Además, contaba el odio a los británicos, quienes habían capturado La Habana en 1762 y maltratado a sus habitantes.

El tesoro fue traído a Norteamérica por el almirante De Grasse y dividido entre las fuerzas norteamericanas y las francesas. El dinero ayudó al financiamiento de la campaña de Yorktown que terminó con la rendición de las tropas británicas el 31 de octubre de 1781. La ayuda financiera cubana fue crucial. El historiador norteamericano Stephen Bonsal dice: «el millón que fue dado a Saint-Simon por las damas de La Habana para pagar a las tropas, en verdad se puede considerar como la base en dólares sobre la cual fue erigido el edificio de la independencia norteamericana» (Bonsal, 1945, p. 120).

Además de la ayuda financiera, La Habana ayudó a los patriotas de otra forma significativa. Durante el conflicto, los barcos norteamericanos hallaron una bahía segura y fueron reparados y provistos de todo lo necesario gratuitamente en los astilleros de La Habana. La pequeña flota de siete barcos de Alexander Gillon de Carolina del Sur fue reparada, armada y abastecida de alimentos y otras provisiones en 1778, al costo de 64.424 pesos. Juan de Miralles, el futuro agente español de las colonias, asumió la responsabilidad financiera por los arreglos de la embarcación de Gillon (Portell-Vilá, 1978, p. 141). Los astilleros *El Arsenal* de La Habana eran los mejores del mundo. Barcos de guerra y mercantiles de todos los tamaños fueron construidos y reparados allí desde 1724 hasta 1796 (Sariego del Castillo, 1974, pp. 18-21).

La contribución financiera total de España y sus colonias es difícil de determinar ya que, al principio, la ayuda era secreta; el aporte económico llegaba de diferentes países de Europa, así como de Luisiana, California, México y Cuba. Sólo desde España fueron enviados 7.944.806 reales y 17 bellones maravedíes durante 1776, 1777 y 1778 (Archivo Histórico Nacional, legajo 3898, 28 de octubre de 1784). Una cosa es cierta, que sin la ayuda financiera tan significativa de España, hubiera sido muy difícil, si no imposible, que George Washington derrotara al ejército británico.

La misión diplomática de Juan de Miralles y Francisco Rendón

Aunque España no reconoció la independencia de los Estados Unidos después de la guerra y, por lo tanto, ambos países no fueron formalmente «aliados», envió dos representantes diplomáticos a las trece colonias. El Consejo de las Indias, encabezado por el ministro José de Gálvez, tío de Bernardo de Gálvez, aceptó la recomendación del capitán general de Cuba, Diego José Navarro, y nombró al comerciante habanero Juan de Miralles primer diplomático de las colonias.

Nacido en 1775 en Petrel, provincia de Alicante, España, Juan de Miralles había llegado a Cuba muy joven, donde luego se casó con María Josefa Eligio de la Puente, quien era miembro de una familia prominente en Cuba. Miralles se convirtió en un comerciante respetado y acaudalado y crió una larga familia. Hablaba bien el inglés y el francés y, en la década de los sesenta, se le pidió que asumiera una misión diplomática importante en las Colonias Unidas. No era embajador, sino comisionado real, y sirvió como agente u observador entre España y las colonias. Sus instrucciones eran vigilar los intereses españoles e informar al capitán general de Cuba y al ministro de las Indias en España.

Miralles y su secretario, Francisco Rendón, nacido en Jerez de la Frontera, España, llegaron a Charleston, Carolina del Sur, el 9 de enero de 1778, donde fueron tratados con gran respeto por el gobernador Edward Rutledge y otros líderes importantes. Miralles se quedó en Charleston durante unos cuantos meses; compró un barco e inició el comercio entre los dos países. Entonces viajó a Carolina del Norte y sostuvo conversaciones con el gobernador Abner Nash. El 28 de mayo llegó a Williamsburg, Virginia, donde el gobernador Patrick Henry y la Casa de Burgueses le dieron la bienvenida. Miralles discutió con los tres gobernadores sureños la posibilidad de atacar juntos la Florida británica. Pronto Miralles conoció a todos los líderes revolucionarios importantes, tales como Laurens, Lee y Randolph. Deteniéndose en Baltimore, Miralles inició comercio adicional con Cuba y, en julio, fue a Filadelfia y se mudó a una casa que hoy día ya no existe, 242 Sur Tercera Calle.

El nuevo comisionado español comenzó enseguida una serie de conferencias con miembros del Congreso Continental. También coordinó sus esfuerzos con Conrad Alexander Gerard, el embajador francés, y luego con su sucesor, el chevalier de Luzerne. Su agradable personalidad, elegancia, cultura, generosidad y habilidad para hablar el francés y el inglés, además de su lengua nativa, convirtieron a Miralles en el individuo más popular de Filadelfia. Junto con Robert Morris, el «financiero de la revolución americana», Miralles también estableció el comercio entre Filadelfia y La Habana. Igual que el embajador español en París, conde de Aranda, Miralles fue un gran defensor del esfuerzo de la revolución americana.

Miralles pronto conoció al general Washington y los dos se hicieron grandes amigos. *Pennsylvania Gazette* informó el 12 de noviembre de 1778 de que Miralles había comprado cuarenta y ocho reproducciones de una pintura del general Washington hecha por Charles Wilson Peale (Portell-Vilá, 1978, p. 68), y de que envió estos retratos a altos oficiales en La Habana y Madrid junto con cartas en las que alababa al general Washington. Luego compró cinco reproducciones de otra pintura del general Washington, también realizada por Peale, después de las batallas de Trenton y Princeton.

Además de las actividades comerciales entre Filadelfia, Baltimore, Charleston y La Habana, Miralles intercedió a favor de los españoles capturados por los británicos en Nueva York así como por los privados americanos. La amistad de Miralles con el general Washington se estrechó aún más indiscutiblemente por los obsequios que el general recibía frecuentemente del diplomático español. Miralles enviaba vino, chocolates, azúcar granulado, pasta de guayaba, limones, medicinas, carne de tortuga y joyas recibidas de Cuba no sólo al general Washington, sino a sus empleados y a las esposas de los mismos. En una época en que el Congreso no podía o no quería ayudar al ejército, los esfuerzos de Miralles para persuadir al Congreso a crear un ejército para atacar la Florida británica se desvanecían mientras las fuerzas norteamericanas eran derrotadas por los británicos en Charleston.

El general Washington y su esposa demostraron su gran estimación por Juan de Miralles cuando el diplomático enfermó de gravedad mientras visitaba al general en Morristown, acompañado del embajador francés de Luzerne. Ambos generales y la señora Washington cuidaron personalmente al diplomático ya enfermo de muerte. Miralles murió el día 28 de abril de 1780, y presidió su magnífico entierro el propio general Washington.

El general escribió al capitán general de Cuba, mariscal Diego Navarro, el 30 de abril de 1780:

«... Su Excelencia tendrá la bondad de creer que me complació hacer todo oficio de amistad a él durante su enfermedad, y que ningún cuidado o atención a nuestro alcance fue omitido para su comodidad o recuperación. Yo sinceramente le acompaño en sus sentimientos por la pérdida de tan estimado amigo, a quien desde su estancia con nosotros, con gusto lo he considerado entre el número de mis amigos. Debe ser, entonces, consolador para los allegados a él, saber que en este país él ha sido universalmente echado de menos...» (Martínez, 1987, pp. 20-21).

El secretario de Miralles, Francisco Rendón, fue su sucesor en el cargo diplomático. El continuó trabajando estrechamente con el general Washington, intercambiando información militar y extendió el comercio entre Cuba y las colonias. Rendón vivió en la misma casa de la Tercera calle en la que residió Miralles. Al finalizar el año 1781, Rendón ofreció su casa al general Washington quien con placer aceptó la invitación.

En 1967 el gobierno español colocó una placa en la casa que sustituyó a la residencia auténtica Miralles/Rendón, 242 Sur Tercera Calle, Filadelfia. Esta dice así:

«En este sitio se hallaba la casa, 1778-1780, de Juan de Miralles (1715-1780), el primer representante diplomático español en los Estados Unidos de América. Murió el 28 de abril de 1780, durante su visita al general Washington en su Cuartel General de Morristown. La misma casa fue residencia de su sucesor, Francisco Rendón, quien se la prestó al general Washington durante el invierno de 1781-1782. A través de estos oficiales, la ayuda militar y financiera española fue conducida a los patriotas americanos. Tributo del Gobierno de España, 1967» (Fernández, 1987, p. 14).

En 1785, Diego Gardoquí, el comerciante de Bilbao que condujo a las colonias toda la ayuda militar y financiera, fue nombrado embajador español en los Estados Unidos, siendo el primero en ocupar dicho cargo. Rendón, después de viajar extensamente a través de los Estados Unidos, fue intendente de Hacienda y tesorero oficial en Zacatecas, México, donde vivió durante el resto de su vida. El sitio final para el eterno descanso de Juan de Miralles fue la bóveda de la iglesia del Espíritu Santo en La Habana, Cuba.

Jorge Ferragut

Aproximadamente cien españoles fueron capturados por los británicos en Nueva York en cuyos nombres Juan de Miralles intercedió. Cuántos de estos soldados estuvieron en el Ejército Continental o cuántos hispanos pelearon en el ejército de Washington, no se sabe con certeza. Un español, en cambio, que peleó valientemente durante la revolución en la marina norteamericana y en el ejército, fue Jorge Ferragut, el padre del gran héroe de la guerra civil, el almirante David Glascow Farragut, que anglizó su apellido.

Jorge Ferragut nació en Ciudadela, Menorca, isla que los británicos arrebataron a España en el Tratado de Utrech, concedida a Francia en 1756, y nuevamente a Inglaterra en 1763. Jorge dejó Menorca a la edad de diecisiete años, aparentemente descontento con la dominación británica en su país. Se convirtió en comerciante capitán marino y dirigió un pequeño barco que comerciaba entre La Habana, Veracruz y Nueva Orleans. Al comenzar la revolución norteamericana, se hizo primer teniente y, más tarde, capitán de barco en la marina de Carolina del Sur. Combatió a los británicos en Savannah y fue capturado en Charleston. Luego, fue intercambiado. Ferragut entonces se unió al Ejército Continental y peleó en las batallas de Cowpens y Hamilton. Al finalizar la guerra, había obtenido el rango de mayor en la caballería. Después de la guerra, Ferragut se trasladó a Tennessee, donde se casó con Elisabeth Shine, de ascendencia irlandesa. A la edad de cincuenta y siete años, Jorge Ferragut, junto con su pequeño hijo, David, participó en la guerra de 1812. Jorge finalizó su carrera del ejército en 1814, y murió tres años después. El almirante Farragut hablaba el español con fluidez y visitaba frecuentemente América Latina y España. En una de sus visitas a España, fue a Ciudadela y leyó el informe bautismal de su padre, Jorge (Fernández-Flores, 1981, pp. 281-289).

La campaña militar
del general Bernardo de Gálvez

Bernardo de Gálvez es el héroe olvidado de un aliado también olvidado, que desempeñó un papel muy importante durante la revolución americana. Nació el 23 de julio de 1746 de una familia prominente que vivía en la villa de Macharaviaya, cerca de Málaga, España. Su padre, Matías de Gálvez, sirvió en muchos empleos importantes, entre ellos, como capitán general de Guatemala y virrey de Nueva España. El tío de Bernardo era José de Gálvez, ministro de las Indias y muy influyente en la corte de Carlos III. A la edad de dieciséis años, Bernardo de Gálvez comenzó su carrera militar como teniente de infantería, y peleó en la guerra contra Portugal. España luchaba contra Gran Bretaña y Portugal durante el conflicto llamado la guerra de los Siete Años (1756-1763). Después de la guerra, fue ascendido a capitán, y en 1769 acompañó a su tío José de Gálvez a quien le dieron un puesto importante en el virreinato de Nueva España. El capitán Gálvez participó en varias expediciones contra los indios apaches, y fue gravemente herido en dos encuentros. Sus experiencias en la frontera norteña de Nueva Vizcaya serían de gran valor para él, al servir como líder militar y político. Años más tarde, escribiría una guía sobre sus tratos con los apaches, titulada *Instrucciones para las provincias interiores*.

En 1772, regresó a España y fue a Francia con sus regimientos, donde estuvo tres años. Gálvez aprendió francés, el cual le sería bastante útil en años venideros. Participó en la desafortunada guerra contra Argelia, donde resultó gravemente herido y fue ascendido a teniente coronel. Un año más tarde fue coronel y asignado a Nueva Orleans. El 19 de julio de 1776, el coronel Gálvez reemplazó a Luis de Unzaga como gobernador interino de Luisiana, y el 1 de enero de 1777 fue gobernador. Una vez en su cargo, el gobernador de veintinueve años comenzó a ayudar a los revolucionarios norteamericanos abriéndoles el puerto de Nueva Orleans. En abril confiscó once barcos británicos que estaban transportando artículos de contrabando y ordenó a todos los británicos marcharse de Luisiana, destruyendo así el comercio británico en la región. El gobernador también envió 10.000 libras de pólvora por río hasta Fort Pitt. Trabajó estrechamente con Oliver Pollock, el agente del Congreso continental, y dio $74.000 dólares y abastecimientos por la cifra de $25.000 dólares al ejército de George Washington y el general Lee (Reparaz, 1986, p. 18). La ayuda de Gálvez en forma de pólvora, frazadas, rifles, medicinas y balas ayudó al Ejército Continental a mantener control del territorio oeste de las montañas Allegheny. El gobernador Gálvez también ayudó monetariamente, y con abastecimientos, a Georges Rogers Clark, quien capturó a Kaskaskia, Kahokia y Vincennes, erradicando así a los británicos del valle Ohio.

La campaña del valle Mississipi

El 21 de junio de 1779, España le declaró la guerra a Gran Bretaña. En julio, cuando dichas noticias llegaron a Nueva Orleans, Gálvez celebró una junta o concejo de guerra. La mayoría de los oficiales que asistieron recomendaron que Nueva Orleans fuera fortificada y acordaron pedir a La Habana ayuda militar. Gálvez decidió atacar a los británicos enseguida. El 18 de agosto, justamente cuando se disponía a marchar de allí, un terrible huracán azotó Nueva Orleans y hundió todos los barcos. Ya apto su ejército, partió el 27 de agosto. Sus fuerzas se componían de 170 soldados veteranos, 330 reclutas de México y de las islas Canarias de España, 20 carabineros, 60 milicianos, 80 negros libres y 7 voluntarios americanos, incluyendo a Oliver Pollock quien era *aide-de-champ* de Gálvez. La pequeña fuerza de 667 hombres marchó a las costas alemanas y acadianas donde 600 soldados y 160 indios se les unieron aumentando el número de soldados a 1.427 (Caughey, 1934, pp. 153-154). El 7 de septiembre, Gálvez tomó Fort Bute en Manchac, y Baton Rouge el 21 de septiembre. Gálvez también demandó la rendición de Fort Pammure en Natchez. Con fuerzas de Pointe Coupee, Carlos Grand Pre se apoderó de los puestos británicos en Thompson's Creek y Amite. Además, ocho barcos británicos que llevaban refuerzos de Pensacola, fueron capturados. En pocas semanas, Gálvez había ocupado cinco fuertes británicos y hecho prisioneros a más de 1.000 hombres. Otras dos batallas entonces tuvieron lugar en la parte superior del valle Mississipi. El capitán Fernando de Leyva rechazó un ataque británico e indio en San Luis el 26 de mayo de 1780, a pesar de que excedían en número a la guarnición española. También el 12 de febrero de 1781, un pequeño bando de españoles e indios capturaron el puerto inglés de St. Joseph en el lago Michigan. El comandante español Pourre hasta leyó una proclamación que decía:

«Yo anexo e incorporo con los dominios de su muy Católica Majestad, el Rey de España, mi amo, desde ahora en adelante y por siempre, este puerto de St. Joseph y sus dependencias, con el río del mismo nombre, y ése de Illinois, el cual fluye dentro del Río Mississippi» (Caughey, 1934, p. 169).

Así, la dominación británica fue derribada a lo largo del río Mississipi. Como resultado, el Rey de España ascendió a Gálvez a brigadier general, y el diplomático español, Juan de Miralles, informó al general Washington sobre el éxito de la campaña de Gálvez en el valle Mississipi. Como respuesta, el general Washington le escribió a Miralles el 27 de febrero de 1780:

«... Me hace feliz la oportunidad de felicitarle por el hecho importante que esto representa para las armas de Su Majestad Católica, la cual espero sea el preludio de otras más decisivas. Estos acontecimientos no sólo adelantan los intereses inmediatos de Su Majestad, sino que tendrán una influencia beneficiosa en los asuntos de los estados sureños en la bifurcación presente...»

La captura de Mobile

Cuando el general Gálvez pidió refuerzos al capitán general de Cuba, Diego Navarro, al principio se le fueron negados. Entonces envió al coronel Esteban Miró, como su representante personal, para pedir dos mil soldados al capitán general, pero sólo recibió 567 hombres del regimiento de Navarro, quienes llegaron a Mobile Bay en febrero de 1780.

El 2 de enero de 1780, el ejército de Gálvez de 754 hombres salió de Nueva Orleans. Consistía en 43 hombres del regimiento del Príncipe del Segundo Batallón de España, 50 del regimiento fijo de La Habana, 141 del regimiento fijo de Luisiana, 14 artilleros, 26 carabineros, 323 milicianos blancos, 107 negros libres, 24 esclavos y 26 americanos (Caughey, 1932, pp. 174-175). Después de un sitio de veinte días, el 13 de marzo, capturó Mobile. Debe notarse que el general Gálvez siempre fue un caballero. Antes del ataque, intercambió vino y alimentos con el oficial británico al mando, Elias Durnford, y trató de llevar a cabo un plan para proteger las vidas y propiedades de los civiles. Aún más, en Luisiana, trató con compasión a los soldados prisioneros. Después de esta victoria, el rey de España ascendió a Bernardo de Gálvez a mariscal de campo al mando de operaciones españolas en América, y le otorgó el nuevo título de gobernador de Luisiana y Mobile.

La toma de Pensacola

El mariscal de campo Gálvez comenzó entonces preparativos inmediatos para la toma de la fortaleza británica más importante en el golfo de México: Pensacola. La ciudad era la capital de la colonia británica de la Florida Oeste, y estaba defendida por un ejército británico e indio de aproximadamente 2.500 soldados. Gálvez encontró numerosas dificultades en su empresa incluyendo la reticencia del capitán general de Cuba para ayudarlo, y el tiempo, que nunca estaba a su favor; así fracasaron tres expediciones contra Pensacola. Una salió de La Habana en octubre de 1780 con cerca de 4.000 hombres. Después de dos días en el mar, un huracán dañó los barcos, a algunos de los cuales el viento se los llevó a México. Las otras dos ocurrieron a principios de año, en febrero y marzo, y fracasaron por varias razones (Rush, 1966, p. 5). En enero de 1781, el coronel José de Ezpeleta pudo repeler un ataque británico-indio contra Mobile. Gálvez se dio cuenta del peligro que la Pensacola británica representaba para Mobile.

La expedición final salió de La Habana el 28 de febrero de 1781. El ejército de Gálvez, con refuerzos adicionales de Mobile, Nueva Orleans y de La Habana, contaba con 7.000 hombres. Era en verdad un ejército internacional compuesto de soldados negros y blancos: 4.000 eran de Cuba, 2.000 de México, y el resto de Puerto Rico, Santo Domingo, Haití, Venezuela, Nueva Orleans y Mobile. El general Juan Manuel de Cagigal, nacido en Cuba, quien luego sería gobernador de la misma, dirigió las tropas españolas y a los milicianos de La Habana, nacidos en Cuba. La valentía de Gálvez fue demostrada una y otra vez. Cuando el almirante José Calbo de Irabazal se negó a arriesgar su embarcación a entrar en la bahía de Pensacola, Gálvez guió tres pequeños barcos hasta pasar la fuerza armada para proteger la entrada del fuerte británico y penetrar con éxito la bahía. Todos los demás barcos siguieron su ejemplo, excepto el del almirante Calbo de la línea San Ramón, el cual, desgraciadamente, navegó hacia La Habana. Gálvez fue herido otra vez en Pensacola, ya que siempre iba al frente de la línea encabezando a sus soldados. Después de dos meses de arduas luchas, los británicos entregaron Pensacola el 8 de mayo de 1781. Gálvez, ya había sacado a los británicos del valle Mississipi y del golfo de México. Bernardo de Gálvez fue ascendido a teniente general, nombrado gobernador y capitán general de Luisiana y Florida, nombrado conde y le fue entregado un escudo de armas de manos de Carlos III de España, en el cual Gálvez aparecía en un barco con la inscripción: «Yo solo». Más tarde, el general Gálvez fue nombrado gobernador de Cuba, y a la muerte de su padre, obtuvo el cargo de Virrey de la Nueva España. Murió en México a la edad de cuarenta años después de una administración breve, pero de mucho éxito.

El historiador Orwin Rush se ha referido a la batalla de Pensacola como «un factor decisivo en el resultado de la Revolución y una de las batallas de la guerra ejecutadas más brillantemente» (Rush, 1966, p. 2). Ésta fue también la única batalla de la revolución americana sobre la cual un relato contemporáneo fue escrito por el oficial al mando. El *Diario* de Gálvez es una narración notable, día a día, de esta batalla. El historiador cubano, Herminio Portell Vilá, afirma que la campaña de Gálvez destruyó la voluntad de pelear del ejército británico. Además, los ataques del ejército español a los británicos no les permitieron reunir un ejército fuerte en Yorktown, por lo cual, fue la batalla final de la revolución norteamericana. Otras batallas españolas indirectamente ayudaron a la causa de las colonias ya que los británicos habían sido tomados por todas partes del mundo. El padre de Gálvez, Matías, atacó a los británicos a lo largo de la América Central; el general Cagigal capturó las Bahamas, y las fuerzas españolas atacaron Gibraltar.

Los soldados españoles e hispanoamericanos desempeñaron un papel significativo y decisivo en la guerra de independencia norteamericana. Es una historia que necesita ser narrada. Una estatua de Bernardo de Gálvez, hecha por el escultor Juan de Avalos, le fue presentada por el rey de España, Juan Carlos I, al pueblo norteamericano durante su visita bicentenial a los Estados Unidos en 1976. Esta estatua de Gálvez montado sobre un caballo se encuentra al frente del Departamento de Estado en Washington, D.C. Hay otra estatua idéntica en Nueva Orleans así como otra diferente en Mobile. El 18 de abril de 1985, un sello estadounidense fue hecho de una reproducción de esta escultura últimamente mencionada. La Legislatura de Texas adoptó una resolución el 18 de abril de 1985, reconociendo las importantes contribuciones de España y del general Gálvez a la revolución norteamericana. El representante del Estado de la Florida, Luis Morse, presentó una resolución similar en abril de 1987. Se espera que con esfuerzos como éstos, tanto los historiadores como los publicistas de textos sean persuadidos para poner gran énfasis en la prominente tarea realizada por los soldados hispanos durante la revolución norteamericana.

◆

(1) Francisco de Miranda luego fue procurador de la guerra de independencia en Latino-América.

(2) La popularidad del gobernador que hablaba el francés fluidamente, aumentó entre los franceses creoles cuando se casó con la hija de una familia francesa muy bien conocida. Su esposa, Marie Félicité de Saint Maxent d'Estrehan, era viuda y tenía una hija, Adelaide, de su primer esposo.

(3) Bernardo y Marie Félicité tenían dos hijas, Matilde y Guadalupe, y el hijo, Miguel. Matilde, quien heredó el título de la familia, se mudó a Italia. Miguel murió joven; no hay datos sobre Guadalupe, quien nació en Ciudad México después de la muerte de su padre (Parks, 1981, p. 24).

Bibliografía

Archivo Histórico Nacional, legajo 4072, 7 de septiembre de 1776.

Archivo Histórico Nacional, legajo 4072, 28 de octubre de 1794.

Boeta, José Rodolfo, *Bernardo de Gálvez,* Madrid, Publicaciones Españolas, 1976.

Bonsal, Stephen, *When the French Were Here,* Garden City, Doubleday, 1945.

Caughey, John Walton, *Bernardo de Gálvez in Louisiana, 1776-1787,* Berkeley, University of California Press, 1934.

Davis, O.L. Jr.; Ponder, Gerald; Burlbaw, Lynn M.; Garza-Lubeck, María; and Moss, Alfred, *Looking At History: A Review of Mayor U.S. History Textbooks,* Washington, D.C., People for the American Way, 1986.

Fernández y Fernández, Enrique, *Spain's Contribution to the Independence of the United States,* Washington, DC, Embassy of Spain United States of America, 1985.

Fernández-Flores, Darío, *La Herencia Española en los Estados Unidos,* Barcelona, Gráficas Guarda, S.A., 1981.

Gálvez, Bernardo de, *Diario de las Operaciones de la Expedición Contra la Plaza de Penzacola Concluida por las Armas de S.M. Católica, baxo las órdenes del mariscal de campo D. Bernardo de Gálvez,* Tallahassee, The Ashantilly Press, 1966.

Lasaga, José Ignacio, *Cuban Lives: Pages from Cuban History,* volumen I, Miami, Revista Ideal, 1984.

Martínez Figueras, Carlos, *Don Juan de Miralles Spanish Royal Commissioner in the Thirteen Colonies,* Unpublished articles, 1987.

Parks, Virginia, *Siege! Spain and Britain: Battle of Pensacola March 9-May 8, 1781,* Pensacola, Pensacola Historical Society, 1981.

Portell-Vilá, Herminio, *Los Otros Extranjeros en la Revolución Norteamericana*, Miami, Ediciones Universal, 1978.

Reparaz, Carmen de, *Yo Solo: Bernardo de Gálvez y la Toma de Panzacola en 1781*, Miami, Ediciones del Serbal, 1986.

Rush, *Battle of Pensacola: Spain's Final Triumph Over Great Britain in the Gulf of Mexico*, Tallahassee, Florida Classics Library, 1986.

Sariego del Castillo, José L., *Historia de la Marina Española en la América Septentrional y Pacífico*, Sevilla, Gráficas del Sur, 1975.

Thomson, Buchanan Parker, *Spain: Forgotten Ally of the American Revolution*, North Quincy, Mass., The Cristopher Publishing House, 1976.

Yela Utrilla, Juan F., *España ante la Independencia de los Estados Unidos*, 2.ª ed., Lérida, Gráficos Academia Mariana, 1925.

Ramón Bela y Juan Olivas

Pasado y presente de las relaciones
de España con los hispanos

Pasado y presente de las relaciones de España con los hispanos

La preocupación por el tema de los hispanos en EE.UU. es muy reciente en España. Los contactos con algunos núcleos de hispanos empezaron allá por los finales de los años 40 en que empezaron a venir a España con algunos de los programas del antiguo Instituto de Cultura Hispánica algunos representantes de lo que hoy en día se llaman comúnmente hispanos en EE.UU. La realidad es que esta relación fue aumentando en la misma proporción en que aumentaba el peso político, social y económico de esta comunidad en Norteamérica.

En un principio los contactos eran aislados, y sobre todo con personas representativas de los núcleos originarios de hispanos de los EE.UU. Me refiero concretamente a descendientes de aquellos núcleos de población reducidos, pero en algunos casos importantes socialmente, descendientes españoles de la época de la población española en Norteamérica, de los siglos XVI en adelante. En este sentido fueron importantes las relaciones que se establecieron con algunos sectores hispanos de California, Arizona, Nuevo México, Tejas, Luisiana y la Florida.

Estos contactos muchas veces se establecieron con organizaciones culturales o sociales creadas al amparo de la llegada de intelectuales que hubieron de exilarse al término de la guerra civil o un período posterior e inmediato a ésta.

El auge en EE.UU. de la enseñanza del idioma español y de su cultura a partir de la década de los 40; la revitalización y la puesta al día de los antiguos Institutos de Estudios Latinoamericanos, en parte con el apoyo de Washington como consecuencia de la creación de la Oficina del Coordinador de Asuntos Iberoamericanos, ya al filo de los 40; la existencia de grupos sindicales muy activos, sobre todo en California, dio lugar a la aparición de un gran interés por ese mundo hispano al norte del río Grande y sus enclaves en los propios EE.UU., al que se empezó a prestar atención en la prensa y en algunos sectores de la vida oficial.

El gran progreso de estos grupos minoritarios y su entrada en la vida política norteamericana se empezó a realizar, a los ojos españoles, en los años 60. El antiguo Instituto de Cultura Hispánica patrocinó la creación en EE.UU., directa o indirectamente, de varios Institutos de Cultura

Hispánica. Algunos tuvieron una vida muy lánguida y desaparecieron, y otros han puesto de manera efectiva de manifiesto los vínculos históricos entre los hispanos de EE.UU. y España.

El Instituto que ha tenido más importancia y vida completamente independiente de las organizaciones españolas es el Instituto de Cultura Hispánica de Texas en Houston, compuesto por tejanos, hispanoamericanos, españoles y también algunos anglosajones, o la mezcla de todos ellos.

Otro Instituto antiguo, ya que data de los años 50, es el que dirigió Charles Vigil, perteneciente a una distinguida familia de Colorado y Nuevo México. Su actividad por los años 50 y 60 fue muy importante aunque después decayó por falta de ayudas necesarias para desarrollar su labor.

Un Instituto creado con mucha colaboración, pero que después desapareció cuando murió en un trágico accidente la que fue su *deus ex machina*, Ana María Villar, fue el de Los Angeles. Llegó a tener un gran edificio en el Centro Cívico de la ciudad y fue una verdadera pena que se perdiera.

El Instituto de San Antonio en Texas, que dirigió don Pedro Sánchez Navarro, también desapareció según mis noticias. El de Nuevo México, fundado por iniciativa del padre Benedicto Cuesta, don Arturo Jaramillo y otros insignes hispanos en Santa Fe, nunca tuvo una vida muy activa.

Hubo y hay otra serie de organizaciones a lo largo y ancho de los EE.UU. que agruparon y agrupan a los estudiosos del mundo hispánico donde estuvieron integrados los españoles con los hispanoamericanos. Estas organizaciones se establecieron más bien por personas que por instituciones.

A partir del final de los 50 y principios de los 60, con el gran desarrollo adquirido por los estudios latinoamericanos y también por los estudios minoritarios, se empezó una relación muy estrecha con algunos departamentos de universidades norteamericanas que habían desarrollado programas relativos a estos temas.

Se vio siempre, y se defendió la necesidad de conceder becas y ayudas a estudiantes hispanos de EE.UU. Con el antiguo programa de la Comisión de Intercambios Cultural entre España y Estados Unidos existía el sistema de las dos listas: la de becarios de la lista nacional y la de becarios de las listas estatales. Entonces había más posibilidades de que los hispanos estuvieran representados en las listas estatales.

Las grandes inmigraciones de hispanos a EE.UU., cubanos, mexicanos y centroamericanos, y la modificacion del ratio de población y su representación política, gracias al mayor registro de votos hispanos, hizo que los españoles pusieran más atención al desarrollo de las comunidades de hispanos en EE.UU.

Principalmente, los movimientos sociales de California en los años 60 y la constitución de grandes núcleos de población hispana en Florida, particularmente de cubanos y grupos centroamericanos importantes, con la elección de representantes del mundo hispano para algunas alcaldías importantes como la de Denver, San Antonio, y Miami, así como la visita a España de muchos hispanoamericanos, contribuyó a convencer a los españoles, en general, de la importancia que tenía el crecimiento de este sector en EE.UU. que en estos momentos alcanza una población que está por encima de los veintiún millones.

De todas formas había varios inconvenientes para que la relación entre los núcleos oficiales españoles y los núcleos hispanos en EE.UU. no fueran fáciles hasta muy recientemente. En España la inversión en relaciones culturales siempre ha sido muy pequeña. Incluso las necesidades mínimas para establecer contactos por parte de las representaciones diplomáticas españolas eran insuficientes y exiguas. También la ausencia de la presencia hispana en el mundo más representativo de la vida norteamericana influía en esta actitud pues al tener pocos medios, éstos se dedicaban a lo inmediatamente más productivo. Esta no era una actitud sólo de España sino también de otros países del mundo entero. Sin embargo, al ir accediendo estos grupos hispanos al mundo cultural, político, económico y de la educación, la situación fue cambiando. El propio Instituto en Madrid empezó a estudiar el asunto y la forma de participar en sus relaciones con esta parte del mundo hispano más activamente.

Los cubanos irrumpieron en la vida norteamericana cambiando los supuestos de los hispanos llegados con anterioridad. En España, lo hicieron en dos etapas, o bien antes de ir a EE.UU. al pasar por España, dejando aquí lazos más o menos permanentes de relación, o bien, después de instalarse en EE.UU., buscando sus raíces en España que en la mayoría de los casos eran muy cercanas. Es sabido que en España se ha dicho siempre que no hay español sin un familiar en Cuba. No hay que olvidar que cuando triunfó la revolución castrista todavía el 5 por 100 de la población había nacido en España.

Los cubanos han continuado viajando a España, en donde siempre se han sentido muy cómodos. No hay que olvidar que, por otra parte, la influencia de la legislación de Lanuza después de la independencia cubana, produjo que el rompimiento con la antigua potencia colonizadora no supusiera un gran trauma. Por eso la actitud de los cubanos desde siempre fue muy amistosa hacia España. Esta actitud continúa así tanto por parte de los exilados en EE.UU. como por los demás.

El caso del segundo grupo de hispanos en mayor número es el de los chicanos, pero éstos tienen distinto condicionamiento social y económico al de los cubanos que se integraron completamente en la sociedad norteamericana. Su actitud hacia España era diferente. Aunque habían roto sus lazos con su país de origen, México, sin embargo se identificaban con las corrientes más progresistas y radicales en lo social por tratarse de masas desheredadas que se habían visto obligadas a emigrar para sustituir a los norteamericanos de más baja condición en aquellos oficios que éstos ya no querían realizar.

Un tercer grupo lo podrían constituir los hispano-nuevos mexicanos, los californianos, etc., descendientes de los colonizadores españoles del Suroeste. La actitud de éstos fue siempre muy amistosa con España aunque apenas había relación directa.

Cuando en la segunda mitad de los cuarenta empezaron los españoles a viajar por los Estados Unidos, tímidamente algunas personas encargadas en el Instituto de Cultura Hispánica (hoy Instituto de Cooperación Iberoamericana) de la incipiente actividad visitaron y se relacionaron para desarrollar algunos modestos programas culturales con estos grupos hispanohablantes. Basta recordar al padre Sobrino S.J., a don Manuel Fraga y Manuel de la Sierra, a los embajadores de España, señores Pérez del Arco y Pedroso, y algo más tarde Enrique Ruiz Fornells y tantas y tantas personas.

La segunda etapa se inició en el año 1983 en la que, organizada por el Instituto, se celebró una importante reunión en la que participaron los representantes de una parte significativa del mundo hispano de los EE.UU. Asistieron entre otros:

D. Manuel Carlos, de la Universidad de California en Santa Bárbara.

D. Leobardo Estrada, de la Universidad Estatal de California en Los Angeles.

D. Hernando Peñalosa.

D. Mario Obledo, presidente de LULAC.

D.ª Antonia Hernández, de MALDEF.

D.ª Reyes Ramos, de la Universidad de Colorado.

D. Carlos Alvarez, de la Universidad de Florida.

D. Rodolfo Cortina, de la Universidad Internacional de Florida en Miami.

Fue una sesión muy instructiva para los españoles asistentes, la mayoría de los cuales conocía a fondo los problemas tratados, pero su profundización por los protagonistas del desarrollo cultural hispano en algunos sectores de la vida norteamericana actual le dieron una especial relevancia.

La única pretensión de las líneas que anteceden es resaltar la consciencia de los problemas en el seno del Instituto de Cooperación Iberoamericana (ICI) y, como consecuencia, una limitada actividad de acercamiento que se corresponde con otros a nivel universitario, periodístico, etc. Siempre ha sido un problema en nuestro país la escasez de medios con que nos hemos movido. Hemos defendido la necesidad de una generosa política de becas a conceder a personas interesadas a ambos lados. Algo se está haciendo, pero es muy poco.

Los hispanos y la Casa de España

La Casa de España de Nueva York, al igual que otras existentes en diferentes ciudades del mundo, es un centro dependiente de la Dirección General del Instituto Español de Emigración del Ministerio de Trabajo a través de la Agregaduría Laboral a la Embajada de España. Esa dependencia viene determinada por la política desarrollada durante el masivo movimiento de mano de obra que en la década de los sesenta se produce desde España hacia los países europeos desarrollados.

La idea de su creación está basada en el mantenimiento, por parte de la Administración, de lugares de reunión de españoles donde se reproducían los ambientes de los pueblos de procedencia y de los tópicos de una España de «charanga y pandereta».

La actividad social desarrollada en estos centros dificultaba la integración de los españoles en las diferentes comunidades en las que vivían, creando situaciones de aislamiento. Va a ser a partir de 1982, con la victoria del PSOE en las elecciones generales de ese año, cuando se procede a realizar un cambio en las funciones de las Casas de España, convirtiéndolas en centros de difusion de la cultura española, no exclusivamente dirigida a los españoles sino a los miembros de las sociedades en las que están, de forma que se ayude a una más fácil integración del español en la comunidad en la que vive, al mismo tiempo que se favorece el mantenimiento de sus lazos culturales con España.

Es bajo esta perspectiva que la Casa de España en Nueva York comienza a desarrollar una política de apertura al mundo norteamericano, prestando especial atención a una parte importante de la población de los Estados Unidos a la que nos unen lazos históricos, lingüísticos y culturales. Esa población son los diecinueve millones de hispanos, según el Censo de 1980, que hacen de los Estados Unidos el sexto país del mundo de población de origen español, y que en el año 2000 se convertirá en la minoría más numerosa del país.

Durante los últimos tres años se han venido realizando actividades culturales y fomentando encuentros entre especialistas españoles e hispanos para profundizar en el conocimiento mutuo. El primer encuentro se celebró en marzo de 1985, bajo el título de *Encuentro de expertos en Minorías Hispanas*. Al mismo asistieron Melba Alvarado, ex presidenta del Desfile de la Hispanidad; Manuel Carlos, catedrático de antropología (UCSB); John Cinque Sacarello, asistente del alcalde de Nueva York para Asuntos Hispanos; Juan Duchesne, profesor de literatura, Institute of Puerto Rican Urban Studies; Joseph Erazo, candidato a la presidencia del Consejo Municipal; Enrique García Herraiz, consejero de información en la Embajada de España en Washington; Esward Juárez, presidente de la «International Immigrant Foundation»; Alberto Moncada, sociólogo; Orlando Rodríguez, investigador del Hispanic Research Center de Fordham University; Ginés Serrán Pagán, antropólogo, asesor del Fondo de Población de Naciones Unidas; José Antonio Somalo, magistrado, agregado laboral a la Embajada de España en Washington; e Iris Martínez Arroyo, directora del Programa Bilingüe del Board of Education de Newark (NJ).

En el mismo se puso de manifiesto la necesidad de ir estableciendo redes de contactos entre españoles e hispanos que permitiesen crear lazos para una cooperación más efectiva que la existente hasta esos momentos. El entusiasmo reflejado durante las sesiones para fomentar todo tipo de intercambios permitió, no solamente realizar más encuentros en la Casa de España, sino el extenderlos a otros lugares de los Estados Unidos.

En agosto de ese mismo año se realizó una reunión en la Universidad de California en Santa Bárbara, patrocinada por el Centro de Estudios Chicanos y el Departamento de Antropología, bajo el título de «Simposium of the impact of americanization and anglonization on chicanomexican culture and Spanish culture». Los participantes fueron: Juan Vicente Palerm, director del Centro de Estudios Chicanos de UCSB; Manuel Carlos; Luis Ortiz Franco, Centro de Estudios Chicanos de UCLA; Antonia Hernández, presidenta de MALDEF; Salvador Guereña, director de la colección Loquenahuaque de documentos chicanos; M.ª Jesús Gil y José Enrique Rodríguez Ibáñez, profesores de sociología en las universidades de Madrid y Málaga; Alberto Moncada, y José Antonio Somalo.

El año 1986 comienza temprano con el seminario que a principios de enero tiene lugar en la Universidad Internacional de Florida (Miami) y que bajo el título de «Ethnicity and Nationhood: Spain and the U.S.» reúne a: Carlos Alvarez, psicólogo, Escuela de Educación, FIU; Rodolfo Cortina, director del Centro de Estudios Miltilingües y Multiculturales; Alberto Moncada; Lisandro

Pérez, jefe del Departamento de Sociología de FIU; Miguel Bretos, director del archivo del exilio cubano; Pedro Fuentes, psicólogo del condado de Dade; Luis Maderal y Zugel Fuentes, profesores de FIU; y Gabrile Valdés, funcionario del Departamento de Educación del Estado de Florida.

En el mes de junio se celebra en la Casa de España el II Encuentro sobre *Las Minorías Hispanas en los Estados Unidos* en el que participan: Antonia Hernández, Manuel Carlos, Juan Palerm, Manuel Bustelo, comisionado del Departamento de Empleo de la ciudad de Nueva York; Alberto Moncada; Orlando Rodríguez, Centro de Estudios Hispanos, Fordham University; Rodolfo Cortina; Guarioné Díaz, director del Cuban Planning Council; Tomás Calvo Buezas, antropólogo, Universidad Complutense, Madrid; Carlos Alvarez; Arturo Villar, editor de VISTA, The Hispanic Magazine; Federico Mañero, Fundación Pablo Iglesias; Ginés Serrán Pagán, antropólogo, asesor del Fondo de Población de Naciones Unidas.

Al igual que el año anterior la Universidad Internacional de Florida patrocina a principios de febrero un «Encuentro sobre los Hispanos en los EE.UU.» a través del Centro de Estudios Multilingües y Multiculturales, que dirige Rodolfo Cortina, y en el que participaron: Maida Watson, departamento de español, FIU; Félix Padilla, departamento de sociología, Nordhen Illinois University; Rodolfo de la Garza, Centro de Estudios Chicanos, University of Texas at Austin; Lisandro Pérez; Alejandro Portes, departamento de sociología, John Hopkins University; Frank de Varona, Dade County Public Schools; Alberto Moncada; Margarita Melville, Centro de Estudios Chicanos, University of California, Berkeley; Miguel Bretos; Nicolás Kanellos, Arte Publico Press, University of Texas, Houston; y Ricardo Fernández, University of Wisconsin.

Entre diciembre de 1986 y octubre de 1987 el ICI y la Casa de España patrocinan la presentación del libro de Alberto Moncada *La Americanización de los Hispanos* en Nueva York, Santa Bárbara, Miami, Alburquerque, El Paso, San Antonio y Austin. A través de estas presentaciones se han creado redes de contactos que permiten ir extendiendo la cooperación de España con los hispanos de los Estados Unidos, haciendo más efectiva la presencia de lo español.

Entre las conclusiones del II Encuentro que tuvo lugar en la Casa de España, en junio de 1986, figuraba la de incrementar las gestiones para una participación más activa de las instituciones gubernamentales españolas, haciéndose especial referencia al Instituto de Cooperación Iberoamericana, quien tenía un larga tradición de relaciones con los hispanos de los Estados Unidos. Gracias al entusiasmo desarrollo por Alberto Moncada, Federico Mañero y Tomás Calvo Buezas y el no menor manifestado por Carmelo Angulo, Pilar Saro, Carmen Ordóñez y Ramón Bela, el ICI organizó en octubre de 1987 el seminario cuyas ponencias y conclusiones se recogen en el presente volumen.

PARTE SEGUNDA
DEFINICIONES Y PERSPECTIVAS

Félix Almaraz

Perspectivas de un historiador tejano

Perspectivas de un historiador tejano

Hace 25 años, durante la presidencia de John F. Kennedy en los Estados Unidos de Norteamérica, ocurrió un resurgir de la cultura hispana.

El presidente norteamericano informó a sus ciudadanos de que los Estados Unidos era una nación de inmigrantes. Sobresaliente entre los inmigrantes se encontraba el grupo hispánico.

Este despertar de la cultura hispánica continuó con el siguiente presidente, Lyndon B. Johnson, del Estado de Texas. La fuerte asociación de Johnson con la región suroeste de los Estados Unidos contribuyó en gran parte al entendimiento y aprecio de la presencia hispánica en Norteamérica.

El presidente Johnson, durante su estancia en la Casa Blanca por un período de cinco años, asignó puestos del servicio público a numerosos hispanos; gracias a esto, los hispanos reforzaron su identidad y sus raíces culturales. Johnson, el presidente maestro, acentuó la importancia de la educación en los comunicados oficiales que mandó al Congreso en los que recomendaba decretar la apropiación legislativa entre las necesidades críticas de la agenda nacional.

Sin perder su identidad, los hispanos se vieron favorecidos por los programas federales, especialmente en educación bilingüe.

La construcción de bibliotecas y la adquisición de materiales impresos benefició indirectamente las raíces de la cultura hispánica, pues tanto hispanoamericanos como norteamericanos provenientes de otros grupos étnicos llegaron a conocer las contribuciones en siglos anteriores de los primeros exploradores españoles.

Animados por estos cambios tan positivos, los líderes hispánicos en educación, algunos de ellos favorecedores de las reformas en los programas de enseñanza, propusieron a los administradores universitarios incluir en los programas de enseñanza cursos que reconocieran la herencia hispanoamericana.

Extremadamente novedosos al principio, estos cursos en historia, literatura, sociología, ciencias políticas y humanidades se convirtieron gradualmente en cursos tradicionales de los programas de estudios.

En esencia, lo que la administración del presidente Johnson logró fue abrir un horizonte para que nuevas perspectivas, interpretaciones y expresiones pudieran ser analizadas y situadas en las universidades y otros centros. Anteriormente a la presidencia de Kennedy y Johnson, fue muy difícil, si no imposible, que los hispanos pudieran establecer un fuerte lazo con su identidad y sus raíces culturales.

En Texas, más que en otro Estado del suroeste de Norteamérica, los hispanos lucharon repetidamente contra el síndrome del Alamo, que pesaba enormemente sobre sus conciencias.

Antonio López de Santa Ana, por razones propias del contexto histórico del siglo XIX, derrotó la resistencia de angloamericanos y texanos en la misión franciscana llamada El Alamo, por lealtad hacia el gobierno central de México.

Durante trece días, Santa Ana dirigió las fuerzas militares en contra de la resistencia armada, culminando en la invasión que dio a los centralistas una efímera victoria.

La intensa aversión que los anglotexanos abrigaban en contra de Santa Ana se vio entremezclada con un sentimiento de superioridad adquirido durante la derrota de la vanguardia mexicana en San Jacinto; todo esto dio como resultado un resentimiento y denigración hacia los texanos con apellido español y hacia la cultura española.

El síndrome del Alamo se ha manifestado en numerosas formas en nuestra sociedad. Por ejemplo, dio lugar a una jerarquía de mártires, héroes y defensores que resistieron en la lucha contra Santa Ana. En las historias de la región y en los monumentos, ningún participante con apellido español recibió reconocimiento más allá del nivel de defensor.

El título de mártir y héroe fue reservado sólo para los angloamericanos. También en la política, los hispanos y los mexicanos que ocupaban puestos oficiales desaparecieron gradualmente de la escena, gracias a la influencia tan abrumadora de los inmigrantes anglotexanos.

En los centros metropolitanos con altos índices de población hispánica, tales como San Antonio, Laredo y El Paso, los nombres y apellidos en español de las calles se vieron reemplazados por otros. En los programas de escuela secundaria, el español como lengua extranjera sobrevivió, pero los maestros, al enseñarla, casi nunca la asociaron con la cultura hispánica en Norteamérica.

De peor manera, el síndrome del Alamo ensombreció el siglo XX, ya que, en algunos lugares de Texas, los propietarios de restaurantes, hoteles y cines colgaron anuncios en los cuales advertían al público mexicano que no era bienvenido ni sería servido en sus locales. A consecuencia de esto, algunos texanos e hispanos también estaban incluidos en esta restricción.

De manera menos clara, tuvo lugar un intento político de degradar a los hispanos de la clasificación social como caucásicos y así excluirlos de servicios y beneficios conferidos a otros ciudadanos.

Afortunadamente en Texas había norteamericanos descendientes de hispanos que decidieron resistir estos actos de discriminación, tanto públicos como ocultos.

En años anteriores, gracias a los esfuerzos de los grupos llamados *Hijos de América y Los Caballeros de América* en 1929 surgió una formidable unión llamada *La Liga de Ciudadanos Latino Americanos (LULAC)* dedicados a lograr el fin de la discriminación y de la injusticia hacia los méxico-norteamericanos. Los líderes y demás miembros del LULAC se comprometieron a perseguir y alcanzar igualdad en el gobierno, leyes, negocios y educación. Esta organización subrayó la educación como el camino efectivo hacia estas metas. Después de la segunda guerra mundial, tal vez inspirados por los logros y desarrollo del grupo LULAC, dos veteranos militares hispánicos se dieron cuenta de la necesidad de tener hispanos sobresalientes en profesiones tales como medicina, educación, ingeniería y leyes. Como consecuencia del sentimiento compartido por la mayoría de los veteranos hispanos de la necesidad de oportunidades educativas para poder competir en estas profesiones apareció el *Grupo Forum American GI.*

Ultimamente, estos dos grupos se desarrollaron y crecieron más allá de la frontera de Texas creando esferas de influencia en altos puestos de gobierno.

En muchas partes de los Estados Unidos, donde los hispanos representan una gran mayoría, los éxitos del LULAC y del Foro Americano han preparado el terreno para recibir las reformas educativas de la herencia Kennedy-Johnson.

La identificación de Lyndon B. Johnson con el Estado de Texas y con el suroeste de Norteamérica y el reconocimiento otorgado hacia los hispanos y, a cambio de esto, el abrumador apoyo político que los hispánicos dieron a la presidencia de Johnson, cambiaron radicalmente la opresión causada por el síndrome del Alamo.

Por lo general, los hispanos de Texas siempre han sido conscientes de sus raíces culturales. Costumbres y tradiciones han sido transmitidas de generación en generación. Fechas como el día del santo, las cabañuelas, los pastores, las posadas, el día de la raza y otras son celebradas y recordadas como muestra del aprecio por nuestra cultura y como signo de que la hispanidad ha echado fuertes raíces en nuestro suelo texano. En la actualidad los historiadores están reexaminando los documentos del pasado hispánico para obtener así nuevas interpretaciones y narraciones de la contribución de los exploradores hispánicos en Norteamérica.

Prueba de la conciencia y apreciación de las contribuciones hispánicas hacia la historia del mundo, fue el acuerdo de 1984 de erigir una gran placa bilingüe titulada «Homenaje de la Comisión Histórica del Condado de Bexar» otorgada a los residentes de Madrigal de las Altas Torres en la provincia de Avila, reconociendo Madrigal como la cuna de la hispanidad y como lugar de nacimiento de Isabel la Católica, y como tributo al quincuagésimo aniversario del primer viaje de Cristóbal Colón.

La reciente visita del rey Juan Carlos a Texas, Nuevo México y California despertó las conciencias de los hispanoamericanos a su herencia cultural y dio lugar al compromiso personal entre hispanos de participar activamente en los actos del quinto centenario.

Manuel Luis Carlos

Identidad y raíces culturales de los enclaves
hispanos de los Estados Unidos

Identidad y raíces culturales de los enclaves hispanos de los Estados Unidos

Hay casi veinte millones de hispanos en los Estados Unidos. Entre ellos hay casi doce millones que hablan español como lengua de preferencia. La gran mayoría (más del 70 por 100) vive en los estados del suroeste de los Estados Unidos en las zonas de las antiguas colonias españolas de esa región. Otros viven en los estados y ciudades del medioeste, como Chicago o Detroit, y en zonas y ciudades del noroeste como Boston y Patterson, sobre todo en el área de Nueva York. Finalmente, hay un número importante de hispanos en los estados sureños de la Florida y Louisiana. En total hay 15 estados de los 50 donde viven un mínimo de 100.000 hispanos y hay que agregar que existen 25 ciudades con 50.000 o más hispanos. Hay otros grupos de hispanos, más pequeños por cierto, en todos los estados de los Estados Unidos. A estos grupos y poblaciones de hispanos se les llama en esta presentación pequeños enclaves culturales que colectivamente forman un enclave nacional hispano.

Se da por entendido que un enclave cultural es un grupo social con rasgos culturales que los hacen similar a una cultura autónoma y que le dan su propia identidad. Esta identidad cultural del grupo lo separa de la cultura dominante. Un enclave es además un grupo cultural que se resiste a ser asimilado aunque no necesariamente a ser parcialmente aculturado por la sociedad dominante. Un enclave de éstos no puede ser autónomo puesto que está jurídica y políticamente incorporado a un estado controlado por los grupos dominantes y los instrumentos del estado que lo gobierna. Esta es la situación de los enclaves hispanos de los Estados Unidos.

La meta que se busca en esta presentación es establecer un marco para dialogar sobre la identidad cultural hispana en los Estados Unidos. Además, me propongo marcar puntos clave históricos de los tres enclaves principales que son, los chicanos-mexicanos (con el 60 por 100 de la población hispana), los puertorriqueños (con el 10 por 100 de la población hispana) y los cubanos (con el 5 por 100 de la población hispana). También existen otros grupos importantes como los suramericanos y centroamericanos, sobre todo los salvadoreños (500.000), hondureños (300.000) y guatemaltecos (400.000).

Todos los hispanos están sometidos a un proceso aculturizante de doble dirección porque están expuestos a las fuerzas aculturizantes anglosajonas norteamericanas y a la vez expuestos a las fuerzas aculturizantes de su propia identidad cultural hispana (o sea, cubana, chicana-mexicana y puertorriqueña, etc.). Este proceso es lo que los socializa como personas y les da su identidad cultural, ya sea monocultural o bicultural.

La identidad cultural y bicultural es un proceso y fenómeno social y cultural. Consiste en los valores y reglas de comportamiento a los cuales se adscribe una persona, haciéndolo como consecuencia de ciertas experiencias y conocimientos que lo socializan en su propia cultura u otra, o en dos. La identidad cultural como proceso social se expresa mediante preferencias culturales exhibidas en el comportamiento de las personas. Por ejemplo, cuando una persona escucha cierta música, habla cierto idioma, aprecia cierto arte, o cuando está socialmente por preferencia con personas de un grupo cultural u otro. A nivel ideológico la identidad cultural consiste en la unificación de una persona con el pasado y futuro de un grupo o enclave cultural, inclusive en su trayectoria política.

Cada enclave está internamente dividido en clases sociales incluyendo obreros, clases medias y acomodadas. Igualmente cabe señalar que algunos de los enclaves están divididos entre barrios y suburbios urbanos-industriales. Hay también enclaves en pueblos rurales-agrícolas que incluyen campesinos. Cabe decir que casi todos estos últimos son enclaves de campesinos chicanos-mexicanos. Hay otras poblaciones con personas de extracción campesina entre los tres grupos, pero que viven y trabajan en las ciudades. Los enclaves están también divididos según ciertos niveles de aculturación.

Hay personas que están más norteamericanizadas (menos asociados con lo hispano) que otras, y otras que están más hispanizadas, y una inmensa mayoría en medio de estas dos categorías que son personas biculturales o sincretizadas, es decir que comparten en partes más o menos iguales las dos culturas. Se podría decir que estas poblaciones son los nuevos mestizos culturales de Estados Unidos.

Cada enclave hispano tiene todos los rasgos importantes de una cultura. Es decir:

— Los miembros tienen una identidad cultural propia, separada de los otros grupos; se tiene el concepto de «ellos» (los anglosajones norteamericanos u otros grupos) y de «nosotros».

— Los miembros practican un idioma común (español, «spanglish» y combinaciones de estos dos con el inglés), inclusive se podría decir que son casi todos bilingües.

— Los miembros participan en un conjunto de valores o ideología (de raíz hispana o de raíz hispana y anglosajona norteamericana) que les señala ciertos ideales y combinaciones de ideales de comportamiento social, incluyendo formas en que se deben conducir las relaciones familiares y sociales.

— Los miembros comparten ciertas creencias y ritos religiosos.

— Los miembros observan ciertas expresiones artísticas y musicales que expresan sus valores y su idioma.

— Los miembros prefieren ciertas comidas, platos típicos y condimentos.

— Tienen un origen y experiencia histórica común.

¿Cuáles son los factores que intervienen para determinar el grado de identidad cultural y la aculturación de los hispanos con la cultura de sus enclaves? Puesto en términos diferentes se podría preguntar, ¿cómo es que unos hispanos están más norteamericanizados o hispanizados que otros, y porqué hay muchos que son biculturales y comparten por partes iguales las dos culturas?

Para el individuo, el grado, ya sea alto o bajo, de la identidad cultural hispana (es decir cubano, chicano-mexicano, y puertorriqueño) depende de factores como los siguientes: la localidad y zona individual donde vive la persona y los patrones de su vida cotidiana. Las personas hispanas que viven o han vivido y convivido por muchos años en zonas residenciales fuera de enclaves residenciales hispanos con elementos culturales anglosajones americanos tienden a estar más norteamericanizados. Por el contrario, los que viven en un barrio hispano tienden a estar más hispanizados. Pasa igual en cuanto a localidades. Hay localidades y colonias o barrios urbanos en Los Angeles, Miami, Nueva York y en pueblos rurales como Guadalupe, y muchos otros pueblos en California, y la sierra de la Sangre de Cristo, en Nuevo México, donde predomina hasta llegar a ser mayoría la población hispana. Allí hay más oportunidad de que los hispanos sigan identificándose fuertemente con sus propias culturas.

Las personas que viven y trabajan en circunstancias de contacto diario en su vida cotidiana con otros hispanos, y sus instituciones, lógicamente tienen más oportunidades de reforzar sus valores hispanos y su identidad con su grupo. Los que no viven en estas circunstancias tienen menos oportunidades. Otros factores que determinan el grado de americanización e hispanización en el individuo, incluyen el grado de discriminación que haya sufrido una persona en sus relaciones con instituciones y personas anglosajonas americanos, la composición cultural de sus amistades íntimas (si son hispanos, anglosajones americanos, o mixtas), y la identidad cultural de las personas con quien se casan o con quienes se casan otros miembros de su familia (ver el Cuadro n.° I).

Cuadro I

Esquema teórico de las dimensiones de aculturación e identidad cultural entre los hispanos de Estados Unidos

Muy HISPANIZADOS,	Poco AMERICANIZADOS,
muy expuestos a fuerzas hispanizantes* y/o receptivos a ellos.	poco expuestos a fuerzas americanizantes y/o resistentes a ellos.
Muy AMERICANIZADOS,	**Poco HISPANIZADOS,**
muy expuestos a las fuerzas americanizantes y/o receptivos a ellas.	poco expuestos a las fuerzas hispanizantes y/o resistentes a ellas.

Clave:

* *Fuerzas Hispanizantes:* (1) Residencia de niño y/o adulto en barrio o centro de población con alta densidad de hispanos. (2) Mantenimiento de redes amplias de amistad con otros hispanos. (3) Contacto en las labores diarias y/o escolares con otros hispanos. (4) Ser miembro de una familia donde se valoran la identidad cultural hispana y los patrones de comportamiento hispanos. (5) Ser expuesto a la historia de las raíces culturales e históricas del pueblo hispano en Estados Unidos y/o sus tierras originales. (6) Tener contacto extenso con el idioma, arte, literatura, música, T.V. y periodismo hispanos.

Fuente: Basado en las ideas presentadas en el trabajo de Manuel Luis Carlos y Amado Padilla, *Measuring Ethnicity: A Preliminary Report on the Self Identity of Latino Groups in the United States,* XV Interamerican Congress of Psychology, Bogotá, Colombia.

La identidad va cambiando a través del tiempo según el período de contacto intenso que tenga una persona con las fuerzas americanizantes. Es decir, existen grandes diferencias entre las distintas generaciones hispanas en cuanto al tiempo que llevan residiendo en el territorio continental de los Estados Unidos. Los recién llegados están más hispanizados y hay más personas biculturales y altamente americanizadas en las segundas y terceras generaciones de hispanos (ver el Cuadro n.º II). Pero hay algunas excepciones como los residentes de los pueblos rurales hispanos de Nuevo México y las personas de familias, con algunos medios y educación, donde se insiste en preservar lo más posible la cultura hispana a través de todas las generaciones (ver el Cuadro n.º II).

Cuadro II

Tipología teórica de la identidad hispana y anglosajona americana entre los hispanos (chicanos/mexicanos, cubanos y puertorriqueños en los Estados Unidos)

Generación	Altamente Americanizados	Biculturales** (Am.-Hisp.)	Altamente Hispanizados
I. Primera (a)			
A. De recién llegado***	—	—	+
B. Tras muchos años de haber llegado***	+ —	— +	+
II. Segunda (b)	+	+ —	(+) —
III. Tercera, etc. (c)	+	— +	** (+) —

Clave:
a) Primera generación: personas nacidas en México, Cuba o Puerto Rico.
b) Segunda generación: personas nacidas de padres nacidos en México, Cuba, Puerto Rico.
c) Tercera (etc.) generación: personas descendientes de abuelos o tatarabuelos, etc. nacidos en México, Cuba, Puerto Rico.
 * Este es el grupo que representa el nuevo mestizaje, biculturalismo, o sincretismo cultural hispano de Estados Unidos, es decir incluye a personas biculturales que comparten valores y patrones de comportamiento tanto anglosajones americanos como hispanos (chicanos/mexicano, cubano y puertorriqueños); son también personas que participan en ambas sociedades, o sea la sociedad enclave hispana y la sociedad norteamericana.
 ** Esta categoría se refiere a los habitantes (pobladores) de los pueblos antiguos del suroeste en los estados de Nuevo México y Texas.
 *** Lo de llegar se refiere a establecer residencia dentro del territorio continental de Estados Unidos.
 *** Lo de recién llegado se refiere a establecer residencia dentro del territorio continental de Estados Unidos.

Cuadro III

Tipología teórica del idioma y la identidad de los hispanos (mexicanos/chicanos, cubanos, puertorriqueños) en los Estados Unidos

Identidad cultural	Idioma de la persona		
	Inglés	Spanglish (a)	Español
Altamente hispanizada	— (+) *	—	+
Bicultural (b)	+	+ —	+ —
Altamente americanizada	+	+ —	—

Clave:
a) «Spanglish» se refiere a personas que hablan un idioma (o dialecto combinado de dos idiomas) en el cual se combina el inglés con el español. Cada grupo (chicano/mexicano, cubano y puertorriqueño) tiene su propia forma de forma de «spanglish».
b) Personas hispanizadas y americanizadas. Este grupo representa el nuevo mestizaje americano de Estados Unidos. (Ver el Cuadro número I para más detalle.)
 * Esto indica que hay personas (pero no todas) en esta categoría que aunque están altamente hispanizadas hablan y conocen el inglés perfectamente bien, porque lo han estudiado. En general son personas con educación superior o de familias con muchos años de residencia en Estados Unidos (territorio continental) que se esfuerzan por mantener el idioma español y su identidad cultural con su grupo.

Todos los enclaves hispanos tienen, e históricamente han tenido, organizaciones sociales, religiosas, culturales y políticas que los unifican. Estas organizaciones en sus metas reflejan la realidad social y económica en que se encuentran los miembros del enclave al igual que sus valores culturales y orígenes históricos. Entre ellos hay varios dedicados a la defensa cultural y lingüística del grupo. Por medio de ellas se milita social y políticamente para preservar el idioma, luchando a favor de la enseñanza bilingüe.

Otras fomentan fiestas nacionales o nativas como el Día de la Raza (12 de octubre). Otras existen para darle expresión a la música y baile del grupo. Entre las más importantes están las que existen para reconocer a las personas que se han distinguido afirmando los valores del grupo en sus actividades culturales y políticas. Otras organizaciones de protección de los derechos civiles tienen como propósito el denunciar atropellos del estado o de otras autoridades contra la cultura.

Cada enclave tiene sus manifestaciones culturales que refuerzan su identidad con la cultura hispana de los Estados Unidos, como son el teatro, la literatura y el arte. Estas incluyen muchos temas que reflejan la realidad social, económica y cultural igual que los orígenes históricos del grupo y su lucha y enfrentamiento constante contra la cultura dominante de los anglosajones americanos.

Existe el periodismo como fuerza aculturizante. Hay en cada enclave varios periódicos y revistas que se publican en español e inglés. Estos les dan solidaridad y un sentido cultural comunal a los miembros del enclave. Los periódicos sirven también para contar la historia y luchas diarias que vive el grupo. Hay algunos que han existido desde los principios históricos de cada enclave, y en el caso del enclave chicano-mexicano desde el siglo XVIII.

Cada enclave tiene su propia historia dentro de la sociedad de los Estados Unidos. El enclave de los chicanos-mexicanos del suroeste de los Estados Unidos data del siglo XVII con la fundación de la zona de pueblos españoles-mexicanos en Nuevo México, y con más exactitud desde la guerra entre México y los Estados Unidos en 1848, cuando quedaron estos pueblos enclavados dentro de cinco estados de los Estados Unidos. Por su parte, el enclave puertorriqueño data desde que Puerto Rico se hizo colonia de Estados Unidos en 1898, y más concretamente con la llegada de gran número de puertorriqueños a la ciudad de Nueva York y otras localidades entre los años 1920 y 1950. El tercer enclave notable, el enclave cubano, se forma a finales de la década de 1950 y principios de la de 1960, después de la revolución cubana, con la llegada de gran número de cubanos a la Florida. Aunque debe decirse que ya había comunidades cubanas en la zona de Tampa, Florida, y otras zonas de ese estado, igual que en Nueva York desde 1830 o sea desde un siglo antes de 1950, y que además ya había colonias españolas en la Florida desde el siglo XVIII.

A los pueblos hispanos en Estados Unidos se les llama así porque comparten pautas culturales traídas al nuevo mundo y dispersadas por todas partes por los españoles. Se podrían señalar algunos ejemplos de estos patrones culturales iniciales que todavía siguen funcionando dentro de ciertas localidades entre los sectores de enclaves más hispanizados. Estos incluyen la religión católica y adoración de los santos como patrones de un pueblo o de una persona. Hay muchas comunidades, barrios o colonias, y hasta pueblos en los que se les sigue brindando honores a los santos con fiestas comunitarias. Hay quienes siguen haciendo votos (mandas) o promesas religiosas y organizando peregrinaciones públicas y visitas a santos milagrosos. Pero hay también hispanos norteamericanizados en los tres enclaves que se han convertido al protestantismo.

En muchas personas existe aún hoy la visión del hombre como sujeto de una naturaleza caprichosa de la cual se tiene que defender con fuerzas religiosas poderosas. Hay en muchos hispanos también la idea de que cada persona cuenta con su propia alma o una existencia espiritual y no sólo material. Esto incluye el concepto hispano de que una persona vale tanto o quizá más por su espíritu que por su valor material. Sigue existiendo la aceptación del concepto del malestar espiritual que pueden causar problemas o trastornos físicos y emocionales.

Otro elemento originalmente español que penetra en las culturas hispanas de los Estados Unidos y les da una base cultural hispana son ciertos conceptos sobre la conducta de la persona y sus relaciones sociales. Por ejemplo, los antiguos conceptos de dignidad (u honor) de la persona, confianza con ciertas personas, y la venganza.

En la organización familiar se puede decir que la cultura de los españoles también dejó su estampa. Existe la idea y el ideal cultural de que, antes que nada, la familia (nuclear y extensa) es la unidad social con la cual se tiene que identificar y asociar una persona. Relacionado con este valor está el concepto de que un individuo sólo puede lograr sus fines sociales y económicos con la ayuda de su familia y sus familiares. Hasta en el modelo de las llamadas familias matriarcales (de familias hispanas de clase humilde urbana) encabezadas por mujeres se dice que siguen haciendo fuertes estos lazos familiares.

En cuanto al parentesco y las relaciones sociales existe aún la institución del compadrazgo. Está también la institución de padrinazgo y la búsqueda de padrinos para lograr ciertos fines sociales, económicos y políticos. Así como éstas, hay muchas más instituciones y valores culturales vigentes dentro de grandes sectores sociales de los enclaves hispanos.

En vista de lo dicho sobre el idioma, la biculturidad, y las raíces culturales comunes de los hispanos y otros factores que los unen, me permito preguntar si no están ya puestas las bases culturales y demográficas para convertir a los pueblos hispanos de los Estados Unidos en una entidad más integrada y con fines culturales, sociales, y políticos nacionales de beneficio común. Para contestar la pregunta hago referencia a las voces de los hispanos expresadas en los resultados de una encuesta que se hizo en 1981 entre los grupos. (Los resultados están en los Cuadros números IV y V.) Ellos señalan, en casi el 50 por 100 de la población de los tres enclaves, que existen pocas diferencias o diferencias inconsecuentes entre los miembros de los tres grupos, y casi

Cuadro IV

**Percepciones del pueblo hispano (cubanos, chicanos/mexicanos y puertorriqueños)
en Estados Unidos sobre las diferencias culturales entre ellos mismos**

Pregunta: *¿En términos generales, hay algunas diferencias grandes que cree usted existen entre los grupos hispanos, es decir los puertorriqueños, cubanos y chicanos/mexicanos?*

	Cubanos (%)	Chicanos/mexicanos (%)	Puertorriqueños (%)
1. Perciben diferencias muy grandes	26	30	19
2. Perciben unas cuantas diferencias importantes	24	35	35
3. Perciben menores diferencias	28	17	19
4. Perciben diferencias inconsecuentes	22	18	26

Fuente: Encuesta de 656 personas comisionada por la Spanish Televisión Network y titulada «Spanish U.S.A.», N.Y., 1981. La encuesta se hizo sólo en ciudades grandes; las respuestas son porcentajes de los encuestados.

Cuadro V

Aspectos de la identidad cultural entre hispanos (cubanos, chicanos/mexicanos y puertorriqueños) en las ciudades grandes de EE.UU.

Pregunta: *¿Qué aspectos de la cultura hispana cree usted que sería más importante conservar?*

	Cubanos (%)	Chicanos/mexicanos (%)	Puertorriqueños (%)
1. El idioma español	95	77	83
2. Respetar a los mayores y padres de familia	76	46	69
3. Cuidar y dar asistencia a los mayores*	57	40	51
4. Religión	55	45 *(a)*	67
5. Música del grupo	48	53	55
6. Arte/literatura	61	42	52
7. Comida	48	42	52
8. Días de fiestas	49	48	48

Clave:

a) Quizá refleja el anticlericalismo de muchos mexicanos y no tanto su devoción; también refleja conversiones a la religion protestante de chicanos/mexicanos americanizados en las grandes ciudades de EE.UU.

* En Estados Unidos hay varios programas estatales que asumen esta responsabilidad o que proporcionan fondos para tales actividades en las familias como seguro social.

Fuente: Encuesta de 646 personas comisionadas por Spanish Televisión Network y titulada «Spanish U.S.A.», N.Y. 1981. La encuesta se hizo únicamente en ciudades grandes.

la mayoría de las personas dicen que desean conservar muchos, sino todos, los aspectos hispanos claves de su cultura, incluyendo su religión, idioma, etc.

Me gustaría terminar estos breves comentarios con la idea de que de una forma u otra ha habido históricamente y están emergiendo, nuevas variantes de hispanidad e hispanidad mestizada (o norteamericanizada) en Estados Unidos, y aún más notable, que estas variedades de hispanidad y sus expresiones lingüísticas (con su mestizaje de español e inglés) representan culturas legítimas, dinámicas y crecientes que se están reproduciendo de una generación a otra. Hay cada día más personas biculturales, pero los procesos de norteamericanización no han acabado ni acabarán con el idioma español y sus variantes de «spanglish», ni con el contenido cultural hispano de estos pueblos. Todo seguirá así mientras que haya, como los hay, personas y organizaciones sociales en cada enclave que estén aferradas en la defensa cultural y lingüística de sus pueblos.

Tony Bonilla

La realidad hispana en los EE.UU.

La realidad hispana en los EE.UU.

Al hablar de prioridades y formas de cooperación cultural tenemos que reconocer lo siguiente: En primer lugar, nosotros no nos conocemos unos a los otros. No nos conocíamos antes de llegar aquí pero tenemos la fortuna de poder vernos y compartir nuestras ideas. También hay que reconocer que nosotros vivimos y nos hemos criado en un país donde no se entiende el valor de ser bilingüe. El anglosajón no comprende por qué estamos orgullosos de nuestra cultura y de nuestra herencia hispana. Al mismo tiempo hay muchas cosas que están pasando en nuestro país, que son muy positivas. Yo quiero hablar de esas cosas y discutirlas como prioridades. Digo que tienen que ser prioridades para nosotros y el pueblo hispano de los EE.UU. Por consiguiente tienen que ser prioridades para ustedes, porque ustedes quieren trabajar con nosotros. Si estos problemas en nuestro país nos afectan o nos hacen daño, entonces también le hacen daño a España, porque va a ser más difícil establecer la clase de intercambios y organizaciones que nos ayudarán a realizar nuestras metas.

Las estadísticas indican que el pueblo hispano está creciendo rápidamente. Actualmente, el censo indica que entre 1980 y 1987 crecimos más del 30 por 100. En estos siete años, el pueblo hispano creció más del 30 por 100 y esperamos seguir creciendo más, ya que nuestras familias contienen más niños que cualquier otro grupo en nuestro país. Al mismo tiempo, hay emigrantes llegando diariamente a nuestro país de varios puntos de Iberoamérica.

En primer lugar, en Nueva York, los hispanos representan la mayoría en las escuelas públicas. En Chicago y en Los Angeles los hispanos son también la mayoría en las escuelas públicas. En Denver, Colorado, somos mayoría, y también en los siete distritos escolares más grandes de Texas. Estamos contando a los de raza negra y a los hispanos, pero el grupo minoritario más grande en los EE.UU. es el de los hispanos. Esto es un poder tremendo y al mismo tiempo un problema muy grande porque estamos perdiendo a un 40 por 100 de la juventud porque dejan sus estudios en las escuelas públicas sin graduarse. En lugares como Nueva York el porcentaje es más del 60 por 100 entre los que dejan sus estudios. Lo mismo ocurre en Chicago y en Los Angeles. La cosa es que los estudiantes son el futuro de nuestro país y del pueblo hispano. No estamos ni educando ni graduando a nuestros jóvenes hispanos en las escuelas públicas. Sin educación y sin trabajo, estos chicos se han convertido en los habitantes de nuestras prisiones donde se convierten en cargos del gobierno. Nosotros creemos que una prioridad tiene que ser que nosotros como hispanos, podamos establecer un programa que asegure que nuestros niños permanezcan en las escuelas y puedan graduarse con sus diplomas en las escuelas públicas. ¿Cómo pueden ustedes ayudarnos a combatir este problema? Si ustedes tienen problemas similares, ¿qué están haciendo acerca de este problema? Creo yo que es indispensable discutir estos problemas aquí, durante estas conferencias, principalmente porque estos niños van a ser nuestros líderes, nuestros consumidores, nuestros trabajadores, nuestros negociantes y nuestro futuro.

El segundo punto es acerca de la economía de nuestro país. Anteriormente esta parte de nuestro país dependía mucho de la industria, las fábricas, y etc. Muchas de estas fábricas se han cerrado y ahora están en otros países extranjeros, porque les cuesta menos producir, ya que los trabajadores y los salarios de estos son más bajos. Ha sufrido mucho la industria. Porque no podemos competir con la de los países extranjeros que pueden hacer el producto más barato.

En el área de la agricultura estamos sufriendo mucho también. Muchos agricultores han perdido sus negocios y sus fincas son cada vez más pequeñas. En los estados de Oklahoma, Luisiana, Texas y Colorado, los problemas del petróleo son preocupantes porque el precio ha bajado demasiado. ¿Qué significa esto para el pueblo hispano? Para el año 2000 esperamos tener catorce millones de hispanos preparados para trabajar. Entonces una preocupación para todos nosotros es: ¿qué vamos a hacer para preparar a esta gente, conseguirles a estos catorce millones trabajos y abrir nuevas fuentes de empleo? Trabajos que van a consistir más en servicios y tecnología que en la industria y la agricultura.

Y siguiendo adelante, quiero hablar sobre la política. Tenemos un poder político muy grande. Tenemos más de cuatro millones de votantes hispanos en nuestro país y podemos fácilmente tener seis millones. El problema más grande entre los cuatro a seis millones, es que muchos de esos dos millones son indocumentados o ciudadanos ilegales, que aún no son ciudadanos y no pueden votar hasta que lo sean. Considerando todo esto, el futuro se ve bueno para nosotros, porque tenemos un promedio de 25 años de edad entre los hispanos. El 40 por 100 de nuestra población tiene 18 años o menos. Es bueno tener una población joven pero también tiene sus problemas. En cinco estados de los EE.UU.: Nueva York, California, la Florida, Texas y Illinois, se concentra el 60 por 100 de los votos que elegirán al nuevo presidente de nuestro país y en esos cinco estados es donde vive la mayoría del pueblo hispano. Entonces, una prioridad tiene que ser, ¿cómo vamos a hacer más por esos hispanos? ¿Cómo vamos a registrar a más hispanos para votar y qué programas vamos a iniciar para que se interesen en votar en estas elecciones? Muchas veces solamente vota el 30 ó 40 por 100 y eso es un problema. Tenemos el poder pero aún no hemos establecido cómo vamos a usarlo; cómo vamos a utilizarlo para hacernos más fuertes. ¿Qué se puede hacer? ¿Qué ideas nos pueden dar?

La otra cosa es que el pueblo hispano, es el más pobre, pero también es cierto que, según las estadísticas, nosotros gastamos de 100.000 a 135.000 millones de dólares anualmente como consumidores en nuestro país. De 100.000 a 135.000 millones de dólares ya es bastante dinero. La cuestión es que es una cantidad tremenda, que ayuda mucho a la economía de nuestro país pero también es una cantidad que puede ayudar al país de España. Entonces una prioridad tiene que ser lo que podemos hacer nosotros como pueblo hispano en los dos países, para abrir las puertas al comerciante español y hacer negocios con el pueblo español. Qué pasos se pueden iniciar y qué negocios hay que podamos emprender con España. Qué ideas nos dan para que podamos llevar a nuestros colegas en los EE.UU. para abrirles nuevas puertas de oportunidad. Esto tiene que ser resuelto si queremos ayudar al pueblo hispano a salir de la pobreza en que se encuentra. Entonces el propio negociante del pueblo hispano es el que puede ayudarle con la ayuda de España, en el área del comercio.

El otro punto es que tenemos que reconocer que existen muchas diferencias. Como en los EE.UU. tenemos hispanos de diferentes países y vamos a tener diferentes ideas. Unos van a ser conservadores, otros van a ser liberales, otros van a ser socialistas y otros marxistas. Tenemos un poco de todo. Hay que reconocer esas diferencias, y cuando venimos a una reunión como ésta, vamos a oír de nuestro propio pueblo diferentes opiniones. Esto no quiere decir que todos estemos de acuerdo en lo que uno está diciendo, pero sí creo que estamos de acuerdo en que es importante hacer algo positivo con el pueblo de España y con el país de España.

Reconociendo estas diferencias como una fuerza, en lugar de dividirnos, debemos asegurar la presencia de oficiales españoles en las ciudades principales de nuestro país donde vive nuestra gente, para ayudarnos a nosotros a celebrar el Quinto Centenario. En otras palabras, hay muchas ciudades de nuestro país donde existe una población mucho más grande. No estoy hablando solamente de Los Angeles, estoy hablando de Corpus Christi, de donde soy yo, que fue descubierta por un español en 1589, Alonso Alvarez de Pineda. Tiene una herencia muy importante, una ciudad como Corpus Christi con 300.000 habitantes. De estos 300.000 habitantes, el 50 por 100 son hispanos, creo yo que es muy importante que ustedes recomienden dar un paso como éste. Segundo: ya sé que hay programas de intercambio, pero no hay bastante intercambio cultural y social. Creo yo que ya es tiempo de que hagamos planes para comenzar a traer arte a nuestro país, su ballet, su música, etc. Uno de los problemas que hay en nuestro país es que todo el mundo, no todo el mundo, claro, pero mucha gente, piensa que el hispano es indocumentado, sin educación, y que viene con hambre a cruzar el río Grande. O aquellos que vinieron de Cuba, del puerto de Mariel, de los que informó la prensa en EE.UU., y dijeron que muchos estaban locos o que eran criminales.

En nuestro país comenzamos a enseñarle al mundo que el hispano tiene una historia muy rica. Tenemos que recomendar que haya más intercambio de profesores y líderes hispanos. Qué bonito sería que las universidades de su país invitaran a líderes hispanos, que pudiéramos nosotros presentar la realidad de nuestro país, para que comiencen a comprender que aquí hay algo muy positivo y aunque tenemos problemas estamos progresando. Al mismo tiempo creemos que sería bueno que tuviéramos la oportunidad de tener líderes de España y profesores de España, que visitaran nuestras universidades y que visitaran a nuestros estudiantes.

El último punto que trataremos es el de la comunicación. Esto se discutirá más a fondo hoy o mañana. El punto es que en EE.UU. los niños ven siete horas de televisión diariamente; siete horas. Esto quiere decir que no pueden leer como otras generaciones. Viven en sus casas con sus propias familias y no se conocen, no se hablan y son como extraños en sus propias casas porque están viendo la televisión y no quieren que nadie les moleste. ¿Cómo podemos usar el sistema de comunicación que ya existe, positivamente? Tenemos una difusora nacional en EE.UU. completamente en español. Tenemos emisoras de radio en español, periódicos en español y revistas en español. Entonces, ¿cómo podemos usar todo este sistema de comunicación para llevar el mensaje a la juventud? El reto más grande es cómo inculcarle a la juventud hispana y al pueblo de Estados Unidos la importancia de ser bilingüe y bicultural y la importancia de las relaciones con España y otros países de Iberoamérica.

Rodolfo J. Cortina

Lenguaje e identidad

Lenguaje e identidad

I

Múltiples son las funciones del lenguaje que se dejan advertir por la ciencia en relación al complejo del individuo y su formación. Podemos notar que es en verbo como el ser humano da a conocer su mundo interior, expresa el deseo y conoce su propia condición por comparación y contraste. Sabemos que como mínimo, la duplicidad del ego causa que todo monólogo por solipsista que parezca sea en realidad un diálogo entre el yo locutor y el ego interlocutor. Intuimos que todos los apóstrofes desde el de Endimión hablándole a la Luna, hasta el de Unamuno discutiendo con Dios —en su propia versión del rezo cristiano— no son más que diálogos internos que se proyectan más allá de los contornos limítrofes del ser. Es decir, como diría Pero Grullo, el lenguaje es el intrumento principal de la comunicación.

Sin olvidarnos de este útil personaje, acudamos al lingüista Benjamin Lee Whorf. En él encontramos más sutilezas que desgraciadamente necesitamos. Digo desgraciadamente porque más fácil será centrar el argumento en aquellas características del idioma que estén más al descubierto. Pues Whorf arguye que el pensamiento no sólo se estructura, sino que se limita a aquellas formas que le impone el orden lingüístico. Es decir, que el pensamiento está encarcelado por el idioma, en frase de Jameson, ya que el pensamiento no puede pensar sin el lenguaje que cristalice ese pensamiento. Se ha dicho que el escribir es una forma de análisis, también lo es hablar. Cierto es que el proponer un pensamiento en cualquier idioma es el analizarlo y por ende el aclararlo. La confusión del pensante se manifiesta en el idioma empleado que despliega a su vez su propia ambigüedad. Bien decía Ortega que hay dos leyes fundamentales del idioma escrito: (1) no siempre se dice todo lo que quería decirse, y (2) siempre se dice más de lo que se pretendía. Pues bien, Whorf no cree que el idioma es el pensamiento. Creo que opina que el pensamiento se extralimita a las posibilidades idiomáticas. Empero, teoriza que, basado en sus estudios del idioma amerindio navajo, al pensamiento no le queda más remedio que ceñirse al ritmo lingüístico utilizado en la comunicación. Retornemos a toda marcha a nuestro amigo Pero Grullo. El lenguaje, decía él, es un instrumento de comunicación, sí; pero también es un elemento que forja nuestra identidad. Conocemos el mundo nombrándolo y requiriéndole contraimpresiones a nuestras impresiones, contestaciones a nuestras preguntas, respuestas a nuestras interrogaciones, responsos a nuestras letanías y argumentos a nuestras proposiciones. Nos conocemos a nosotros mismos mediante un proceso semejante en el cual exploramos lo que sentimos, lo que pensamos, lo que deseamos. A la vez nos proyectamos con imaginación y fantasía a otros tiempos, a otros espacios y a otros cuerpos saboreando sensaciones y reacciones a todo ello. En cierto sentido pudiéramos fácilmente extrapolar a Whorf y proponer que el sentimiento al expresarse en forma idiomática sufre lo que el pensamiento. Para muchos esto es muy obvio ya que juzgan que el sentir es inefable, y al «fablarse» ya está pensado y por ende analizado, dejando de ser sentir. Un poco como lo que sugería Unamuno por otras razones con aquello de pensar los sentimientos y sentir los pensamientos. Pero para nosotros el -miento, y venga de senti- o de pensa-, es lo importante pues el miento es mentar, el lenguaje. Nuestro mundo interior, por todo ello, está cercado por una empalizada verbal que nos reduce a balbucir incoherentemente lo mismo. Si acertamos o no, depende de nuestra capacidad de manejar el idioma en un momento dado.

No creo que esta meditación sobre el lenguaje y la identidad sirva para mucho en el campo de la lingüística per se. Esto es así, sobre todo, si se cree que me adhiero al determinismo whorfiano. Pero sí creo que nos es útil para entender la importancia de conjugar estas dos ideas —lenguaje por una parte, e identidad por otra— en relación con los hispanos en los Estados Unidos de América. Para entender estos dos ejes fundamentales: (1) el lenguaje como medio de comunicación en relación al deseo manifiesto, y (2) el lenguaje como instrumento de autodefinición que se vale de la comunicación en relación al deseo latente hay que verlos dentro de una diacronía biografiada.

II

Por todo ello, en torno a la circunstancia del hispano en EE.UU. quisiera tratar el tema del lenguaje y la identidad en torno a tres coyunturas: (1) la formación de la identidad familiar del niño, (2) la formación del individuo, y (3) el legado familiar a los hijos. Me parece que estos tres momentos ayudan a enfocar la cuestión de manera comprensible y asequible.

En el caso de la identidad del niño en el seno de la familia nos encontramos que éste va a crecer en uno de dos ambientes: el normal en el cual los padres hispanos hablarán español (o castellano, como se prefiere ahora en épocas de invertebración lingüística en España) y el niño lo aprenderá de manera rudimentaria pero nativa, y el anormal en el que los padre prefieren, por haber aceptado el modelo del melting pot, hablar solamente en inglés evitando que el niño aprenda el idioma y en su propia opinión potenciando de esa manera el aprendizaje del inglés. En el ambiente normal el niño carece del inglés al llegar a la escuela y necesita de programas de transición que le permita el bilingüismo. En el anormal el niño no tiene el aparente lastre lingüístico del español. En otras palabras, el caso hispano normal exige programas que sirvan de ajuste al niño y por su preponderancia se convierte en un asunto social y político ya que las escuelas requieren presupuestos especiales para tales remedios pedagógico-lingüísticos. En el caso hispano anormal el que el niño sepa inglés evita la necesidad de programas especiales, pero causa otro tipo de problemas. Por el etnocentrismo y el racismo norteamericano es difícil crecer con el apellido Rodríguez y no hablar español. Tanto los hispanos como los anglosajones esperan que el tal Rodríguez hable la jerga. Esto causa traumas de tipo psicológico y patológico que por otra parte implican costos individuales y familiares.

En el mundo del paso de niñez a adultez se pasa por el difícil momento de la adolescencia. Es en la secundaria donde se forja la identidad de adulto. Esto, según comentaba Cela al preguntársele si era por fin gallego o castellano ya que había nacido en Galicia pero escribía en castellano, a lo que respondió que era gallego por nacimiento, pero castellano por ser de una secundaria castellana. La adolescencia, pues, al escoger uno la orientación sexual, al elegir si uno será de semblante abierto o cerrado con el sexo opuesto, si será uno serio, alegre, etc. resulta ser un momento en el cual se forman las características del adulto incipiente. El mundo de las modas, de la música, de los primeros enamoramientos es en los EE.UU. aún para los hispanos un mundo de *blue jeans,* de *rock and roll,* de canciones, películas, televisión en inglés. El «te quiero» ruboriza, no suena auténtico sino en los novelones de la televisión hispana. Mejor se dice el «I love hou» que está además en todas las canciones de rock. El lenguaje familiar será el español, pero el idioma íntimo de la vida romántica pasa a ser el inglés.

Curiosamente en este momento, cuando se está en la escuela, es cuando se pretende enseñarle español al joven. La experiencia, en la mayor parte de los casos, resulta ser ultranegativa. Los mismos maestros hispanos de español impulsados por los deseos de proteger el idioma materno de toda mezcla impura con el inglés y a la caza de todo anglicismo, barbarismo y solecismo, se entregan a la fácil tortura del joven estudiante hispano. Lejos de ser una bonita experiencia de reencuentro cultural se transforma en un suplicio que, además de dañino en el sentido académico por las bajas notas que recibe el joven estudiante, produce daños psicológicos. La intervención del profesor hispanista anglosajón es también casi siempre negativa por el énfasis en la parte menos ejercitada del idioma por el joven estudiante hispano: gramática, lectura, escritura. La capacidad discursiva oral se da por supuesta y en vez de subir las notas y calificaciones, las reduce al rebajar la importancia de tales dotes y destrezas. Pero lo más pernicioso del ambiente escolar en el niño/joven al entrar a la escuela sin saber inglés es el negarle su deseo de poder comunicarse. Bien decía Eduardo Seda Bonilla, el distinguido sociólogo puertorriqueño, que el hablar es una forma de ser. No dejar hablar a un niño porque no sabe el idioma mayoritario es negarle su capacidad de *ser.* El ser pensante el que no se le permite ser hablante se le niega el desarrollo de su pensamiento. Se le animaliza en vez de humanizarle.

Muchas veces ocurre que la dificultad no es sólo funcional, sino que también es intergeneracional. Sirvan dos anécdotas para ilustrar el caso. (1) Un joven chicano en Chicago jactándose de su importancia debido a la frecuencia de sus viajes a Springfield, capital del estado de Illinois, al cual le pregunta un señor mexicano mayor si iba a Springfield a menudo, responde que no: que no hacía falta pues en Chicago se hace muy bueno. (Menudo es una sopa de tripas como los callos madrileños.) (2) Una joven cubanonorteamericana que contesta al teléfono y el señor cubano mayor le pregunta que ¿Cuál es su gracia? Ella responde que ella canta. Los malentendidos se deben al parco conocimiento de las polivalencias semánticas por parte de la juventud. No requiere una fértil imaginación el considerar esta situación en un contexto escolar y su impacto negativo en los jóvenes por parte de las actitudes de los maestros que son, al fin y al cabo, personas mayores. Finalmente, el caso del hispano adulto cuyos hijos van a recibir su legado cultural se tiene que enfrentar con una serie de disyuntivas: criar a los hijos en un ambiente bilingüe y bicultural anglohispano, o empezar por lo hispano, si no abandonarlo totalmente. Ante el quebrantamiento de la estructura escolar bilingüe por el gobierno de estos últimos años y ante el prospecto de enmiendas constitucionales que requieren el inglés como único idioma de uso oficial, el padre hispano espera ver los mecanismos de apoyo cultural y lingüístico desaparecer: ni programas bilingües en la escuela, ni medios de comunicación en español, ni la valoración de una cultura que se margina. ¿Cuál será el legado cultural y lingüístico que este padre dejará a su hijo? No creo que les importe mucho a los que forjan las políticas de lengua en los EE.UU., pero sí creo que éstas afectarán no sólo la vida de los hispanos, sino también las de los que no lo son.

Es curioso, por el momento la Constitución que protege los derechos de libertad de expresión en cualquier idioma, está escrita en inglés marcando la pauta de los padres fundadores: códigos no, fueros sí. Ahora otros norteamericanos que abandonan la tradición de los fueros para oficializar la lengua inglesa, restringiendo de esa manera los mismos derechos que proclaman. Analicemos el caso.

III

Hace exactamente doscientos años que se redactó la Constitución de los Estados Unidos de América. En el documento, legado ideológico del siglo XVIII, se insistía en una estructura gubernamental que provenía de la organización presbiteriana, en unos enunciados que designaban los poderes de las tres partes del gobierno: la judicial, la legislativa, y la ejecutiva, y las limitaciones de los mismos incluyéndose así su formación y legitimidad. Una democracia representativa, una república constitucional, un documento incompleto. De ahí las diez primeras enmiendas, pues el otro gran legado del XVIII no sólo presentaba el contrato social, sino también la importancia del individuo. Esas diez enmiendas completan la confección inicial del documento de gobierno. Hablan de la libertad de expresión, declaran la libertad religiosa y de reunión, de prensa y de portar armas. La Constitución, sin embargo, jamás mencionó en su ensayo inicial la cuestión de un idioma nacional. El silencio sobre el asunto es harto elocuente dado que hubo muchos debates al respecto. Para entender esto mejor y encuadrar en un marco histórico el nuevo esfuerzo para enmendar la Constitución y declarar el inglés como el idioma oficial, haremos dos breves incursiones: una de historia legal y otra de historia social.

Con respecto al proceso constitucional, el documento inicial y sus diez primeras enmiendas ya establecen el patrón de trabajo: la Constitución es un esbozo escueto que permite más que prohibe (esto debido a la historia europea de los colonos que sufrieron prohibiciones), y está abierta a enmiendas y remiendos. Con pocas excepciones, como fue el caso de la prohibición del alcohol, el documento se ha cambiado para proteger al individuo del gobierno y/o aumentar las libertades individuales. El proceso de cambio, empero, está sumamente protegido requiriendo la participación no sólo de las dos cámaras del Congreso, sino también la de las legislaturas estatales. Es decir, se puede cambiar la Constitución, pero no con facilidad ni mucho menos con frivolidad. Pero para que ésta sea efectiva necesita ser interpretada y éste es el tercer eslabón en la cadena constitucional. Intérpretes de ella son los jueces del Tribunal Supremo, correctores de malas lecturas, lectores de un texto ambiguo y parco. Pues bien, con el documento, las enmiendas y las interpretaciones tenemos el proceso esclarecido: un texto base, sus cambios y sus elucidaciones.

Este texto, de hecho, cambia con el tiempo. El Tribunal Supremo hará sus interpretaciones oficiales y los representantes del pueblo cuidan los cambios, pero el pueblo, heredero de Erasmo y el refranero, suelo fértil de emociones y tendencias, todavía cree que su voz es la divina, *vox populi, vox Dei,* con toda su energía folclórica. Las legislaturas estatales son víctimas de este fenómeno popular: cambios violentos en los textos legales para satisfacer emociones del momento. Sin embargo, a la Constitución la protege un país grande, si no un gran país. Los cambios que se favorecen en un sector del país quizá no lo sean en otro. Así la Constitución cambia con poca agilidad.

Usualmente los patrocinadores de una enmienda la presentan ante el Congreso nacional y de ahí pasa a ser ratificada por los estados individuales. En el caso de los proponentes de una nueva enmienda que reivindica el idioma inglés como el oficial, los estrategas de *U.S. English* lo hacen a la inversa: van a los estados y con la publicidad de las victorias individuales, van al Congreso. El proceso normal ya se probó en 1984 y falló el intento durante el nonagésimooctavo Congreso. La audiencia que se llevó a cabo en el Senado, la Subcomisión sobre la Constitución de la Comisión sobre el Poder Judicial bajo la presidencia del senador Orrin Hatch, rechazó los argumentos basándose en tres puntos: (1) la Constitución no dice nada al respecto a pesar de los debates contemporáneos sobre la misma (sirva para ello un solo ejemplo del libro de Benjamin Franklin de 1755 intitulado *Observaciones sobre el aumento de la humanidad,* donde Franklin se formula estas preguntas retóricas que demuestran su estado mental: «¿Por qué debemos permitir que los pesados alemanes... establezcan su idioma y costumbres a exclusión de los nuestros? ¿Por qué Pennsylvania, fundada por los ingleses, ha de convertirse en una colonia de extranjeros, quienes muy pronto será tan numerosos que nos van a germanizar en vez de nosotros anglizarlos a ellos?), (2) la enmienda puede tener implicaciones legales todavía insospechadas, y (3) la enmienda estaría en contradicción con el caso *Meyer vs. Nebraska.*

Hatch tenía razón: la Constitución no dice nada sobre el idioma; no sabemos los problemas que esa enmienda pueda causar (por ejemplo, si Puerto Rico, un país hispanohablante, fuese admitido en la unión norteamericana, ¿tendría que abandonar su idioma oficial?). Y, finalmente, el caso *Meyer vs. Nebraska* es un escollo difícil de salvar. Este caso proviene de la gran inmigración europea a Estados Unidos que ocurrió entre los años 1880-1920. Muchos estados habían adoptado enmiendas a las constituciones estatales en las que declaraban al inglés el idioma oficial. Después de la Primera Guerra Mundial los estados de Ohio y Nebraska, entre otros, prohibieron el uso del alemán en las aulas. En el caso *Meyer,* el Tribunal Supremo declaró en 1922 que esta prohibición violaba el derecho de los padres cuyos hijos dependían de ellos para la instrucción escolar. Ya en 1790, en 1840 y en 1862 el Congreso había rechazado la publicación de documentos gubernamentales en alemán, pero ahora en 1922 defendía el Tribunal Supremo el derecho del aprendizaje del alemán u otro idioma. Con el caso *Meyer* definiendo los límites de autoridad estatal basándose en la enmienda decimocuarta, y la décima enmienda definiendo los límites de la autoridad federal, la política lingüística quedó olvidada hasta 1968.

La primera ley que enuncia una política lingüística fue aprobada en 1968 por el Congreso. En 1974 el Tribunal Supremo en el caso*Lau contra Nichols* declaró que la instrucción monolingüe en inglés a los estudiantes de habla china violaba los derechos de éstos protegidos bajo la Ley de Derechos Civiles de 1964. Y en 1975 el Congreso enmendó la Ley de Derecho al Voto para que las papeletas fuesen impresas en varios idiomas. Las acciones federales se pueden resumir así con respecto al lenguaje: (1) 1787, libertad de expresión, silencio sobre el idioma de expresión; (2) 1922, libertad de enseñanza de idiomas; (3) 1968, Ley de Educación Bilingüe; (4) caso *Lau* defendiendo a los estudiantes que no hablan inglés; (5) 1975, defensa de los votantes que no hablen inglés.

La estructura política y el marco histórico indican que a los doscientos años de la Constitución la cuestión de la lengua no se ha definido ni se ha limitado. Al contrario, ha pasado del silencio a la tolerancia. Los Estados Unidos no es un país que se crea para verificar una realidad existente. Al contrario, la idea de los Estados Unidos de América se inventa por medio de la Constitución. Y si bien no es oficial el inglés, es el idioma nacional común de los estadounidenses, ya que la Constitución que protege al que no lo habla fue escrita en inglés.

Quiero terminar con unas consideraciones sobre la cuestión imperial ya que sabemos que el sacro imperio romano está en Washington en vez de estar en otro lugar, y que el cetro romano está en manos del presidente de USA. Nos preguntamos, ¿cuáles son los objetivos del imperio? Sabemos y nos referimos constantemente a un imperio que manda y ordena —en centro y periferia—, y esa hegemonía imperial es indiscutible. El problema es ¿cuál es la función de esa hegemonía y el objetivo?, ¿cuál es su meta final y cuál es su propósito inicial? Y tenemos una serie de inquietudes sobre la incapacidad de poder contestar estas preguntas con claridad nítida. Sin embargo, sabemos que entre los propósitos de algunos de nosotros en los Estados Unidos, quizás sentidos de una forma vaga, está el deseo de poder participar en un proyecto nuevo de este imperio, y es el de convertir el centro en una verdadera democracia multirracial y multiétnica, usando el modelo de pluralismo cultural que ha sido hasta ahora un mito intelectual. Sabemos que el modelo crisol ha sido un modelo para el pueblo, y para los intelectuales el opio ha sido el pluralismo cultural en el cual todos somos iguales. Y, sin embargo, no somos iguales en Estados Unidos. En efecto, hay un grupo que manda, otros grupos que se acercan, otros a los que se les permite la inclusión y todavía otros a los que se les excluye. Nosotros creemos en ese proyecto de democracia multirracial y multiétnica y creemos que nos lleva a una lucha, a exigirle al gobierno que viva los ideales de la Constitución norteamericana y que permita que los pueblos que constituyen la Unión, entiéndase también al pueblo nuestro —con todas sus variedades y con todas sus propias pluralidades internas—, tengan derecho a ser norteamericanos, usanos —como dicen en Puerto Rico de los de USA—. Norteamericanos en pleno diría yo.

El caso de la conjugación de lenguaje e identidad en el mundo estadounidense refleja un poco el de la religión e identidad nacional de aquel mundo español de la Inquisición. Al querer salvar lo español que entonces se identificaba con lo católico, se persiguió a infieles moros y a falsos judíos conversos; es decir, se automutiló el imperio. Algo así sucede por los EE.UU. Algo americano se perderá si llegan a perder los hispanos su lengua y su identidad.

Referencias

1. Benjamin Franklin, *Observaciones sobre el aumento de la humanidad*, 1755.

2. Orrin Hatch, «Opening Remarks», to *The English Language Amendment: Hearing before the subcommitee on the Constitution of the Committee in the Judiciary U.S. Senate*, Washington, 1985.

3. *Lau v Nichols*, 414 U.S. 563 (1974).

4. *Meyer v Nebraska*, 262 U.S. 390 (1922).

5. José Ortega y Gasset, *Obras Completas*, Madrid, 1947.

6. Eduardo Seda Bonilla, *Réquiem por una cultura*, Río Piedras, Ed. Bayoan, 1974.

7. Miguel de Unamuno, *Obras Completas*, Madrid, 1951-8.

María Jesús Gil Alonso

Los hispanos: una pluralidad cultural

Los hispanos: una pluralidad cultural

Comoquiera que este Seminario sobre «Los hispanos de los Estados Unidos» tiene como principal finalidad el intercambio de opiniones entre los estudiosos del tema de ambas orillas, me voy a limitar a reflexionar un tanto esquemáticamente sobre determinadas cuestiones que me parecen relevantes y que, a su vez, pueden plantear algún que otro punto de discusión.

Vamos a dialogar durante estos días acerca de uno de los segmentos más numerosos de la sociedad norteamericana, cada día en ascenso: los «hispanos». Es en este término —«hispano»—, donde encuentro un primer motivo de interés.

Creo percibir en la mayoría de la sociedad «anglo» una creciente tendencia a considerar a toda la población hispana como grupo homogéneo. Población hispana que, sin embargo, y como sabemos, tiene —también de forma creciente— distintos orígenes, características y problemas. A los tres grupos hispanos ya existentes —chicanos, puertorriqueños y cubanos— se les han ido agregando recientemente otros grupos procedentes de la inmigración económica y/o política de América Central y del Sur —guatemaltecos, salvadoreños, dominicamos, colombianos, peruanos, argentinos...—. Aparte, claro está, de la inmigración asiática, que no nos compete analizar aquí.

Confluyen, por así decir, con esa población ya asentada anteriormente, personas que provienen de países diferentes, de unos entornos socioeconómicos y políticos diversos y de raíces culturales también diversas. Nuevas oleadas de inmigración de las naciones de origen de la comunidad hispánica establecida —especialmente significativa en el caso de México—, harán más problemática la situación. El propio sentido sociocultural de todos los recién llegados será confrontado y tal vez modificado por el de los anteriores grupos «hispanos» o, viceversa, renovará los valores mismos de estos últimos. De cualquier forma, todos ellos se verán sometidos a la presión política, económica y cultural de las instituciones de la sociedad dominante anglosajona.

Es este sector heterogéneo de población, del que vengo hablando, el que se engloba bajo el término de hispano. Así lo corrobora, por ejemplo, el censo norteamericano de 1980, que incluye en el epígrafe de «hispanos» a todas aquellas personas que comparten el uso del castellano, así como determinadas tradiciones, y que proceden de países de América Latina.

Yo consideraría tal acepción (como pienso que lo hacen igualmente muchos de los integrantes de esos grupos) de una manera operativa, que implicaría identidad y sentimiento de grupo frente a pautas culturales prevalecientes, y, al mismo tiempo, apelaría al quehacer colectivo dirigido a la acción social y a la movilización.

Ciñéndome ya a los tres grandes grupos de «hispanos» en los Estados Unidos, diría que el principal rasgo que los caracteriza es el de ser culturalmente plurales. Esto es, los patrones culturales de cada uno de ellos se entremezclan con los del entorno, enriqueciéndose, pero sin perder su identidad.

Resumiré alguna de estas peculiaridades.

Empecemos por los cubanos, quienes en la primera etapa de su emigración crearon un auténtico enclave en el sur de Florida. Profesionales, clase media y alta de avanzada y media edad, dejaron la isla en los últimos cincuenta. No emigraron por razones económicas. No pretendieron afincarse definitivamente en los Estados Unidos. Su esperanza residió en el regreso. Esta especie de provisionalidad favoreció que la cultura autóctona se mantuviera viva e hiciera que se retardase el proceso de aculturación y asimilación (1).

Posteriormente, las sucesivas llegadas, que culminaron con la del buque «Mariel», introducirían nuevos factores. La baja extracción cultural y social de los que llegan en estas nuevas oleadas provocó recelo y desconfianza en la comunidad «anglo», lo cual originó, en opinión de Alejandro Portes y Robert L. Bach, un sentimiento de solidaridad étnica o mutua ayuda entre los primeros emigrantes cubanos pertenecientes a clases asentadas y los recién llegados (2).

Por otra parte, las más jóvenes generaciones de cubanos, la mayoría de ellas con conocimiento suficiente de la lengua inglesa —aunque prefieran entre ellos expresarse en su español materno—, con altas tasas de exogamia y con un perfil socioeconómico relativamente alto, serán más permeables a la cultura receptora «anglo» (3).

Pasando a los puertorriqueños, señalaría que el principal motivo de su emigración es el económico. Después de la Segunda Guerra Mundial, el abaratamiento de los costos en los vuelos, la posibilidad de ida y vuelta a la isla, determinó una masiva llegada de puertorriqueños, que se establecieron principalmente en Nueva York, fijando su residencia en «barrios» y formando pequeñas comunidades (4).

(1) Véase Lisandro Pérez, «Cubans in the United States», *The Annals*, septiembre, 1986.

(2) Alejandro Portes y Robert L. Bach, *Latin Journey: Cuban and Mexican immigrants in the United States*, Berkeley, Universidad de California, 1985.

(3) Véase Thomas D. Bosswell y James R. Curtis, *The Cuban-American experience: culture, image and perspectives*, Totowa (N.J.), Rowman and Allanheld, 1983.

(4) Véanse Adalberto López (ed.), *Puerto Ricans: their history, culture and society*, Cambridge, Massachussets, 1982 y Clara Rodríguez, *The ethnic queue in the United States: the case of the Puerto Ricans*, San Francisco, R. and E. Research Associates, 1974.

Por lo general de origen rural y niveles educativos muy bajos, los puertorriqueños tienden a ocupar dentro del mercado de trabajo los puestos inferiores. La comunidad puertorriqueña se configurará como una comunidad cerrada, con elevado índice de endogamia, y con un notorio grado de lucha por conseguir el éxito social y económico. Así pues, su nivel de aculturación dependerá de la intensidad con la que cada uno de los emigrantes se tome la anterior búsqueda de éxito en la sociedad norteamericana.

En todo caso, quisiera subrayar la fuerza que vincula a la minoría puertorriqueña con su hogar de origen. El *status* jurídico de Puerto Rico como Estado Libre Asociado —sobre cuya evidente complejidad no voy a entrar— y la virtual condición de ciudadanos norteamericanos por parte de los puertorriqueños, permite una intercomunicabilidad a los emigrantes de la isla, entre su cultura nativa y el territorio continental de los Estados Unidos, que otras minorías hispánicas no pueden disfrutar, bien por provenir de un Estado con fronteras cerradas —como Cuba—, bien por depender de condiciones de emigración rayanas en la ilegalidad —cuyo mejor ejemplo es el de los *wet-backs* mexicanos—.

Finalmente, voy a referirme al grupo chicano, el más numeroso de la comunidad hispánica.

A diferencia de cubanos y puertorriqueños, o de la emigración europea tradicional, o, más adelante, de la nueva emigración asiática o centroamericana, el pueblo chicano sigue habitando en sus antiguos territorios. En otras ocasiones he mantenido, al igual que diversos autores, que quizá sea la chicana la única minoría (a excepción de los nativos norteamericanos o «indios») que se convierte en tal minoría no por emigración de sus componentes o por traslado forzoso a Estados Unidos (como en el caso negro), sino por una situación histórica de *conquista*. Seguir viviendo en el mismo hábitat originario permite a estas personas mantener una actitud relativamente independiente con respecto a la cultura dominante anglosajona o, si se quiere, les permite desarrollar una etnicidad que los antropólogos vienen en denominar «situacional», esto es, propia del contexto. Podemos referirnos a la persona chicana como «tri-cultural». Es decir, el hombre o la mujer chicana compartiría la cultura mexicana de origen, la anglonorteamericana del entorno y la peculiarmente chicana. Como los grados de influencia o las primacías de tales componentes varían, pudiera darse incluso la posibilidad de que en una misma familia halláramos a unos miembros que se identificaran primordialmente con los valores «anglos», a otros que se sintieran mexicanos, y, por fin, a otros que se autodefinieran como chicanos.

La minoría chicana, por otra parte, ha sido considerada hasta hace poco como una población sumisa, dócil, pasiva, dotada de un sentido fatalista de la existencia y la historia, así como escasamente agresiva. Estereotipos todos ellos que uno de los más conocidos intelectuales chicanos, Octavio V. Romano —protagonista del despertar cultural de la minoría mexicano-norteamericana de los años sesenta— se preocupó de criticar desde su primeras contribuciones para la histórica publicación *El Grito*. Empezaba así a fomentarse una nueva aproximación más sensible y real al estudio de la problemática chicana.

Es, en efecto, en los mencionados años sesenta, cuando los chicanos, aquel *forgotten people,* invisible prácticamente hasta entonces para la mayoría de ciudadanos estadounidenses, alcanza su mayoría de edad. La incorporación al movimiento proderechos civiles marca el nacimiento por parte chicana de una minoría consciente ante sí misma y. ante la nación norteamericana.

Es preciso considerar igualmente el fenómeno «frontera». Hay quienes se han referido al límite entre México y USA como entidad «difusa» o «nebulosa», que no existe para muchas familias chicanas, al estimar estas últimas que no «emigran» propiamente, sino que tan sólo se desplazan al Norte.

Esto es muy cierto en términos de subcultura chicana, y aun en términos de geografía. La frontera evidentemente fue impuesta. Sin embargo, la impresionante desigualdad socioeconómica entre México y los Estados Unidos hace que la frontera se interponga como corte brutal entre el desarrollo y el subdesarrollo.

Es en los Estados fronterizos donde se produce un contacto más profundo y continuado con la herencia cultural mexicana. No es de extrañar, entonces que en esos Estados el grado de asimilación de la cultura norteamericana sea menor, preservándose casi intactos los patrones culturales hispanos.

El excelente trabajo de Niles Hansen (5) examina los más relevantes aspectos económicos y sociales de la zona fronteriza del Suroeste de los Estados Unidos y, en particular, señala la paradoja de que la «U.S.-Mexican border area» comprenda a dos países vecinos que —caso único en el mundo— hacen confluir en la misma tierra la máxima diferencia posibles de niveles de renta.

Concluiré este breve esbozo volviendo a la idea originaria: la de que la población «hispana» de los Estados Unidos posee la capacidad de constituir un gran grupo, unido no sólo tácticamente, mediante la acción social y política, sino también culturalmente, como exponente de toda una rica y variada tradición iberoamericana. Sin abdicar de sus reivindicaciones legítimas, los «hispanos» pueden también conservar y fortalecer costumbres, ritos y estilos; en una palabra, enriquecer y crear el profundo sentido de su multiculturalidad.

◆

(5) Niles Hansen, *The border economy: regional development in the Southwest*, Austin, University of Texas Press, 1981.

Alberto Moncada

Americanización frente a hispanización (*)

◆

(*) Primer capítulo del libro de próxima aparición *Norteamérica con acento hispano*.

Americanización frente a hispanización

Dos años después de la Olimpiada de Los Angeles, que entronizó un chauvinismo deportivo, advertible tanto en los estadios como en las ondas radiotelevisivas, y coincidiendo con la reelección del presidente Reagan, se produjeron dos hechos legales de notable importancia para el Suroeste de los Estados Unidos. Uno fue la ley de inmigración Simpson Rodino, que trata de racionalizar la marea demográfica en la frontera sur. El otro, la proposición 63 por la que los electores de California refrendaron la tesis de que el inglés debe ser el idioma oficial del estado.

Ambas medidas tienen tradición en el país. La emigración ha sido frecuentemente regulada desde 1882 para acomodarla a las necesidades de la mano de obra y a las filias y fobias «anglo». Y, en 1879 en la misma California, y en los años veinte en aproximadamente otros veinte Estados, se aprobaron o intentaron aprobarse medidas favorecedoras del English Only, sobre todo en la escuela pública.

Lo que hace distinta la situación actual es que el destinatario de las medidas es un solo pueblo, una sola minoría, los hispanos.

Abundantes referencias bibliográficas, cientos de entrevistas en la prensa, en la radio, en la televisión, docenas de debates, dan prueba de la violencia de una confrontación que tiene, del lado «anglo», pesos pesados de la categoría de Gore Vidal, Saul Bellow y Walter Cronkite.

¿Por qué? «La emigración es un asunto más económico, pero el lingüístico es simbólico, emocional» —comenta un antropólogo chicano— «Que un ''anglo'' se vea rodeado, en Los Angeles, en Nueva York, en Miami, de voces y signos hispanos, que le resulte a veces difícil desenvolverse en determinadas circunstancias, en su propio país, puede llegar a enfurecerle. Y de ahí a la racionalización intelectual hay sólo un paso.»

Efectivamente, entre otros, el ideólogo conservador George F. Will *(Newsweek,* 8 de julio de 1985) afirma que el gobierno, en su obligación de proteger el interés general, debe fomentar la existencia de un lenguaje común, incluso de una cultura común, que es la de los padres fundadores.

Sin embargo, los hispanos son conscientes de que, sin saber inglés, no se puede salir adelante en Estados Unidos. Pocos de entre ellos solicitan el bilingüismo oficial sino un cierto apoyo a las peculiaridades de su condición, especialmente de los niños, de los pobres, de los recién llegados. Y entienden, también la mayoría, que el esfuerzo por conservar la lengua, la cultura propias, no debe ser obligación de los poderes públicos. O es una afirmación étnica espontánea o no es nada.

En la posición «anglo» existen también componentes de un chauvinismo que no es sino la otra cara de la inseguridad psicológica. Y asimismo allí se dan cita los patriotismos peculiares de la emigración, de ser más «anglo» que los «anglos», simbolizado en la postura del senador Hayakawa, que ha encontrado un nuevo sentido a su vida, presidiendo el «lobby» del «English only». Dominar otro idioma, ser capaz de sufrir ese lento acomodo interno de tu memoria, de tus reflejos, llenarte de los símbolos y de las peculiaridades de otra cultura, es la vez tan duro y tan gratificante que muchos nuevos norteamericanos llegan a una exaltación personal del idioma tan ásperamente conquistdo y funden sus emociones con los provincianismos de la América profunda.

Porque un trazo muy peculiar del país es el haber estado, por mucho tiempo, de espaldas al exterior, ensimismado en su aventura interior. Sólo las guerras mundiales, y, mediante ellas, el comercio exterior, rompieron ese aislamiento. A muchos norteamericanos les cuesta entender que haya comunidades multilingüísticas como Suiza y, en esta etapa imperial, son tantos los ciudadanos del mundo que hablan inglés, que se refuerza esa pereza congénita, esa unidimensionalidad cultural. «Y eso que se trata de una nación de emigrantes» —comenta una filóloga francesa—. Quizás por ello. Quizás aquel «melting pot» de la escuela pública y aquellas estrictas regulaciones lingüísticas de los grandes acontecimientos demográficos del siglo pasado no eran sino la preocupación por conseguir el «e pluribus unum» que anhelaban los legisladores de la primera hora de la joven república.

El conflicto emocional, la dialéctica argumental, van a seguir estando presentes en un país cuyo pasado y cuya estructura social impiden solventar esos conflictos por la vía del fiat político. La historia de las anexiones a la Unión, los modos como el sistema productivo resuelve sus necesidades de mano de obra, la específica situación geográfica del país, la misma ideología aperturista y democrática de la nación, proscriben las soluciones simples. La complejidad del caso tiene, al menos, cuatro factores.

1. La fuerza del pasado

Una característica, ampliamente aireada, de la cultura común norteamericana, es su énfasis en el presente. Se dice que el deseo de olvidar el pasado forma parte de la mentalidad del emigrante, de esos hombres y mujeres que, generalmente, dejan tras de sí, un trozo poco grato de su biografía. El emigrante necesita, además, quemar etapas para su inserción psicológica en el nuevo país y tiende a emborracharse de lo nuevo, a vivir para el hoy. Pero, además, la civilización de la oportunidad individual, de la afirmación personal, está escrita en tiempo de presente. Hombres y mujeres del Nuevo Mundo se afanan en el hoy de sus vidas, sin volver la mirada atrás, invocando en todo caso al pasado como contrapunto doloroso de un futuro prometedor. La cultura contemporánea premia la gratificación instantánea sobre la demora de la gratificación.

Todo, pues, conspira para que al norteamericano le cueste trabajo considerar la fuerza del pasado sobre nuestro presente, el condicionamiento histórico de nuestra vida personal y colectiva. Para ellos lo importante es cómo soy capaz de protagonizar mi aventura, cómo hacerme con el timón de mi biografía.

Esta circunstancia psicológica explica también en parte el pragmatismo con que la población acepta los cambios de rumbo políticos, las alteraciones económicas. Todo se justifica si enriquece el presente, no hay por qué aplicar las recetas del pasado si no funcionan hoy.

Y, sin embargo, la historia está ahí y, en nuestro caso, desde la toponimia de lugares y apellidos, hasta tantas fórmulas de relación personal, lo hispano posee una avasalladora presencia en el Sur, fruto de la contundencia de unos hechos que no pueden desvanecerse en el aire de la contemporaneidad. Diez años después de que Ponce de León llegara a la Florida, se fundó, en 1523, la ciudad de San Miguel de Guadalupe, el primer asentamiento europeo en Norteamérica. Habría que esperar casi un siglo, hasta 1608, para que se produjera el primer asentamiento inglés, en Jamestown y, para cuando los padres fundadores, los peregrinos, desembarcaron del *Mayflower,* en 1620, ya estaba organizado el imperio español, con ciudades, parroquias y fuertes desde San Agustín en Florida a la misión de Chesapeake fundada por los jesuitas en 1570. De hecho el desembarco del *Mayflower* casi coincide con la construcción del palacio del gobernador español de Santa Fe, la capital de Nuevo México. Fueron los españoles los que introdujeron la fauna y la flora europeas. Desde el ganado al azúcar, del gallo al trigo, tantos típicos ingredientes de la comida norteamericana arribaron en los galeones españoles.

Los grandes acontecimientos migratorios del siglo XIX fueron un movimiento hacia el Oeste con origen en Europa. Debido a las mejores condiciones higiénicas y alimenticias, la población europea se duplicó desde 1750 a 1850. Sin embargo, la revolución industrial, y especialmente la mecanización agrícola y la supresión de la propiedad comunal, causaron un notable desempleo que empujó al mar a cientos de miles de personas. Los barcos a vapor, por otra parte, hacían más corta y segura la travesía. La emigración por el Atlántico Norte —los europeos no latinos, irlandeses, británicos, alemanes—, triplicó la del Atlántico Sur de modo que, desde 1802, con la compra de la Luisiana francesa, se abrieron a los nuevos americanos territorios al Sur y al Oeste que estaban casi despoblados. Un factor adicional a la estampida hacia el suroeste lo constituía la condición mayoritariamente campesina de los emigrantes, que no encontraban acomodo en la costa Este y fueron buscando el modo de vida que les era familiar.

A lo largo de veinte, treinta años, una gran cantidad de labradores norteamericanos se habían asentado en tierras mexicanas, antaño españolas, bajo la mirada benevolente de unas autoridades que recibían de buen grado a tan duros trabajadores. Este primer impacto no fue necesariamente conflictivo. Norteamericanos e hispanos convivían bajo un sistema político lejano, flexible y laxo. Las tensiones del propio México y la emigración promovida por la fiebre del oro rompieron aquel primer equilibrio y el Tratado de Guadalupe Hidalgo de 1848 saldó una guerra que supuso la anexión norteamericana de Texas, Nuevo México y California. Pero ni siquiera ese acontecimiento rompió la biculturalidad de la zona. El propio tratado garantizaba la propiedad y la lengua de los oriundos hispanos y la fisonomía arquitectónica continuaba bajo el influjo del estilo colonial español. Sólo la codicia de las grandes compañías y la aspereza de los forajidos de ambas razas erosionaban la convivencia pacífica de gentes unidas por el amor a la tierra y el cultivo de las virtudes de hospitalidad y solidaridad tradicionales en los sures. El siglo veinte presenciaría la ruptura de esa armonía.

La fuerza sostenida de la emigración europea, con casi nueve millones sólo en la primera década del siglo, saturaba los asentamientos americanos y sólo la depresión de los años treinta suavizó la corriente migratoria. Sin embargo, por aquellas fechas, empezaría la presión hacia arriba de la población mexicana debida a su demografía rampante y a las luchas políticas. El río Bravo comenzó a ser cruzado por los primeros «espaldas mojadas» que buscaban trabajo entre sus primos y en las ya bien asentadas explotaciones agrícolas y ganaderas de las compañías americanas.

Pero el acontecimiento principal sería la segunda guerra mundial y sus consecuencias.

La movilización militar despobló la agricultura sureña que, para entonces, ya tenía, en California, en Florida, sus más primorosos frutos. Un acuerdo entre gobiernos permitió la estancia temporal de braceros mexicanos para sustituir a los combatientes y muchos de ellos no tenían prisa en volver, y menos, de forma definitiva. Los granjeros y terratenientes empezaban a acostumbrarse a aquella mano de obra, más barata, menos protegida y, para cuando volvieron los veteranos de la guerra, les fueron ofrecidas ayudas para conseguir estudios y empleos que les empujaban fuera de la tierra, a las ciudades.

Los sindicatos tomaron, sin embargo, cartas en el asunto y, con motivo de la recesión de la primera mitad de los años cincuenta, entre unos y otros, forzaron la operación Wetback, que deportó a más de dos millones de mexicanos, algunos de ellos nacidos en los Estados Unidos.

Pero la marca hispana era ya muy profunda en la zona e incluso, por razones distintas, puertorriqueños en la costa Este y cubanos en Florida seguían añadiendo el toque latino a la población, favorecido por la enésima ley de emigración, la de Johnson de 1965 que, esta vez, rompía el viejo privilegio a favor de los europeos.

De esta manera, lo que había sido la huella hispana en los nuevos territorios americanos cobra nueva vida y se convierte en comportamiento cotidiano que no permite a los «anglos» olvidar el inmediato pasado de esas zonas. Ya no son sólo nombres, monumentos, estilos arquitectónicos. Es la algarabía de plazas y escuelas, es la salsa que compite con el rock en las esquinas, durante las noches calientes del verano, son los mil y uno acomodos biculturales como el «spanglish» o la comida mixta y si, para muchos, para la mayoría de los «anglos», esto añade peso y color a la parva historia de un país de emigrantes, para algunos es una humillación o, quizás, un esfuerzo suplementario en tu propia tierra, algo que no todos están dispuestos a conceder graciosamente.

2. El espacio imperial

Al final del siglo diecinueve se produjo un salto cualitativo en los afanes gubernamentales y en la actividad mercantil. Por una parte, la emigración no cesaba. Los italianos, expulsados de su península por una hambruna parecida a la de la patata irlandesa, arribaban por miles a la costa este. Y no eran los únicos. Se hacía necesario empujar, buscar nuevas fronteras y expansión para la producción manufacturera de Pitsburg, de Filadelfia, de Detroit. Corrían vientos de darwinismo social, de la ley del más fuerte y empezaron a diseñarse, en la opinión pública y entre los políticos, ideas y planes de engrandecimiento. La doctrina Monroe, el marcar límites a los europeos, ya no bastaba y la rebelión cubana contra España proporcionó la ocasión. William Hearst, hablaba desde sus periódicos del destino manifiesto, de la vocación pacificadora del hombre blanco. Los presidentes McKinley y Roosevelt fueron sus primeros conversos y, en 1898, se inició una aventura imperial de doble signo. Por una parte, el dominio norteamericano saltó al mar y se afianzó en el Caribe, Cuba, Puerto Rico y Guam y en Asia, Filipinas. Por otra, compañías norteamericanas tomaron, por las buenas o por las malas, la posición europea, preferentemente inglesa, en el desarrollo minero, agrícola e industrial de Iberoamérica, con el apoyo militar y político de Washington. El símbolo más visible de todo ello fue la instalación de la república panameña y la apertura del canal, bajo control norteamericano, en 1914.

La historia posterior del dominio eminente de Washington sobre Iberoamérica está contada tanto en relatos políticos, como militares y mercantiles, con sangre y con cifras contables. Las propiedades norteamericanas, directas o por intermediario, desde las repúblicas bananeras hasta la Tierra de Fuego, dictaban la política local y una renovada oligarquía hacía sus pactos con el norte, proporcionando mediación, favor político y disciplina laboral a cambio de una cuasi ciudadanía. Fueron, son, los capataces de la norteamericanización del Sur. El espacio imperial se ensanchó y por él circulaba ese norteamericano seguro de sí mismo, que iba y venía de Nueva York a Managua, de Los Angeles a México, de Miami a Caracas o Lima, construyendo una dependencia económica que pronto se hizo también cultural, y popularizando el modelo de vida de la clase media norteamericana. Su clientela era ese nuevo segmento de la población latina constituida por los empleados, los militares, la naciente burguesía urbana.

Y salvo el breve período de doctrina cepalina, de reivindicación nacional en favor de una industrialización indígena, el capital, la tecnología y las mercancías —materias primas de sur a norte, manufacturas de norte a sur— circularon por el espacio imperial sin que, hasta la fecha, se vislumbre un cambio de signo sustancial del modelo.

«Se ha convertido en una segunda naturaleza —confiesa un comerciante venezolano—. La clase media de aquí considera que no ha llegado a su *status* si no puede consumir lo norteamericano y viajar a Miami cada cierto tiempo. Y aunque ya se producen cosas muy buenas nuestras, hay gentes que ni la comida local quieren comprar y se hartan de conservas gringas.»

El espacio imperial sirve también para encauzar otros tráficos. Los latinoamericanos se saben, en último término, ciudadanos de Washington, y han comprendido que tener sus ahorros en dólares es una consecuencia de ello. De esta manera tan natural, el producto del esfuerzo y la habilidad sureña se acumula monetariamente en el norte y no hay manera de que la contabilidad de inversiones o ayudas norte a sur pueda compensar el flujo de capitales al centro del imperio. Pero el tráfico más contundente lo constituye hoy la marea humana que busca fortuna y trabajo en las zonas norteñas del imperio cuando en las sureñas las cosas no van bien y que cree que las fronteras interiores al espacio imperial no deben ser obstáculo para su personal singladura. En el fondo de su corazón, los latinoamericanos sospechan que casi todas las cosas buenas o malas que les ocurren tienen su origen en el dominio eminente norteamericano y, por consiguiente, se consideran legitimados para recorrer todas las Américas.

«Muchos se comportan —sostiene un antropólogo mexicano— como si tuvieran un derecho personal a acomodar sus vidas a ese espacio mayor y a no obedecer las estrechas leyes de las nacionalidades y hacen compatible un patriotismo localista, sentimental, con un indudable realismo biográfico. Tanto los pobres como los ricos.»

El Norte hegemónico es estructuralmente incapaz de oponerse a tales planteamientos y, aunque, por diversas razones, pretende racionalizar los intercambios norte sur e incluso la marea humana, el «cives americanum» del sur juega a los juegos, legales o ilegales, que están sobre la mesa y aprovecha todos los resquicios, con o sin la complicidad norteña, para afirmar su peculiar aprovechamiento del dominio eminente.

Las gentes sureñas saben que el grado de soberanía de sus pueblos está muy condicionado y que los términos de los intercambios están dictados desde arriba. ¿Cómo sacarles el mejor partido? Una fórmula es constituirse en la conexión local de esa cadena de mando que organiza los flujos financieros, industriales y comerciales del imperio, y cuyo paradigma humano es el ejecutivo latinoamericano al servicio de la multinacional. Pero otra es marcharse al corazón del espacio común y buscar el beneficio añadido de ser pobre en la zona más rica.

«O ambas cosas —afirma el antropólogo—. Muchos emigrantes al norte lo son de manera temporal. Van y vienen y tienen sus economías y sus biografías escindidas en dos capítulos, el de ganar y el de gastar el dinero. Lo hacen de manera natural, acomodándose a las circunstancias que ellos no pueden controlar y sacándoles el máximo provecho.»

El espacio imperial tiene, pues, una dimensión demográfica, que se hace patente en las zonas norteñas que antaño fueron hispanas. Los hispanos de California, de Texas, de Nuevo México, de la Florida, reciben a sus hermanos y primos con la naturalidad que da el aire de familia, con la convicción de que la frontera es, en el mejor de los casos, un artificio que puede explotarse. El tráfico interior al mundo hispano, las conexiones, alianzas y mafias de toda condición y finalidad, utilizan en su beneficio el espacio imperial y tienen hoy una versión siniestra constituida por el tráfico de drogas.

La drogadicción de los norteamericanos y su explotación por los latinos es la otra cara del dominio imperial, la esclavitud del poderoso, una hipoteca que el sur tiene sobre las ansiedades y el frenesí de la población norteña. La mafia hispana de la droga está creando una red imperial más poderosa que las viejas mafias de la prohibición del alcohol. Y lo que para la cultura india era una parte de su dieta, que contribuía a la supervivencia en un medio hostil, para el habitante de la modernidad industrial se ha convertido en un consumo conspicuo, esclavizador, que sirve igual para acelerar la combustión biográfica como para evadirse de ella.

Sin duda que la imagen turbia del moreno traficante del nuevo vicio no está contribuyendo a consolidar el perfil positivo del hispano. Pero no hay que dejarse llevar por las apariencias. El tráfico de drogas tiene tantas complicidades blancas y tanto «anglo» importante a la cabeza del negocio que, como en tantas ocasiones, la escala social y racial se reproduce aquí. Los hispanos y los negros, último escalón del comercio del vicio y consumidores del de peor calidad, reflejan la estructura del mercado de trabajo que reserva a los menos pudientes el lugar más visible y arriesgado. En último término, hay oferta porque hay demanda y mientras en el norte se busque la droga, los sureños se la van a dar.

3. Trabajo y empleo. La frontera

La existencia de la línea, como tantos habitantes de Tijuana o Ciudad Juárez llaman a la frontera, no sólo no impide los mil tráficos norte-sur, sino que los acrecienta. En la medida en que la economía es un arte del provecho, pocas cosas pueden hacerse para evitar que dentro o fuera de la ley —y menos en América— la agente aguce el ingenio y saque partido de las oportunidades.

El mercado de trabajo norteamericano, especialmente el del Suroeste, está lo suficientemente segmentado como para permitir la utilización de la mano de obra barata en algunos de sus sectores. El principal es naturalmente la agricultura. Extensas zonas de explotación agrícola requieren, junto a la inversión financiera y tecnológica, un tipo de mano de obra que, por su perfil profesional y su carácter estacional, favorece el empleo del trabajador a destajo. Los mexicanos, que, como vimos, consideran la zona como propia, llevan casi cien años haciendo de cultivadores manuales de la ríqueza agrícola del suroeste. Unos, ya establecidos; otros, viajando en las temporadas de siembra y cosecha; y la mayoría, objeto de un trato laboral del que se benefician sus patronos y la economía norteamericana en su conjunto.

«A quienes piensan que el emigrante le quita trabajo al nativo, hay que decirle que muy pocos nativos estarían dispuestos a trabajar en las condiciones en las que lo hacen los nuestros» —comenta un viejo luchador sindical del grupo de Chávez—.

Efectivamente. La ascensión económicosocial del americano, como la del europeo, consiste en alejarse de los trabajos del campo, de los empleos manuales, duros y apenas tecnificados, y eso se puede hacer, precisamente porque hay, disponible y cercana, una mano de obra abundante y barata.

La historia de la explotación de los trabajadores de temporada está escrita en lenguaje procesal y en letras de canciones, a lo largo de esas dos mil millas de frontera que, por temporadas o cada día, atraviesan los servidores manuales de la economía norteña. Porque no sólo son los empleos agrícolas. Los mil y un oficios de la manualidad tienen un nutrido contingente hispano que, generalmente a la cola del pelotón, limpian, arreglan, cuidan y reparan casas, jardines, vallas e instrumentos. El gran negocio es, con todo, el servicio doméstico. Un «boom» de la comodidad casera domina la Norteamérica de las clases medias que, apenas atraviesan el nivel de la prosperidad, descubren que no hay como tener criada y que las Marías, Lupitas y Dolorcitas son mucho mejor ayuda que los más avanzados electrodomésticos. Entre otras cosas, porque proporcionan esa porción cotidiana de poder femenino que consiste en dar órdenes a otra mujer.

Pero la frontera ha hecho aguzar el ingenio de tantos industriales norteños que, en vez de importar mano de obra prefieren utilizarla donde está. Son las maquiladoras, cientos de instalaciones ubicadas en el lado mexicano de la frontera o en las islas del Caribe, en las que nativos de ambos sexos, ensamblan los productos, cuyo diseño y materia prima viene del norte para volver a él o incluso para ser exportados al mercado internacional.

La maquiladora representa la violación más flagrante de las leyes laborales y de comercio exterior pero todo el mundo está encantado con ella. Los industriales, porque no tienen que pagar derechos de aduana sino ese parvo valor añadido que es el salario tercermundista. Los obreros porque, aun con serlo, el salario es mejor que el desempleo y los sueldos locales. El gobierno norteamericano, porque se evita los gastos de seguridad social y servicios públicos que ha de costear y los gobiernos sureños, porque es una inversión que crea empleo. En la maquiladora no se respetan la mayoría de los derechos tradicionales del obrero pero, a estas alturas, y tal como está el mercado de trabajo, nadie hace muchos ascos y hasta algún político sureño ha bendecido el nuevo maná, sin el cual muchas ciudades fronterizas caerían en la miseria.

La maquiladora representa una nueva estrategia multinacional para llevar las manufacturas convencionales a países más pobres y más disciplinados. Y aunque el mundo norteamericano del trabajo no es un jardín de flores, la fuerza de los sindicatos y el nivel de vida exigen una actitud en los patronos más condescendiente y un menor beneficio para el capital, algo que se puede obviar utilizando las peculiaridades de la zona sur del imperio.

Es una nueva situación que permite, y no sólo en Norteamérica, un replanteamiento de la división internacional del trabajo que está viendo florecer, en el Pacífico Sur, un grupo de naciones asiáticas que se caracterizan por ofrecer al capital mano de obra abundante y barata y gobiernos autoritarios, decididos a implantar un modelo de desarrollo de gran libertad empresarial y escasa reivindicación laboral. Se trata, en cierto sentido, de una continuación de los regímenes coloniales que tenían esos países en su pasado, aunque con un nivel mayor de prosperidad, debido precisamente a la incapacidad de los países más poderosos para mantener a su propia población trabajadora en tales condiciones.

La demografía y el desarrollo económico del espacio imperial norteamericano se convierten así en paradigma de las nuevas relaciones entre capital, trabajo y tecnología y no se puede dudar que ha sido una manera sencilla y eficaz de resolver anteriores conflictos. Sin embargo, la interrelación norte sur tiene en el continente americano ciertas peculiaridades. Una, muy particular, es la fascinación «anglo» por lo latino.

4. Latino

Se ha descrito desde diversas perspectivas y con acentos variados. El estereotipo «anglo» del hispano alegre y perezoso es probablemente una fórmula para conjurar sus propios miedos. La definición laboriosa y moralizante de la cultura «anglo», convertida en paradigma del «melting pot», ha sido tantas veces contradicha por la historia que hacía falta afirmarla frente a un chivo expiatorio. Este ha sido hallado, unas veces en el negro, otras en el hispano, pero siempre, por debajo de la condena, del exabrupto, laten la desconfianza de uno mismo y, por supuesto, la envidia de quien, al asumir el poder, debe descartar las complejidades psicológicas. La cultura latina, en su versión «anglo» popular y simplificada, hace de contrapunto modélico y, en el camino, contribuye al redescubrimiento de ese inconsciente de perversidad que persigue al dominador blanco en casi todos los capítulos de su aventura histórica.

La frontera mexicana ha sido, para el folclore «anglo», sede de bandidos y borrachos a los que finalmente se imponía la elemental rectitud del «anglo» justiciero. Es una leyenda que ayuda justamente a cubrir la persistencia del abigeato blanco y la invasión bronca de los buscadores de oro. En lo más profundo, la frontera ha servido de desaguadero para tantos «anglos» que, huyendo de las estructuras de respetabilidad de su sociedad, buscaban en los burdeles y licorerías de Tijuana, de Ciudad Juárez, la forma de reconciliarse con su propia humanidad y, de paso, se llenaban el alma con un modo de sentir y vivir contradictorio con sus esquemas cotidianos.

El asalto a los lupanares del vicio fronterizo era también, para muchos, otra forma de humillar al hispano, en una versión personal, la agresión carnal, del dominio eminente que el norte ejerce sobre el sur. Pero, a pesar de ello, o quizás por ello, lo latino fascina al «anglo». Es una fascinación que va desde la música, con aquella importación neoyorquina de los ritmos cubano y brasileño en el período de entreguerras o el aprecio de las canciones charras por el cercano «cowboy» hasta el reconocimiento de la intensidad de las pasiones y la robustez de los lazos humanos que, en cierto sentido, descomponen la frialdad del estereotipo «anglo» desde el estereotipo latino.

La cultura de la frontera, y la incrustación hispana en el mundo urbano forman parte ya del tejido social norteamericano, no tanto por vía de asimilación como de diversidad. Es una alternativa a los trazos más previsibles y manejables de la cultura «anglo» en la que, jóvenes y mayores, van a buscar sensaciones y encuentros de un signo distinto.

Todas estas circunstancias, así resumidas, explican el porqué de un presente, mezcla de atracción y conflicto, en el que, por primera vez en la historia de esta nación de emigrantes una minoría se resiste a abandonar sus peculiaridades y, aunque la realidad cotidiana le incite a la norteamericanización, ni ésta es tan concluyente como desean muchos «anglos» ni parece plausible la renuncia a recrear otro «melting pot». Ha de ser, para muchos, un «melting pot» de signo distinto, en el que los norteamericanos de origen hispano, pero no sólo ellos, contribuyan a que la cultura común sea más rica, más flexible, menos monocorde, algo que, sin duda, puede contribuir a la mayor duración y elasticidad de la población del Nuevo Mundo.

Margarita B. Melville

Los hispanos: ¿clase, raza o etnicidad?

Los hispanos: ¿clase, raza o etnicidad?

La década de los ochenta fue declarada por los órganos oficiales de los Estados Unidos como la «Década de los Hispanos». El organismo del Censo declaró que en noviembre de 1986, los hispanos llegaban a los dieciocho millones. La predicción de dicho organismo es que para el año 2010, los hispanos formarán el 23,4 por 100 de la población de la nación, en contraste con la de los negros que será de un 14,7 por 100 y la de los asiáticos y la de otras nacionalidades que será de un 12,1 por 100. Así, las minorías en los Estados Unidos podrían, de hecho, sobrepasar a la población blanca y los hispanos podrían llegar a ser la minoría más numerosa.

A pesar de esto, la heterogénea población de los hispanos, ¿ha logrado aclarar su posición en cuanto a su origen común, o en cuanto a su unidad? ¿Será posible tratarlos como a un solo grupo de gentes? Este artículo examina el origen del uso que hoy día se hace de la clasificación de «hispanos»; resume la diversidad histórica de los grupos clasificados dentro del nombre «hispanos»; analiza la raza, la clase social y los componentes étnicos en la identidad hispánica; y explica el uso consciente de una identidad *pan-étnica* con fines económicos y políticos.

Las connotaciones políticas de un nombre

El uso del vocablo «hispano» para agrupar gente tan distinta como son los mexicanos, los cubanos, los dominicanos, los chilenos y demás, no es algo que fácilmente se puede dar por hecho como si fuese un simple uso de etiquetas. El uso del término tiene un impacto sobre el problema étnico y sus efectos en las relaciones entre la gente. Tiene repercusiones en cuanto a la manera en que los «hispanos» se ven a sí mismos, en cómo son vistos por otras personas y en cómo los miembros de los distintos subgrupos se relacionan entre sí.

En este caso, un solo nombre pretende reajustar las diferencias o la desunión de los objetos o partes designadas y de hacer resaltar las similaridades o la unidad percibida. Cuando uno pone un énfasis injustificado en las similaridades, mientras se descuidan diferencias más importantes, se comete un error de percepción o de análisis llamado «estereotipación». Cuando uno pone un énfasis indebido en las diferencias y deja a un lado similaridades importantes, se comete el error de empiricismo excesivo.

Los términos «hispano» y «latino» agrupan en una sola categoría a individuos que son descendientes de hispanohablantes, sumando de este modo a las denominaciones tales como la de méxico-norteamericano o chicano, puertorriqueño, cubano, chileno, salvadoreño, dominicano y demás. Ostensiblemente, el propósito básico es el de simplificar el trato con esta «minoría de rápido crecimiento». Pero, realmente, la impresión inicial de replegar estas categorías étnicas en un solo nombre, es extirpar el impacto de las historias particulares y de la herencia cultural. El término «latino» tiene el mismo propósito, pero su uso tiene una trayectoria diferente. Es, sin embargo, un vocablo que usa ahora la misma gente más a menudo que los organismos de gobierno. No obstante, no se puede negar que hay diferencias regionales en estas preferencias. Por ejemplo, en Nuevo México el término aceptado ha sido siempre el de «hispanos»; en Chicago, se denomina a la gente «latina», y en Miami la mayoría de ellos dicen que son «cubanos».

Oficialmente la actual denominación de «hispano» fue sancionada para el uso oficial y generalizada en los Estados Unidos en 1968, cuando a petición del senador Joseph A. Montoya de Nuevo México (Vigil, 1985) y de los congresistas de origen hispánico, el presidente designó la semana del 15 y 16 de septiembre como la Semana Hispánica para ser celebrada anualmente. Esta junta política congresista hispánica se identificó a sí misma en 1960 en el Congreso y en 1978 creó una organización no comercial para fomentar proyectos y programas con ventajas y beneficios para los hispanos. Después de la declaración presidencial, el vocablo «hispano» empezó a extenderse y a sustituir a los nombres de las específicas etiquetas étnicas de origen hispano que habían predominado hasta entonces. Está claro que el vocablo tuvo un origen político. Es interesante notar que sólo ha habido dos senadores de origen hispano en los Estados Unidos: Dennis Chávez, que fue senador desde 1935 hasta 1962, y Joseph M. Montoya, quien estuvo en ese puesto desde 1964 hasta 1976 (Vigil, 1985). Los dos eran de Nuevo México, donde el término «hispano» se usaba desde antes de los días de la independencia mexicana, cuando los colonizadores españoles de Nuevo México podían determinar su origen en España. Se puede hallar el origen de la selección del adjetivo «hispano» en vez de «latino», el cual era más común en Texas y en California, en la influencia de Nuevo México en el Congreso.

La práctica más común es que cada grupo de origen nacional use el nombre de su país. Dadas las concentraciones de población, ciertos grupos predominan en áreas específicas. Por ejemplo, en el sur de la Florida, los cubanos son la mayoría; en Nueva York predominan los puertorriqueños; en San Antonio, los mexicanos son los más numerosos. Donde se encuentran bastantes individuos de más de un grupo nacional, en un lugar determinado, buscan una designación común. De esta manera, el vocablo «latino» continúa siendo popular en California y en el medio oeste, donde la heterogeneidad de la población de origen hispano refleja las múltiples identidades nacionales de los inmigrantes a esas regiones. Un estudio de F. Padilla (1984) en Chicago determinó que el vocablo «latino» también se usa allí, para agrupar mexicanos y puertorriqueños en un contexto situacional como un instrumento manipulativo para sobreponerse a las desventajas de las dos comunidades. No obstante, F. Padilla añadió que no hay pérdida de identidad étnica específica en estos dos subgrupos.

Es revelador analizar el problema de nombrar al componente hispano del crisol de Norteamérica. Nombrar algo significa identificar y reconocer ese algo como una sola identidad con sus propias características. Nombrar algo no es un acto neutral y determinar las partes o categorías componentes de un todo, es el principio del proceso de hacer un análisis sistemático de ese todo.

Los españoles fueron los primeros europeos en escena en la colonización de los Estados Unidos. Sus primeros poblados fueron establecidos después de la exploración de los territorios indígenas de lo que hoy es el sur y suroeste de los Estados Unidos. El capitán Menéndez y sus hombres se establecieron en San Agustín en la Florida en 1565. Más al oeste en el territorio conocido ahora como Nuevo México, Oñate fundó en 1598 el pueblo de San Juan cerca del río Chama. Este pueblo se cambió en 1610 y ahora se le conoce como Santa Fe, la segunda sede gubernativa en antigüedad en lo que ahora es los Estados Unidos. La fundación de pueblos españoles fue más extensa en California y Nuevo México y más dispersa en Texas. En 1682 se estableció una misión en El Paso, otra en el este de Texas en 1690 y una en San Antonio en 1718. Estos primeros poblados fueron creciendo con los hacendados que adquirieron grandes latifundios otorgados por el rey de España y empezaron a establecerse allí en gran número. Durante estos tres siglos de dominación española, los pobladores se llamaban a sí mismos súbditos españoles.

Cuando México obtuvo su independencia de España en 1821, estos pueblos texanos pasaron a ser mexicanos. Pero, en las comunidades más aisladas, tales como aquellas en el norte de Nuevo México, la identidad de los habitantes, cuyas familias habían vivido allí por unos doscientos años, continuó siendo «hispana» (Cortés, 1980a).

En las décadas de 1910 y de 1920, cuando el suroeste todavía era culturalmente mexicano, se denominaba «hispana» o «latina» a la gente de origen hispanohablante. Los mexicanos preferían el término «latino» porque así rechazaban la España de los conquistadores con quienes la independencia había sido una lucha difícil. El nombre «latino» también suaviza el estigma de los mexicanos como derrotados en la guerra de 1846 entre los Estados Unidos y México. Sucedió lo mismo con los puertorriqueños en el noreste en cuando resultaron ser botín de guerra en 1890-1902 entre los Estados Unidos y España. El vocablo «latino» enfatizaba el origen latinoamericano de estas poblaciones como distintas de su herencia española. Aun los fundadores de la Liga de Ciudadanos Latinoamericanos (LULAC) en 1929 se sintieron forzados a suavizar ese estigma omitiendo el nombre «mexicano» y tomando para sí mismos el término más neutral de «latinos».

Durante la Segunda Guerra Mundial se generalizó el uso de los términos separados con guión, tales como méxico-norteamericano. Los puertorriqueños que vivían en Nueva York se llamaron a sí mismos «neoyorkinos», mientras que otros latinoamericanos que empezaron a inmigrar en grandes números, simplemente se denominaron ellos mismos cubanos, dominicanos, chilenos, etc.

Durante el movimiento de defensa de los derechos civiles a mediados de la década de 1960 y de la de 1970, se popularizó una nueva designación. Algunos activistas méxico-norteamericanos comenzaron a llamarse ellos mismos «chicanos», un nombre usado entre los mexicanos que enfatizaba el nivel social bajo de la clase trabajadora. Este fue un esfuerzo consciente de identificarse y trabajar por mejorar las condiciones para la mayor parte de su población.

La suma obtenida de los méxico-norteamericanos en el censo de 1960 generó un acervo de vocablos que fueron introducidos en el censo de 1970 en un esfuerzo para determinar una cuenta más exacta de la población (Estrada, 1976). De esta manera, los términos de: lengua madre española, lengua española, apellido español, herencia española y origen español, o hispano, fueron usados con pequeñas muestras de población, y más en los estados del suroeste. No fue sino hasta el censo de 1980, cuando se usaron nombres de nacionalidades más específicas, tales como méxico-norteamericano, mexicano, chicano, puertorriqueño, borinqueño, cubano, centroamericano, sudamericano, y se introdujo el término generalizado de «hispano».

Cuando se distingue entre varios grupos, el concepto de la etnicidad sale a relucir. La etnicidad significa diferentes cosas para mucha gente. La confusión más común es la de igualar a un grupo o categoría cultural.

La diversidad de los hispanos

Oímos que la gente al referirse a los irlandeses-americanos, a los italiano-americanos, a los polaco-americanos o a los méxico-americanos lo hace como si se tratara de grupos étnicos, con la intención de indicar que algún aspecto cultural irlandés, italiano, polaco, mexicano o norteamericano, tal como la comida, o la música, ha sido conservado en los Estados Unidos. La conservación de características culturales y de la cultura misma, no satisface la definición de etnicidad. Esta ocurre cuando un grupo se toma como singular y cuando éste se identifica a sí mismo, como diferente de otro grupo. La etnicidad es la interrelación dinámica de dos o más grupos que se ven a sí mismos dentro de la dicotomía de nosotros-ellos. Ciertos rasgos culturales de comportamiento, o bien, rasgos biológicos, se pueden separar uno a uno para ilustrar esas diferencias. En otras palabras, el tener rasgos de la cultura mexicana, no significa la etnicidad en sí misma. Los mexicanos poseen, por supuesto, numerosos rasgos culturales, pero no por eso son etnomexicanos. Son mexicanos. Cuando éstos, vienen y se establecen en los Estados Unidos, forman parte de la categoría étnica mexicana, porque son tratados como diferentes de los anglo-americanos quienes forman parte del grupo principal en la sociedad. La esencia del concepto es el contraste entre dos o más grupos, no el contenido cultural objetivo interno y externo que poseen cada uno de los grupos.

Las diferencias entre los grupos étnicos que comprenden a la categoría hispana se basan en las diversas culturas e historias y en la condición de residencia que tienen en los Estados Unidos (Morales-Carrión, 1980). Las similaridades están basadas en el uso más o menos parecido de la lengua española y en la herencia común de algunos aspectos de la cultura española. No obstante, es irónico que sea precisamente el uso de la lengua española, empleada como medio de la comunicación cotidiana entre los miembros de los diferentes grupos nacionales, lo que permite que a menudo se puedan diferenciar los hispanos entre ellos mismos. El acento y el vocabulario proporcionan pruebas de las diferentes influencias históricas, regionales y nacionales.

La diferencia de la posición legal de los inmigrantes, influye enormemente en las relaciones que hay entre los grupos, tanto como en la propia identidad y en la identificación, que otros hacen de ellos. Algunos son ciudadanos por nacimiento, «norteamericanos por nacimiento»; otros son ciudadanos por naturalización. Unos son refugiados o exiliados; otros tienen permisos de residencia como extranjeros residentes o sea los que poseen «la tarjeta verde»; y otros son indocumentados porque han cruzado la frontera «sin haber sido inspeccionados». Van a predominar grupos de diferente nacionalidad en una u otra de las categorías mencionadas anteriormente, creando de este modo, diferencias básicas en cuanto al trato y a la posición que reciben en la sociedad de los Estados Unidos.

En 1848, cuando el territorio suroeste perteneciente a México formó parte de los Estados Unidos, sus habitantes automáticamente se convirtieron en ciudadanos estadounidenses. Habían sido ciudadanos mexicanos, desde 1821, cuando México obtuvo la independencia de España y antes de ello, fueron súbditos del rey de España. Por ejemplo, José Antonio Navarro, uno de los autores de la Constitución de la República de Texas en 1836, sin salir de San Antonio, Texas, su ciudad natal, fue durante su vida, un súbdito de España, y consecutivamente ciudadano mexicano, texano y estadounidense.

Con el desplazamiento causado por la revolución mexicana, las filas de los mexicanos en los Estados Unidos aumentaron notablemente con gente de todas las clases sociales. Desde entonces, ha continuado allí una afluencia constante de México, la cual desde 1930, cuando se estableció un control firme en la frontera, incluye residentes legales, así como los que entran ilegalmente a los Estados Unidos. La inmigración de mexicanos proviene aún del reclutamiento de trabajadores para el campo, para la industria y para empleados en diversos servicios. Esta mezcla de antiguos ciudadanos y de los recién llegados constituye la heterogénea población de mexicanos/chicanos, la cual es la más grande (60 por 100) de todos los grupos hispanos.

El siguiente grupo en número (14 por 100) está formado por los puertorriqueños. España cedió el control de Puerto Rico, una pequeña isla del Caribe, a los Estados Unidos en 1898, después de su derrota en la guerra entre España y Norteamérica. En 1900, los Estados Unidos establecieron un gobierno ciivl en la isla y en 1917, el decreto de Jones otorgó la ciudadanía a sus habitantes (Padilla, 1985). Esta gente del Caribe es el producto de la mezcla entre arawacos, los habitantes originales, con los colonizadores españoles y con africanos traídos a la isla como esclavos en la época de la colonia. Hoy, tres millones y medio de puertorriqueños viven en la isla y cerca de un millón vive en los Estados Unidos. Su herencia cultural es la caribeña. Hablan español e inglés, aunque el español predomina como la lengua preferida en la isla. Vienen como ciudadanos al continente a buscar oportunidades de trabajo y muchos conservan sus sueños de regresar a Puerto Rico una vez que hayan conseguido mejorar económicamente.

En 1959 había en los Estados Unidos una colonia pequeña como de 30.000 cubanos viviendo, la mayoría de ellos en la parte sureste de la costa de la Florida (Argüelles, 1982). Con el triunfo de Fidel Castro y con una revolución socialista-comunista en Cuba ese año, muchos cubanos optaron por un sistema de gobierno democrático, liberal y capitalista y se vinieron a los Estados Unidos. El flujo de inmigrantes duplicó su número en los Estados Unidos en un año. El número de cubanos ha aumentado lentamente en oleadas subsecuentes de refugiados. El proceso y la recolonización de los cubanos son coordinados por el Programa de Cubanos Refugiados (CRP) que es parte del Departamento de Salud y Educación. Se les proporciona ayuda en las urgencias y se les buscan oportunidades de empleo. El CRP trató de situarlos por todo el país y lejos del ambiente y la concentración de los cubanos en Miami. Para 1978, a cerca de medio millón de cubanos se les había establecido lejos de Miami. Ahora se tiene la certeza de que, cuando menos, una tercera parte de ellos han regresado a Miami, por lo tanto en 1980, el 60 por 100 de los cubanos en los Estados Unidos vivía en esa área metropolitana. Este grupo de hispanos tiene el porcentaje más alto de la gente que se esfuerza por naturalizarse. Los primeros que llegaron y muchos otros que vinieron después, han sido de la clase media y gente pudiente bastante bien preparada. También ha habido un número más reducido de exiliados pertenecientes a la clase trabajadora que continúan siendo obreros.

Se incluye un gran número de dominicanos entre los inmigrantes hispanos del Caribe. Junto con los colombianos, constituyen el segmento más grande del grupo que el departamento del censo llama «sudamericanos» y de los cuales muchos viven en el noreste. Otras gentes del hemisferio sur también han inmigrado a los Estados Unidos y han formado sus pequeños enclaves. Los peruanos y chilenos han inmigrado a la costa occidental desde principios del siglo. Grandes cantidades de exiliados chilenos aumentaron las filas de los mismos en 1973, como resultado de la caída del gobierno de Allende.

En la década de 1980, la corriente de inmigrantes más nueva y considerable ha venido de Centroamérica (Melville, 1985). La cantidad más grande de estos inmigrantes son de El Salvador, seguidos por los refugiados guatemaltecos. Su número exacto es difícil de determinar, dada su condición de indocumentados. Los expertos calculan que hay de 500.000 a dos millones. Viven en grandes ciudades tales como Los Angeles o Houston (Rodríguez, 1986), pero también se encuentran viviendo en áreas semirrurales desde la Florida hasta California. Su condición es la más precaria de todas, porque el Servicio de Inmigración y de Naturalización de los Estados Unidos, en respuesta a la política centroamericana del gobierno de Reagan, no reconoce su condición de refugiados políticos y prefiere considerarlos simplemente como a los que vienen sólo a mejorar su situación económica pudiendo por lo mismo ser deportados. Aunque muchos piden asilo político, éste se les niega con muy pocas excepciones. Son perseguidos por los oficiales de inmigración, aprisionados y deportados a lo que muchos creen que es la persecución y algunas veces la muerte en sus países de origen. Por este motivo estos nuevos hispanos están fuera de la ley y se les niega el beneficio de los servicios sociales gubernamentales. Grupos religiosos y voluntarios les ayudan y han formado refugios para protegerlos. La mayoría sobrevive al buscar los trabajos serviles peor pagados. Se clasifican desde campesinos y agricultores hasta maestros, médicos, periodistas y abogados. Muchos son niños cuyas familias les mandaron solos para escapar a la muerte.

La composición racial de los hispanos

En documentos oficiales y formularios, a menudo se le pide a los hispanos escoger su identidad racial. Algunos formularios constrastan al «blanco» con «hispano» y «negro». Otros presentan el contraste de «caucásico», «negro» y nativo-americano. Puesto que muchos mexicanos se consideran mestizos, el producto de la mezcla entre español e indio, pueden responder correctamente que son ambos «blancos» e «indios». Como los puertorriqueños son gente del Caribe, muchos de los cuales son los descendientes de negros, de españoles y de sus antepasados indios, pueden correctamente clasificarse ellos mismos en cualquiera de esas tres categorías.

La raza como una categoría para distinguir a la gente tiene un valor discutible, en cuanto a que los genotipos no se pueden asignar científica e inequívocamente. Raza es un término que denota que una población posee ciertas características biológicas y por las cuales esa población puede distinguirse de otros miembros de la especie humana. En las poblaciones humanas, la característica biológica más importante que se puede distinguir, en términos científicos, es el tipo de sangre. Los diferentes tipos de sangre son: A, B, AB y 00. Estos tipos de sangre cruzan las categorías raciales en su uso común. Sin embargo, las categorías raciales populares se forman refiriéndose al color de la piel, al color de los ojos, a la textura y color del pelo, a la forma de los ojos y la nariz y otras características genotípicas obvias. Estas clasificaciones han probado ser completamente indignas de confianza y carentes de sentido para los esquemas usados en la clasificación científica e inequívoca, pero se siguen usando solamente porque tienen importancia para el público en general como indicadores distinguibles para fines políticos y económicos.

Los hispanos se incluyen ahora en la categoría de «gente de color». Esto es, sin embargo, un acontecimiento reciente. La afirmación de que los hispanos son «gente de color» los agrupa con las minorías que no son europeas, por ejemplo, los negros y los asiáticos. El uso de este nombre resultó como reacción a la táctica empleada por algunos distritos escolares racistas como respuesta a la orden de 1954 de terminar la segregación. Estos distritos escolares usan el término «blancos» para señalar a los hispanos y así intentaron terminar la segregación de las escuelas de negros. En ese tiempo, los hispanos habían sido identificados racialmente como «caucásicos», o «blancos».

El hecho es que los hispanos son verdaderamente una raza «cósmica». Son el producto de la mezcla del español con las gentes nativas de América, de negros africanos y de mestizos. Además, Iberoamérica ha recibido en abundancia a los inmigrantes del norte de Europa y a los asiáticos desde mediados del siglo diecinueve. Es un fenómeno semejante a lo que pasó en los Estados Unidos ya que estos europeos y asiáticos también son hispanos ahora.

Así, los hispanos son un grupo mezclado racialmente, que incluye indios, negros, blancos, asiáticos y los descendientes de las mezclas de éstos. En algunas sociedades latinoamericanas se discrimina a los indios y a los negros, pero muchas veces no es por el color de la piel, sino por su manera de hablar, por la ropa que usan y por su ocupación. La base de discriminación es más por la clase social, que por el genotipo.

La clase social entre hispanos

¿Cómo la diferencia de clase social afecta el poder de unidad entre los hispanos? ¿Cruza la clase social la identidad nacional? Cuando me preguntan mi identidad étnica o mi origen nacional, digo que soy mexicana. No siento la necesidad de disculparme. No obstante, he tenido muchos estudiantes en Texas que han confesado privadamente que han sentido vergüenza por la pregunta. Me han dicho que han contestado que son «colombianos» o «españoles» en lugar de admitir que son mexicanos. En un diario titulado *La Voz de México,* publicado en la década de 1940, apareció una serie de editoriales con el nombre de «Nosotros» escritos por Manuel «de la Raza», donde constantemente se criticaba a los de ascendencia mexicana que querían hacerse pasar por «españoles» lamentándose de que «nada bueno sale del grupo mexicano» (Muñoz, en prensa).

¿Qué causa la vergüenza de ser mexicano? ¿Por qué alguien querría decir que es colombiano o español en vez de mexicano? Los españoles son europeos, pero Colombia tiene, así como México, una fuerte herencia cultural mestiza. La presunción es que si uno es colombiano, vino a los Estados Unidos por avión, pudo pagar su pasaje, es algo sofisticado, probablemente de la clase media o de la clase alta. Por otro lado, si uno es mexicano, la idea es que uno, o sus antepasados, cruzaron a nado el río Grande o saltaron la cerca en California, que no tenían dinero cuando vinieron y que han estado trabajando como obreros o campesinos desde entonces. Por lo tanto, decir que uno es colombiano, en vez de mexicano, es una declaración que tiene que ver con la clase social y no necesariamente con la identidad étnica.

Aquí se necesita entender el concepto de la clase social. Las sociedades de Iberoamérica tienen un alto grado de estratificación y los hispanos en los Estados Unidos reflejan esa estratificación. En los Estados Unidos existe un reconocimiento popular de la posicial social alta, media y baja, aunque los sociólogos estadounidenses tienden a analizar su sociedad de acuerdo a la posición socioeconómica (SES), la cual incluye: el salario, la educación y el nivel de prestigio de la ocupación en lugar de la clase social en sí misma.

La posición real de un subgrupo dado, puede nublarse si se usan estadísticas globales para describir a un grupo grande con una amplia clasificación de posiciones económicas y sociales (García y Maldonado, 1982). Por ejemplo, el promedio educacional de los cubano-norteamericanos es claramente superior al de los méxico-norteamericanos y al de los puertorriqueños. Cuando la información sobre la educación de estos tres grupos se agrupa en una sola, la posición de los cubanos parece ser peor de lo que es, mientras que la de los mexicanos y puertorriqueños parece mejorar. El mismo fenómeno ocurre cuando observamos aspectos como el de las mujeres que son jefes de un hogar, o el de las familias que se encuentran viviendo más abajo del nivel de pobreza. No se pueden hacer determinaciones políticas efectivas cuando la realidad de cada subgrupo que se encuentra bajo el término general de «hispanos» no se haya diferenciado claramente. Un fenómeno especialmente difícil que está ocurriendo ahora con el flujo de los inmigrantes centroamericanos es que el sistema de clase social tan estratificado en los países latinoamericanos —el cual está en la raíz de las guerras civiles tan furiosas ahora en Centroamérica— está repitiéndose en algunas ciudades de los Estados Unidos con la llegada reciente de los segmentos más pobres de esas sociedades junto con el de los comerciantes y el de las elites.

El componente étnico de los hispanos

La etnicidad es la identificación hecha por uno mismo y la de otros de ser miembros de un determinado grupo socio-cultural, basada en características específicas nacionales o biológicas. La etnicidad afecta el orden social al poner a diferentes grupos étnicos en la dicotomía de nosotros/ellos, distinción en la que han trabajado los científicos sociales por generaciones. Muchos, influenciados por los escritos de Marx, consideran la etnicidad una función de la distinción de clases. Otros consideran la etnicidad una función histórica cultural y de identidad psicológica. Una tercera postura, popular entre muchos antropólogos culturales, y una a la cual se suscribe esta autora, es que la etnicidad es un fenómeno complejo, o una serie de fenómenos, que sólo se pueden entender observando a las dos variables de clase y cultura según como ocurren en el vasto ambiente que comparten con otro grupo o grupos de diferentes clases sociales y normas culturales. Dicho de otro modo, la etnicidad no ocurre donde el ambiente sociocultural es homogéneo.

Con el objeto de aclarar el concepto de etnicidad, es importante reconocer que no toda la gente con un origen nacional semejante es tratada de la misma manera por la mayoría de la sociedad, ni se les considera de la misma posición social que aquellos cuyos padres, o ellos mismos, nacieron en el mismo país. Diferentes tipos de etnicidad resultan de las maneras de interacción entre dos grupos de distinta nacionalidad o de distinta cultura. La interacción puede ser complementaria o de ayuda mutua; o puede ser colonialista, como resultado de la conquista de un grupo sobre otro; puede ser competitiva, cuando dos grupos intentan explotar los mismos recursos naturales partiendo de bases más o menos iguales; o la interacción puede ser conflictiva, cuando un grupo trata de dominar o conquistar al otro, mientras éste se resiste, con un cierto grado de éxito. Cada una de estas amplias categorizaciones de interacción étnica produce un diferente tipo de etnicidad que puede ser llamado etnicidad complementaria, colonial, competitiva y conflictiva, respectivamente. Cada tipo da lugar al surgimiento de un diferente tipo de conducta étnica, donde el grupo dará énfasis a uno u otro aspecto de su herencia cultural tradicional (Melville, 1983).

Hay tres elementos importantes en este dinámico entrelazamiento. Primero, no todos los miembros de un grupo necesariamente abogan por el mismo tipo de etnicidad. Esto quiere decir que dentro de un grupo étnico, por ejemplo, aquellos que son comerciantes pueden verse a sí mismos como en una relación competitiva con los comerciantes que son miembros de la clase dominante de la sociedad. Al mismo tiempo, los obreros pueden aceptar su posición social y se relacionan con miembros de la clase dominante de la sociedad con una actitud servil por medio de lo que yo llamo etnicidad colonial. Segundo, estos tipos de etnicidad no son estáticos. En un momento dado en la historia, dos subgrupos pueden interrelacionarse de cierto modo, mientras en otro tiempo, el tipo de entrelazamiento puede cambiar. Por ejemplo, después de la Segunda Guerra Mundial, los latinos que habían participado en ella, muchas veces esperaban el mismo trato que se daba a los veteranos «anglos» cuando buscaban trabajo. Cuando los miembros de la clase dominante de la sociedad se relacionaban con ellos usando los mismos insultos que antes de la guerra, reaccionaron, se organizaron y empezaron a trabajar por el mejoramiento de los derechos civiles. Lo que significa que cambiaron de la posición de etnicidad colonial, que tenían antes de alistarse, a la etnicidad competitiva en la vida militar y, finalmente, a la de etnicidad conflictiva cuando pelearon por una nueva posición en la sociedad.

Lo subjetivo social y psíquico que caracteriza a los miembros de los grupos étnicos, a veces nos conduce a hacer estereotipaciones. Esto significa que grupos étnicos completos son tipificados en términos que dan una imagen peyorativa de ellos, que ha sido producida por las históricas relaciones de explotación entre ellos. Por ejemplo, Estados Unidos ha conquistado y humillado a México. Estados Unidos absorbió una tercera parte del territorio nacional de México y a sus habitantes se les dio la opción de irse o de quedarse y convertirse en ciudadanos estadounidenses. La mayor parte optaron por quedarse, puesto que tantos ellos como sus familias habían vivido en ese territorio por muchos años, a menudo por generaciones. No obstante, por quedarse en el territorio conquistado fueron identificados con el enemigo vencido y esa percepción, con el tiempo, se convirtió en el estereotipo de los mexicanos.

Puerto Rico era una colonia de España y fue transferida como botín de guerra pasando a ser así colonia de los Estados Unidos. Finalmente se le dio a su gente derechos de ciudadanos. Pero la lengua y las diferencias culturales ayudaron a que se les dejara en la posición de colonos, o sea, en una posición dependiente y subordinada. Para los dos, mexicanos y puertorriqueños, la segregación escolar y lo limitado de las opciones de trabajo ha contribuido a una relación étnica que raras veces pasa de la etnicidad colonial. Los modelos de comportamiento obtenidos de esta relación colonial solamente pueden entenderse en el contexto colonial.

Es claro, sin embargo, que con el tiempo y mediante la educación y el comercio, han surgido diferencias de clase social dentro de estas sociedades. La identidad étnica compite entonces con la identidad de la clase social por la lealtad de los invididuos (Portes, 1985). Por ejemplo, los vendedores de autos, sin considerar su etnicidad, tienen ciertas características específicas y un punto de vista del mundo en común. En cambio, esas características y ese punto de vista no lo comparten un vendedor de autos méxico-norteamericano y un campesino méxico-norteamericano.

Los hechos históricos en Cuba y en Centroamérica ilustran cómo los acontecimientos históricos dan forma a las relaciones étnicas. Cuba hasta 1959, Nicaragua hasta 1979 y otros países centroamericanos hasta hoy han tenido líderes políticos y de negocios que han tratado de establecer relaciones complementarias con los Estados Unidos. Estas elites, por tener el mando, decidieron históricamente que era mejor dejar que los Estados Unidos explotara a su pueblo y sus recursos naturales para así enriquecerse ellos mismos, que sufrir el destino de México. Esto no quiere decir que de vez en cuando estos países no han producido individuos que han resistido esta relación.

Los Estados Unidos han invadido las naciones del Caribe y Centroamérica unas veinte veces aproximadamente desde el principio de este siglo para así mantener esta relación de explotación. Sin embargo, las exitosas revoluciones de Cuba en 1959 y de Nicaragua en 1979 quitaron del poder a sus elites y crearon naciones independientes de los Estados Unidos y trataron de establecer relaciones competitivas con otros países. Muchos miembros de las elites de esos países dejaron su tierra nativa al no estar de acuerdo con los cambios revolucionarios y vinieron a los Estados Unidos. Muchos de ésos, al menos los de Cuba, se han hecho ciudadanos estadounidenses. Como por lo general, los miembros de estas elites tienen una posición muy alta en cuanto a su instrucción, pueden ser capaces de colocarse en puestos importantes y como líderes intentan hablar en nombre de todas las personas de habla hispana en los Estados Unidos. Por ejemplo, en marzo de 1986, seis miembros de la comisión del estado de la Florida para los problemas hispanos cabildearon en Washington D.C. con algún éxito, en favor de la ayuda militar que el presidente Reagan pide para los que están tratando de derrocar el gobierno nicaragüense *(Wall Street Journal,* 21 de marzo de 1987).

Los exiliados de Cuba y de Nicaragua y la alta sociedad de los centroamericanos parecen comportarse con actitudes de una etnicidad competitiva en los Estados Unidos. Por otro lado, los refugiados de El Salvador y de Guatemala tratan de escapar a la persecución de las elites latifundistas y la modalidad étnica que experimentan es la etnicidad colonial.

Significados de la identidad pan-étnica de los hispanos

Las dos características que los hispanos tienen en común son la cultura como herencia de la conquista española y el uso de la lengua española. No obstante, la conquista se experimentó de manera diferente en los distintos territorios y la cultura fue sincretizada con específicas prácticas y costumbres folclóricas nativas. Esto produjo diferentes características nacionales fáciles de reconocer (Pino, 1980 y Spielberg, 1980). El uso de la lengua tampoco es estándar y uniforme. De hecho, en algunos países latinoamericanos hay contingentes de grupos indígenas que hablan otras lenguas y sólo unos cuantos son bilingües en español. En realidad, es por las diferencias en el habla por lo que muchas personas se distinguen ya que muchos genotipos podrían ser similares, usualmente al recalcar los tipos faciales indígenas. Es así como por la lengua y el acento se distinguen las varias nacionalidades latinoamericanas. Los acentos son diferentes y el vocabulario específico ha incorporado e hispanizado expresiones nativas. Es por medio de la pérdida de la lengua y de las expresiones que no son estándar y que han pedido prestado del inglés, como uno puede observar el desacuerdo que ocurre tan a menudo entre los «hispanos». Los chicanos se burlan de los «espaldas mojadas». Los colombianos recién llegados se ríen de los puertorriqueños de Nueva York. Los recién llegados, aunque más instruidos en el idioma son tratados como inferiores. Estos tienen trabajos serviles en donde los que supervisan hablan vacilantemente el español porque tienen una instrucción que deja mucho que desear. Los estudiantes méxico-norteamericanos en las clases de español en la preparatoria, se sienten discriminados por un profesor de español de Chile que espera que los estudiantes con apellidos españoles, que no tienen acento, ya dominen correctamente la sintaxis.

Si la lengua española no es lo que tenemos en común, ¿son lo común entonces las actividades culturales? La música de Puerto Rico tiene un ritmo diferente de la música de México, la danza folclórica de Cuba es única y parece extraña a los salvadoreños. La virgen de Guadalupe tiene rasgos faciales indígenas. La virgen del Cobre de los cubanos es negra. Los guatemaltecos celebran el 20 de octubre, el aniversario de la revolución que derrocó a un dictador; los mexicanos celebran el 5 de mayo la derrota de las fuerzas francesas en el suelo mexicano. Los símbolos usados para exaltar a la gente, tales como banderas, música, danza, héroes, aniversarios, son todos diferentes.

¿Se identifican los latinos con lo que está pasando en sus países de origen en Latinoamérica? ¿Pueden ellos servir como intérpretes de aquellos acontecimientos para el público norteamericano? ¿Tienen ellos un papel en la explicación de las relaciones exteriores de los Estados Unidos con Iberoamérica? ¿Pueden servir como neutralizadores? Aquí otra vez las diferencias entre latinos son claras.

Muchos méxico-norteamericanos y puertorriqueños tienen una idea clara de lo que está pasando en Centroamérica ahora. No se les puede engañar con el nombre tan simple de «comunismo», con el cual los Estados Unidos intenta pintar esos países y estos movimientos. Reconocen generalmente que estos movimientos e ideas tienen tanto de cristianas y de inspiración bíblicas como de marxistas; que son esencialmente reivindicativas y nacionalistas, tanto como lo son socialistas; que son más antiangloamericanas por razones históricas apropiadas que pro rusas. Sin embargo, Rusia muy a menudo se ve como la única protección viable para suspender la dominación y explotación de los Estados Unidos y no como un modelo político y económico. Los Estados Unidos no han aprendido todavía a aceptar la validez de la «no intervención» en Iberoamérica.

Sin embargo, los individuos de herencia cubana o nicaragüense, generalmente de la clase social alta, que por generaciones han cooperado con los angloamericanos en la explotación de sus países de origen, y algunos de los cuales han participado en misiones secretas de sabotaje, ahora quieren actuar como líderes representantes de todos los «hispanos» en la política interior y exterior de los Estados Unidos hacia el Caribe y Latinoamérica. Los mexicanos y los méxico-norteamericanos de la clase alta no son adversarios para hacer la misma cosa. Parte de la más fuerte oposición a la recientemente aprobada ley de inmigración vino de los méxico-norteamericanos que explotan la posición ilegal de muchos trabajadores mexicanos y centroamericanos. Ellos enmascaran su oposición a las sanciones para los patrones, bajo el disfraz de que tales sanciones abren la puerta a la discriminación contra los trabajadores méxico-norteamericanos hacia quienes en verdad éstos muy raras veces han demostrado consideración.

Otro factor que está implícito en la catalogación de todos como «hispanos», borrando las distinciones étnicas y de clase social, es la promoción de la «norteamericanidad» entre los méxico-norteamericanos al enviar a algunos como carne de cañón en las guerras angloamericanas. Los chicanos fueron muy condecorados en la Segunda Guerra Mundial y en la guerra de Corea. El número de bajas sufridas por los chicanos en la guerra de Vietnam sobrepasa en mucho a la cantidad proporcional de los anglosajones. Y ahora, por su herencia de hispanohablantes, los chicanos y los puertorriqueños son seleccionados para ir a Centroamérica para explicar y legitimizar la dominación continua de los angloamericanos en esas regiones. Un cubano-norteamericano de la primera generación es embajador en Guatemala, mientras los méxico-norteamericanos de la tercera y cuarta generación tratan de convencer a los guatemaltecos, salvadoreños, hondureños y nicaragüenses de que los angloamericanos saben lo que mejor les conviene militarmente. Las unidades de la guardia nacional predominantemente formadas por méxico-norteamericanos de la parte baja del valle de río Grande en Texas, constituyeron las primeras unidades que fueron enviadas fuera de los Estados Unidos a Honduras, para lo que se llamó juegos de guerra, pero llevando balas de verdad. Se puede notar que su papel era hacerse pasar por enemigos nicaragüenses invadiendo

En un nivel no tan profundo, los méxico-norteamericanos están compartiendo sus servicios con el flujo creciente de los refugiados centroamericanos. La clase baja de los refugiados salvadoreños y guatemaltecos al escapar de las guerras civiles de sus países, tiene mucho en común con la clase baja de los méxiconorteamericanos y de los puertorriqueños. Sus necesidades y sus habilidades para el trabajo son similares. Muchos servicios básicos para la comunidad, creados para responder a las necesidades de los inmigrantes mexicanos, están ahora abrumados con las demandas de vida o muerte de los centroamericanos.

Conclusión

Cada uno de los grupos con componentes étnicos de la categoría de «hispanos» harían bien en reafirmar la herencia de la nacionalidad de origen de su propio grupo. El orgullo y el amor propio son ingredientes esenciales de una personalidad saludable. Un nombre étnico, al que uno mismo se adhiera, y por el cual no sienta uno la necesidad de disculparse, contribuye a que la persona esté más segura de sí misma y a que tenga una motivación positiva. Los grupos étnicos particulares deben fomentar el bienestar de sus miembros por la salud del grupo mismo.

Esperar encontrar uniformidad dentro de los grupos étnicos es algo irreal. Es necesario reconocer la diferencia de clases y buscar un dirigente que no las explote, sino por el contrario que trabaje para mejorar las condiciones y relaciones en el trabajo entre todos los miembros del grupo. El uso del término «hispano» lleva consigo el peligro de amalgamarlos a todos dentro de un nombre y de relegar a la mayoría de méxico-norteamericanos y de puertorriqueños pobres de las clases más bajas, quienes son minoría en los Estados Unidos, al mando de un líder o de las elites de los inmigrantes de Centro y Suramérica. Es necesario distinguir entre la clase social y las diferencias étnicas y tener conocimiento de las implicaciones políticas de ellas.

Las coaliciones son necesarias e importantes puesto que la gente hispana intenta participar en los ideales y en la realidad de los Estados Unidos. El hecho de que haya diferentes grupos nacionales que trabajan juntos, es una afirmación importante y una fuente de poder. Sin embargo, aceptar la imposición de un nombre que subsume, no es lo mismo que una coalición planeada y negociada. Hay fuerza y poder en el número de individuos que forman los grupos cuando la identidad de las partes componentes no son sacrificadas ni olvidadas.

Bibliografía

Argüelles, Lourdes (1982), «Cuban Miami: The Roots, Development, and Everyday Life on a Emigre Enclave in the U.S. National Security State», *Contemporary Marxism*, vol. 2, n.º 5 (Summer), pp. 24-43.

Cortés, Carlos E. (1980a), «The Chicanos —A Frontier People», *Agenda,* vol. 10, n.° 1, pp. 16-20.

— (1980b), «Review of Listen Chicano! An Informal History of the Mexican American, by Manuel Machado, Jr.», *Hispanic Journal of Behavioral Sciences,* vol. 2, pp. 303-307.

Estrada, Leo (1976), «Spanish Heritage Classification in U.S. Census», *Intercom,* vol. 4, n.° 12, pp. 8-9.

García, Philip and Lionel A. Maldonado (1982), «America's Mexicans: A Plea for Specificity», *The Social Science Journal,* vol. 19, n.° 2, pp. 9-24.

Melville, Margarita A. (1983), «Ethnicity: An Analysis of its Dynamism and Variability Focusing on the Mexican/Anglo/Mexican American Interface», *American Ethnologist,* X (2), pp. 272-289.

— (1985), «The Foot People, Central America Refugees». In *Refugees in the United States,* David Hayes, ed. Westport, CN, Greenwood Press, Press.

Morales-Carrión, Arturo (1980), «Reflecting on Common Hispanic Roots», *Agenda,* vol. 10, n.° 2, pp. 28-30.

Padilla, Félix M. (1984), «On the Nature of Latino Ethnicity», *Social Science Quarterly,* 65 (2), pp. 651-664.

— (1985), *Latino Ethnic Consciousness,* Notre Dame University Press.

Pino, Frank Jr. (1980), «The "Great" Cultural Tradition of Hispanics», *Agenda,* vol. 10, n.° 3, pp. 38-42.

Portes, Alejandro and Robert L. Bach (1985), *Latin Journey: Cuban and Mexican Immigrants in the U.S.,* Berkeley, University of California Press.

Rodríguez, Néstor (1986), *Undocumented Central Americans in Houston: Diverse Population,* Paper read at Annual Meetings of the Latin American Studies Association, October, Boston.

Spielberg Benítez, José (1980), «The "Little" Cultural Tradition of Hispanics», *Agenda,* vol. 10, n.° 3, pp. 30-36.

Vigil, Maurilio and Roy Luján (1985), «Parallels in the Careers of Two Hispanic U.S. Senators», *Occasional Paper Series,* Chicano Studies, El Paso, University of Texas.

Manuel Lizcano

Identidad y raíces culturales

Identidad y raíces culturales

Sólo me propongo ahora razonar mínimamente el primero de los seis puntos en que voy a resumir mis reflexiones. Confío que ello ayude a hacer más inteligible después de la exposición casi telegráfica —poco más que el enunciado de las tesis— de la investigación en cuya exploración y desarrollo sistemáticos me encuentro actualmente empeñado. Divido, a estos efectos, en tres campos fundamentales, los seis contextos de discusión crítica desde los que estimo necesario enfocar el tema de mi comunicación.

I. Campo del pensamiento, del estar en realidad

1. El contexto de las hermenéuticas

Desde que el Nietzsche de la *Transmutación de todos los valores* agrupa sus aforismos finales hacia 1889 y deja planteado el tema decisivo del superhombre, de la ya necesaria superación del hombre, queda abierta la época decisiva del nihilismo anti-individualista. De entonces a hoy se ha consumado, a modo de desusada crisis histórica, no sólo el desplome irremediable del pensamiento burgués de la Ilustración, esto es, del individualismo liberal y sus racionalismos y cientificismos consiguientes, sino incluso durante las dos últimas décadas, con el agotamiento ideológico de las últimas corrientes marxistas, la devaluación total del paradigma de la modernidad antropocéntrica: de la radical ausuficiencia progresista del hombre.

Es desde este marco de referencia, de cambio espectacular de paradigma en la cultura occidental, donde cobran su decisivo valor para la estricta cultura hispanohablante las aportaciones filosóficas de los tres grandes pensadores hispanos del siglo XX, Unamuno, Ortega y Zubiri, justamente dentro de los dispares horizontes de sus preocupaciones intelectuales. Pero esta nueva evaluación de nuestros pensadores esenciales, desde la perspectiva ya de final del siglo, exige tomar buena cuenta simultánea de que durante el transcurso de esas tres generaciones anteriores se ha terminado de levantar el audaz edificio de las hermenéuticas, lo bastante sólido y capaz para albergar hoy la singular aventura del espíritu humano en que nos encontramos embarcados.

Pues a la vez que hemos asistido al desgarrador momento de la desolación posburguesa en Kafka, en Beckett, en Cioran, también hemos entrevisto en Picasso o en Bloch la esperanza que mira detrás del desastre. Sobre todo se ha andado mucho camino por el territorio estricto de las hermenéuticas filosóficas y científicas. Desde la clásica o textual que tanto contribuyó al rigor de la teología alemana, a la histórica y romántica de Schleiermacher y Diltey, hasta la existencialista de Heidegger; la cual culmina a su vez en la sugestiva racionalización de la tradición cultural elaborada por Gadamer. Sin que podamos omitir, a estos mismos efectos, el seguimiento crítico de la emancipación humana en que ha trabajado Habermas; los dos gruesos volúmenes de los *Ensayos de Hermenéutica,* de Ricoeur; los agudos análisis sobre esta misma disciplina y el nihilismo publicados por Vattimo; o los recientes avances hacia la filosofía hermenéutica de Ortiz-Osés.

A ello tenemos que añadir otras dos líneas de investigación, igualmente superadoras de la mitificación individualista, así como de sus réplicas revolucionarias de significación masificante o totalista. Me refiero, por un lado, a la rigurosamente antropológica que abren las tesis reveladoras sobre la conciencia «indivisa» de las sociedades arcaicas, aportadas por el malogrado Pierre Clastres, y a la esclarecedora y contundente crítica de la «modernidad» ideológica hecha por Louis Dumont en sus *Ensayos sobre el individualismo.* Por otra parte, tenemos también a nuestra disposición la formidable tarea acumulada por la «ciencia de los símbolos», que en su convergencia con todo el análisis hermenéutico ha podido sintetizar hoy, por ejemplo, René Alleau, tras la obra ingente que sobre el simbolismo realizaron Cassirer, Eliade y Durand; corriente a la que tanto ha aportado entre nosotros la profesora Buxó.

Del mismo modo no tendría sentido dejar de valorar la riqueza que igualmente nos aportan las actuales disciplinas especializadas en la lingüística, también desde Cassirer, digamos, hasta la investigación sobre los metalenguajes que ha hecho posible Wittgenstein; o la libertaria filología filosófica de Noam Chomsky. Todo lo cual abre nuevos caminos epistemológicos al abundante material investigado hasta ahora por nuestros filólogos en materia de arquetipos literarios hispanos. Recordemos la obra que desde finales de la década de los 30 desarrolló Pedro Salinas, y que más tarde han proseguido sus muchos discípulos, desde las universidades norteamericanas, o la de San Juan de Puerto Rico. Algo semejante ha ocurrido en el campo historiográfico con Américo Castro. O con la actual autoridad recobrada por el maestro español de arabistas Asín Palacios; cuyo fruto más maduro lo tenemos en los excelentes estudios de la profesora puertorriqueña Luce López Baralt acerca de la profunda huella literaria y mística con que marcó a nuestra cultura el sufismo islámico medieval.

Se ha ido formando así, desde corrientes tan diversas, y limitándome a lo que interesa a mi propia perspectiva, un nuevo río de aguas profundas que abre un acceso inesperado al conocimiento metasistémico del hombre, una vez superados resueltamente cualquier racionalismo o positivismo reductores. Empieza a sernos transitable, pues, otra forma de racionalidad, que hace unas décadas hubiera resultado inconsistente: la de una auténtica metaciencia capaz de acometer el seguimiento hermenéutico de la liberación y mancomunión universales del hombre. Qué son, cómo se hacen y cuáles son los haceres de los libres: del sobrehombre mismo respecto del cual, con enfoques bien distintos, pero coincidentes en·este punto, Nietzsche nos ha dado en nuestros días la perspectiva adecuada para retomar el discurso, en buena medida oculto, de Jesús de Nazaret. Metaciencia de la liberación, de la hipercomplejidad suprema del universo, a la cual por cierto es esencial también la desmedida empresa de síntesis antropológica de las ciencias naturales y humanas que con su investigación transdisciplinaria viene llevando a cabo el Morin de *La Méthode.*

2. El contexto de las modernidades

¿A qué venía todo esto? Porque quizás pueda haber parecido enojoso, disponiendo de un tiempo muy breve, este rastreo de unas cuantas líneas de reflexión, por bien vivas que estén por otra parte en torno nuestro. Sin embargo, lo he estimado indispensable para moverme en adelante con cierta facilidad dentro de un campo temático tan intransitable como es la apremiante ruptura con la mítica, presuntamente única y en cualquier caso omnipresente «modernidad», de la que según el progresismo residual ambiente nos estaríamos derivando todos los implicados en la crisis cultural mundial de nuestros días. Pues es esta presunción la que tengo por radicalmente falsa, justo en la medida en que disponemos ya de un instrumento interpretativo riguroso que nos permite conocer lo que hay *detrás* de esta misma apariencia del imaginario de información y productos culturales sesgados que nos envuelve. Y en este sentido habría que empezar, en efecto, por el hecho de que no hay una sino tres modernidades europeas, y aun transeuropeas u occidentales.

La primera modernidad gira en torno al *siglo de oro;* la segunda en torno al *siglo de las luces;* la tercera en torno al *siglo de las revoluciones.* La primera modernidad es netamente española o hispana. Está centrada en el círculo de los teólogos de Trento y su filósofo es Baltasar Gracián. Todos los hombres le somos deudores de la conciencia intrínseca y universal de la liberación humana, con cuya definitiva objetivación salió al paso del despiadado dualismo predestinatario, de la inhumanidad del Dios luterano y calvinista. El hombre en cuanto «pecador» o malhechor sustantivo, aunque autosuficiente, iba a ser en adelante el artífice fáustico de un mundo occidental antagónico al que construye quijotescamente el hombre en cuanto libre y liberador sustantivo, aunque agónico, explorado tan en vivo por Juan de la Cruz como por Unamuno.

La segunda modernidad es la ilustrada anglolatina; y desde Hobbes y Locke hasta las democracias capitalistas, pasando por el racionalismo y el racismo, por la mitificada *revolución francesa* y el positivismo, es esta segunda modernidad la que constituye el gran ciclo cultural del individualismo cuya muerte histórica ha dejado patente el nihilismo «posmoderno». En su haber queda, no obstante, el formidable avance humano que representa la conquista científica y tecnológica del mundo. La tercera modernidad ha sido la libertaria. Sofocada por la escolástica y por los férreos aparatos de dominación del marxismo, y pese a su rápida extinción tras la guerra civil española, nos ha dejado sin embargo el derrumbamiento revolucionario universal de las milenarias barreras que venían incomunicando desde el principio de la historia a los pueblos y a las civilizaciones.

A estas alturas, cualquiera discierne ya con claridad —o al menos se lo cree, y eso le basta— el gran desastre humano que ha acarreado Occidente. Pero a la vez nadie puede desconocer que, tras sus tres modernidades, estos tres Occidentes han representado la gran aventura humana de la exploración radical de la libertad. Y ahí es donde sigue guardando intacta su manantialidad la cultura de todas las Españas de la Tierra. Porque al revés de lo que les acontece a la modernidad o el Occidente liberal-capitalista y al libertario-marxista, la liquidación histórica que hoy ha detectado la conciencia de «posmodernidad» en nada afecta al propio curso y crisis de recomienzo de la cultura hispánica. Y hoy sabemos bien por qué Gracián fue maestro reconocido de Schopenhauer y de Nietzsche.

II. Campo de la tradición paradigmática

Digamos nada más que nos atenemos en este aspecto a la fundamentación del «arte-ciencia» del comprender, y la correcta interpretación de lo comprendido, que nos han aportado tanto el Gadamer de *Verdad y método* como el Zubiri de la «experienciación» profunda, al hilo de su análisis de las tres vías del conocimiento. Nuestro «objeto» central de intelección es aquí la fundamentación paradigmática de la tradición cultural: sus arquetipos ideales, el lenguaje y la identidad colectiva, el cristianismo o la galaxia religiosa y demás raíces de la cosmovisión investigada. Importa mucho distinguir, a estos efectos, entre los dos niveles en profundidad que observamos en toda tradición cultural: el de la *cultura* propiamente dicha, la religión y el lenguaje, tanto popular como cultamente conservados; y el repliegue más oculto del *fundamento*: el paradigma, sueño o ideal que inconfundiblemente nos define y vive anidado en aquélla: para nuestro caso, el contenido o «denotado» —según la teoría lingüística— arquetípico de nuestra habla o lenguaje castellano.

Es obvio que el sentido y la interpretación de esa tradición cultural externa se centra en comprender y animar, constante y creativamente, la «otra» tradición esencial que sirve de núcleo a la cultura externa: la tradición auténtica que se identifica con el lenguaje mismo. En lo que nos concierne, la de los valores últimos y profundos que fundamentan la existencia histórica del hombre hispano. Tengamos en cuenta cómo en Filipinas, por ejemplo, se ha mantenido viva la tradición cultural hispánica, y no ya por vía del idioma, ni de la transmisión pública institucionalizada, sino por la del fundamento paradigmático que contienen la estructura familiar tradicional y la singular religiosidad popular hispano-católica.

3. El contexto de las revoluciones

Quizás nos baste con puntualizar aquí lo que ya hemos señalado antes. Es engañoso, pura ficción, caracterizar como se viene haciendo al libertario «siglo de las revoluciones» —que nacería con la I Internacional de Trabajadores de 1865, y se vendría extendiendo, junto con las revoluciones rusa, china y árabe, a las últimas repercusiones hispánicas de la que vino a ser epicentro histórico de dicho «siglo»: la revolución y guerra civil de España—; es simple imaginación, digo, o propaganda ideológica caracterizarlo como un fenómeno marxista o comunista, cuando esa es sólo su esclerosis. Igual que el capitalismo ha sido el esclerosamiento del liberalismo filosófico; o la teocracia del «Imperio» español fue el factor que dejó inhabilitada a su cultura liberante hispana subyacente para mostrar apenas vitalidad creadora alguna en el campo del pensamiento durante doscientos cincuenta años: hasta la generación de Unamuno. Es desde este enfoque desde el que se puede comprender cómo ese «siglo de las revoluciones» lo que ahora deja abierta es una época impredeciblemente innovadora para la evolución del hombre. Aunque no fuese más que por el simple hecho negativo de que han caído, tanto revolucionaria como técnicamente, aquellas barreras que desde el principio de la historia han aislado a las humanidades. Es decir, cómo hoy estamos empezando a trabajar ya inexorablemente juntos todos los pueblos en el aprendizaje de una nueva responsabilidad compartida: la de que en adelante sólo exista una única humanidad compartida.

4. El contexto de los cristianismos

La «izquierda cristiana» o libertadora que la dictadura posterior a la revolución y guerra de España —fenómeno análogo, a su manera, a los desenlaces que significaron Cromwell, Napoleón o Stalin en sus ciclos revolucionarios respectivos— impidió que se manifestara en la posguerra española, se ha extendido más tarde por Iberoamérica bajo el nombre de «teología de la liberación», justo en la medida en que las propias revoluciones libertadoras nacionales hispanoamericanas se mostraban inviables. En otras palabras, quedaban bloqueadas, prosiguiendo el «efecto dominó» que se inició con el desenlace frustrado de la guerra civil española. El fundamentalismo neocatólico que había alimentado ideológicamente al régimen de Franco ha venido a reforzar después, en toda la Iglesia católica, los movimientos religiosos integristas y ultraconservadores. En el campo protestante, este tipo de integrismos resultaba más coherente con su lógica histórica. Sin embargo, también es de observar que la pléyade de teólogos y pensadores surgidos del mundo «reformado» constituyen posiblemente la más notable aportación del humanismo mundial del siglo que desembocó en el Concilio Vaticano II; hasta producir incluso figuras que, como las de Bonhoeffer, la del «esperanzado» ateo Bloch, o la del Moltmana de *El Señor de la danza,* han contribuido decisivamente a abrir el espléndido horizonte actual del diálogo universalista entre los cristianismos, las religiones y los ateísmos. Diálogo de fecundidad incalculable, en el que considero muy positivo que el cristianismo aporte en este momento, bien diferenciados, sus varios rostros inconfundibles: el libertador, el estrictamente sistémico o institucionalizado y el del extremismo fundamentalista.

III. Campo de la sociedad en marcha

El análisis tiene que centrarse aquí en las estrategias de autoafirmación acometidas por el propio paradigma, sueño o ideales fundamentales de cuyo manantial viven el sistema cultural, su tradición y su lengua, popular y culta. Estrategias que en un aspecto corresponden a la integración o socialización interna; mientras que en el otro, el externo, dan cuenta de las dificultades, superadas o no, que ese mismo paradigma identificador encuentra en el escenario internacional contemporáneo a través del cual tiene trabajosamente que abrirse paso.

5. El contexto de las hispanidades

Como venimos advirtiendo, una es la hispanidad de Ramiro de Maeztu, del fundamentalismo nacionalista y neocatólico; y otra la hispanidad de las tradiciones populares: de los pueblos hispánicos y de sus «izquierdas» y revoluciones liberantes coetáneas, esto es, las no «progresistas», en la corriente de las casi siempre sumergidas «izquierdas nacionales» iberoamericanas. La aportación realmente positiva de Maeztu, desde este enfoque, ha dejado patente cómo nuestra cultura libertadora tradicional constituye un sector de realidad sustantivamente definido, irreductible de suyo a cualquier apropiación ocasional, crispadamente reaccionaria, tal como hicieron nuestras oligarquías burguesas no conformes en cierto momento con el liberalismo económico y contagiadas de totalitarismo.

Por lo demás, tengo que limitarme ahora a dejar enunciados los tres arquetipos literarios que, en estos mismos tres campos constitutivos en que he dividido el texto de la presente comunicación, definen el paradigma colectivo característico de la cultura libertadora hispana. Así, en el campo del pensamiento, del estar en realidad, entiendo que nos caracteriza el caballeresco y soñador arquetipo quijotesco; nuestra *desmesura realista;* cuyo bloqueo sombrío estaría en la patología social de nuestra *desmesura insana.* En el campo de la tradición paradigmática, lo que vendría a caracterizarnos es el arquetipo «juancruciano» del *agonismo creador;* cuya contra-versión bloqueante sería lo que bien podemos definir como la acusada *picaresca transgresora* hispana. En el campo que hemos llamado de la sociedad en marcha, el arquetipo respectivo lo encuentro en el *Criticón* del desengaño graciano del Barroco: nuestra *utopía crítica;* a la cual ha venido poniendo lastre nuestra exagerada proclividad, especialmente intelectual y universitaria a vivir nuestras elites desmintiéndose a sí mismas, autoflagelándose morbosamente con su «distinguida» adicción «progresista» a la *utopía enajenada* antihispánica de turno. En cuya rentable producción tanta inteligencia han sabido poner los rivales de nuestra cultura, a partir de la «leyenda negra» misma, inglesa y holandesa, del siglo XVI.

Don Quijote es arquetipo de la acometedora laicidad cristiana española del Renacimiento y el Barroco. Simboliza un modo de vitalismo, soñador y racional a la vez, que no recibe ingenuamente la realidad del acontecimiento sino que lo somete a lectura crítica, descodificadora, aunque en modo alguno racionalista, ateniéndose estrictamente al método paradójico que es propio de toda interpretación de la realidad humana desde la formulación cristiana del paradigma de los libres. Por su parte, ese mismo hombre libre y liberador, en cuanto lúcida e intelectualmente crítico, encuentra en *El criticón* el arquetipo del laico desengañado ante la falacia del «Imperio» que le ha enseñado a ver la incesante representación vacía que constituye el teatro del mundo. Pero no para apartarse sino simplemente para saber interpretarla como mero «contenedor» de la utopía del mundo; descodificando su contexto advertida, desengañadamente. Y la *Llama* del «alma enamorada» cifra a su vez la experiencia arquetípica con que Juan de la Cruz atestigua la fuerza interior y compartida que llena la vida del laico creador, del «cristiano» más allá de las religiones y los ateísmos, que es el libre-haciéndose, en su *reino* del común de libres.

Séame permitido hacer referencia, todavía, a este respecto, a la extraordinaria apología de «la conquista del espíritu sobre la materia» que ha significado la *Teoría del Quijote. Su mística hispánica* (1982), de Fernando Rielo, en cuya elaboración tanto ha significado también el estrecho contacto del autor con la universidad norteamericana. Así como recordar la ya aludida obra fundamental de Luce López Baralt *San Juan de la Cruz y el Islam* (1985), que ha impuesto un giro radical a todo el tratamiento de el discurso juancruciano; es decir, de la interpretación del pensamiento y el mensaje quizás más profundo y decisivo de toda la cultura hispana, aportados por este místico de la vanguardia universal, nacido simbólicamente en la «Moraña» —la «tierra de moriscos» o de moros— abulense del siglo XVI. Y los agudos ensayos críticos de José María Maravall acerca del pensamiento de Gracián escritos en 1958 y 1959, y recogidos ahora en el tomo III de sus *Estudios de historia del pensamiento español* (1984).

Estas tres contribuciones están en la mejor línea de una hermenéutica de reactualización creativa de los fundamentos de nuestra cultura. Todas nuestras estrategias de situación en el escenario del futuro inmediato dependen, más aún que de la capacidad de situarnos familiarizadamente en la vanguardia técnica y científica, de que estas raíces hondas de nuestra personalidad cultural se muestren capaces —siguiendo esta ruta que ya tiene emprendida aunque dramáticamente nuestra sociedad hispánica—, de un nuevo empuje creativo, innovador y excelente, en todo comparable al de nuestros dos primeros «siglos de oro», los del siglo XIII y del XVI-XVII.

6. El contexto de las sociedades democráticas

La democracia no se la debemos, ni en España, ni en Filipinas, ni en ningún pueblo hispano, al liberalismo ilustrado. Menos todavía, claro está, al régimen capitalista de las «democracias industriales». Es gracioso escuchar fantasías de este tipo en una sociedad como la nuestra, asentada desde hace siglos en una popular democracia comunal que ha resistido en la cultura colectiva a todas las devastaciones de sus propias oligarquías y de los imperialismos exteriores. Es cierto que los hispanos de Estados Unidos viven atenidos políticamente al modo de democracia «moderna» que rige en su país, inspirada por la cultura anglosajona y su peculiar tradición histórica; pero hoy abierta a la innovadora participación activa de los hispano-norteamericanos. Ellos tienen en sus manos de esta manera, una de las estrategias culturales básicas del mundo hispánico global: una de las situaciones límite más despejadas y fecundas que viven las «Españas de frontera». Porque lo que nos es esencial a todos es mantener viva la cultura hispanohablante; y sobre todo, como hemos visto, valorándolo en toda su manantialidad, su trasfondo espiritual, su fundamento libertador, su laicidad cristiana renovada.

Otra cuestión es que las naciones hispánicas soberanas, por su lado, tengan que unirse para sobrevivir juntas en un mundo amenazante como nunca. Pero eso mismo no constituye ningún fin en sí. Se nos ofrece como el mejor medio posible de proteger este nuevo crecimiento y expansión en marcha de la cultura, lengua, creencias y estilo y formas de vida en que anda empeñado el hombre hispano. Pero ya no es hora, por fortuna, en que interese erigir nuevos imperios emergentes frente a los imperios declinantes, por muy en declive que puedan encontrarse. Es la hora, en cambio, de devaluar para siempre los imperios y los sistemas de dominación; de que el espíritu libre y mancomunado pueda construir una nueva civilización inédita. Esa sería una reactualizada democracia comunal, para cuya fundamentación están dadas en nuestra cultura las experiencias radicales, desde los municipios comuneros de la «edad media» hasta la «república guaraní» o las colectivizaciones libertarias populares de la revolución española. Todo lo cual requiere la teoría política y el régimen económico adecuados; cuya exposición, como es obvio, no constituye parte de mi comunicación.

Todo se andará. Mientras tanto, nos importa afinar nuestra racionalidad para la liberación. Para ayudar a salir a nuestros pueblos, lo más deprisa y humanamente posible, del atraso en que les han sumido las frívolas utopías enajenadas de nuestras sucesivas oligarquías ideológicas, aliadas a la rapacidad «moderna» de los sistemas de dominación internacional. Eso tenemos que instrumentarlo técnica, científica, económica y democráticamente. Sin embargo, nunca será creación de esas instancias sino obra, una vez más, del espíritu, el fundamento o el ideal o utopía del hombre que animan el curso histórico de nuestra lengua y nuestra cultura. En este campo de posibilidades cobra un papel de primer plano la circulación de las elites hispanas de Estados Unidos entre las patrias de las que son oriundos y la misma España, por una parte, y las universidades y medios culturales en los que están realizando sus vidas, por otra. Esta acción está llamada a constituir un foco de enriquecimiento excepcional del hombre, no sólo para esas patrias ancestrales y esa nación norteamericana de las que han venido a ser ciudadanos activos y responsables; sino para la nueva vanguardia universal que tanto necesita este encuentro de todos los hombres que se dibuja ya como el carácter pleno de nuestro tiempo.

Alfredo Jiménez Núñez

Sobre identidad y variedad de los hispanos de Estados Unidos

Sobre identidad y variedad de los hispanos de Estados Unidos

Creo que una de las cuestiones que pueden mover a discusión y preocupar a los presentes es el establecimiento de los puntos de referencia que permitan hablar de una identidad hispana o hispánica en los Estados Unidos de América del Norte. En otras palabras, qué es ser *hispano* en los Estados Unidos; quiénes son *hispanos;* cómo se distinguen los *hispanos* entre sí y cómo los distinguen los otros.

La cuestión no es baladí ni gratuita porque bajo el término cada vez más genérico y más ampliamente utilizado de *hispanos* se está abarcando una población de millones de individuos que vive un rápido crecimiento demográfico (tanto vegetativo como debido a la inmigración); que es una población internamente diversa y presenta una gradación o deriva en el número e intensidad de sus características definitorias que en más de una ocasión hace difícil o prácticamente imposible la distinción entre subgrupos o la distinción entre el grupo hispano y otros grupos socioculturales (minorías étnicas) de la nación norteamericana.

Y al plantear estas preocupaciones de orden académico no pienso ni pretendo que necesariamente tengan que existir diferencias que permitan la distinción —que en muchos casos llevan a la *discriminación* negativa—, sino que quiero subrayar que si tales diferencias existen en el orden conceptual y en los problemas de la vida diaria, creo que es bueno y necesario que reconozcamos tales diferencias, las tengamos en cuenta para una más rigurosa tarea científica y todo esto sirva, además e inexcusablemente, para que las instituciones y las personas con autoridad y responsabilidad tomen las medidas necesarias para resolver esos problemas que evidentemente existen.

Se ha dicho en este «Seminario sobre los hispanos de los Estados Unidos» que «un hispano, para serlo, no tiene por qué hablar el español; un hispano, para serlo, no tiene por qué profesar la religión católica, puede abandonarla y tener otra...» Y quien hizo esta afirmación pareció dejar en el aire un *etcétera* que podría incluir otras notas o características que tampoco serían necesarias para definir a alguien como hispano o para que un individuo se identifique a sí mismo como hispano.

Me parece que esta posición es académicamente peligrosa porque abre un camino que puede llevar a vaciar totalmente de significado el concepto de *hispano*. Respeto por completo tanto las posturas académicas como las opciones de los individuos en cuanto a su identificación, pero creo que ser o sentirse hispano requiere un cierto número de notas aunque sean, por supuesto, variables en cantidad, intensidad y grado de combinación entre ellas. Y precisamente las dos notas que se señalaban en la cita literal que acabo de recoger son nada menos que la lengua española y la religión católica.

Acepto y también respeto sin reservas las modalidades del español de cada grupo hispánico de los Estados Unidos pues un idioma es *bueno* si sirve, si es funcional y permite la efectiva comunicación. Considero, asimismo, que al hablar de religión católica no podemos entrar en valoraciones de ortodoxia y, mucho menos, en valoraciones morales sobre si un individuo es *bueno* o *malo* o en qué grado y forma practica su religión. Para nuestros efectos, creo que lo científico y útil es hablar de *creencias*, de *religiosidad* o comportamientos en relación con lo sobrenatural, de sistema de valores, de visión y actitudes ante este mundo y el otro, etc. En este sentido, que un hispano vaya o no vaya a misa los domingos —por ejemplo— no lo hace ni más ni menos hispano, porque lo importante es que la tradición católica, como subsistema del sistema cultural total, forme o no parte de su vida diaria, de sus patrones de comportamiento, de su sistema ideal de valores, de su cosmovisión...

Pero esta flexibilidad y este relativismo cultural no puede llevarse a unos extremos que desemboquen en una situación sin sentido para nuestras preocupaciones académicas o en una situación y una problemática muy distintas a las que aquí nos convocan.

La asimilación cultural es un hecho histórico comprobado y a veces es la mejor solución para un grupo o para un individuo en cuanto que una asimilación completa y efectiva puede eliminar los problemas y barreras de la discriminación y la segregación. Pero tomar o defender la vía de la asimilación lleva inevitablemente —y no nos engañemos en esto— a la *pérdida* de la identidad propia del grupo dominado o minoría étnica en favor del grupo dominante. Y ésta es, lo digo una vez más, una opción que cada cual debe tomar libremente y que todos debemos respetar.

La mujer hispana que se casa con un «anglo» y tiene un hijo al que llama John y no Juan y cuyo apellido será Smith y no Martínez; que desea que su hijo domine el inglés y no le importa que no aprenda el español que ni siquiera se habla en el hogar; que lleva a su hijo a una escuela de «anglos» y a la iglesia presbiteriana del padre... ha tomado consciente o inconscientemente el camino de la asimilación y dudo mucho que John Smith Jr., que probablemente se casará con una mujer «anglo», pueda jamás identificarse como hispano y nadie lo reconocerá como tal.

De todas formas, este caso exagerado pero posible, no debe hacernos olvidar que hay millones de individuos en los Estados Unidos que se ven a sí mismos y que son vistos desde fuera de su grupo como *hispanos,* aunque sea bajo términos diversos que, en cualquier caso, incluye por lo menos el hecho lingüístico. Una hipotética asimilación con los «anglos» —que requeriría en muchos casos superar, además, la barrera del color— sería un proceso de varias generaciones y aún quedaría el hecho de la constante afluencia (inmigración) de nuevos «hispanos» que cada año, cada día, se situarían en el comienzo absoluto de ese proceso de asimilación y, desgraciadamente y en la mayoría de los casos, en los niveles socioeconómicos más bajos de la sociedad nacional norteamericana.

Existe, al menos en teoría, otra posibilidad de resolver la cuestión de los hispanos de los Estados Unidos mediante la negación de hecho y de derecho de toda diferencia o del derecho a ser diferente. Sería como eliminar o borrar del mapa étnico de Estados Unidos a los hispanos por una especie de procedimiento jurídico-administrativo. En realidad, algo de esto ocurre cuando se cancelan o reducen drásticamente los fondos para la educación bilingüe u otras formas de ayuda o atención específica a minorías étnicas.

En más de una república hispanoamericana se tomaron decisiones de este tipo respecto del indio después de la emancipación. Pero suprimir de los censos nacionales la casilla correspondiente a la «raza» o grupo étnico y eliminar el término de «indio» bajo la sospechosa declaración oficial de que todos los ciudadanos son iguales, no hizo desaparecer a los indios de estas repúblicas. Me parece más honrado y más efectivo que cuando existen diferencias, se reconozcan y si tales diferencias causan o mantienen estados de injusticia, abuso, pobreza, falta de oportunidades... se busquen remedios por las vías más adecuadas, efectivas y éticas, pero no se elimine el problema simplemente cerrando los ojos ante la realidad.

Para terminar con este apartado dedicado a cuestiones de identidad y de existencia o no de una población hispana en los Estados Unidos, quiero hacer un último comentario que también tiene relación con ideas y datos expuestos en este seminario por otros participantes.

Los problemas de los hispanos —y especialmente el tratamiento de esos problemas— son tan específicos como específico sea el grupo hispano. Me refiero a problemas de lengua y educación; organización familiar, vida urbana y comunidad o barrio; sistema de valores y su respeto a la transgresión; actitudes ante el trabajo, la seguridad y el futuro, la salud, la enfermedad y la muerte, etc. Pues bien; defender o actuar de acuerdo con una política que suponga la igualación o la equivalencia de la inmensa mayoría de los hispanos con otros sectores marginales de la sociedad norteamericana —como puede ser la mayoría de la población negra— no es sólo un error de estrategia política, sino un error conceptual por parte de los dirigentes hispanos que pueden contribuir a convertir a los suyos de un *grupo étnico* —con todo lo que esto significa culturalmente— en una simple o mera *clase social*.

En el supuesto anterior, los hispanos vendrían a distinguirse y serían objeto de una política reivindicativa y de ayuda en cuanto que presentan índices negativos tales como desconocimiento del idioma inglés o falta de dominio de la lengua de la sociedad nacional; deficiente educación escolar, desempleo, alto grado de delincuencia y drogadicción, problemas de vivienda, falta de cualificación profesional, etc.

Sería caer en una trampa el aceptar que porque la mayoría de los hispanos presentan este conjunto de rasgos negativos, que los sitúan en los niveles más bajos de la sociedad norteamericana, éstos son los rasgos que definen a los hispanos, cuando es lo cierto que el hispano posee otros rasgos diferenciadores y es poseedor de una tradición cultural rica y merecedora de respeto. Reducir a los hispanos a una clase o a un estrato social llevará también a reducir cualquier política de grupo, cualquier acción social o económica a una simple acción filantrópica o a una política de beneficencia o caridad que puede —aunque difícilmente y nunca de manera eficaz y total— resolver problemas materiales de subsistencia pero que no tendría en cuenta ni ayudaría a salvar algo que para el hispano puede ser no menos vital —y esto lo deben decidir los propios hispanos— como es su propia identidad, su tradición cultural y su propio concepto de la vida y de la dignidad humana.

Entro en la segunda y última parte de mi comunicación referida a la diversidad interna del universo sociocultural que denominamos «hispanos de los Estados Unidos». Es una cuestión de tipología que es fácil establecer. Pero con frecuencia se olvida este hecho que resulta menos evidente desde España, a pesar de que es un dato importante porque supone riqueza, por medio de la variedad, y presenta problemas y matices que pueden estorbar en más de una ocasión una política eficaz de entendimiento y comunicación. Y esta dificultad de comunicación —tanto conceptual como práctica— se da entre España y los hispanos de Estados Unidos y entre los propios grupos hispanos cuyas situaciones y cuyos intereses no son siempre coincidentes.

De hecho, existen discrepancias y rivalidades cuya ignorancia o bien intencionada ocultación no resuelven nada. En la medida que los hispanos se consolidan como minoría étnica y se reafirman en su identidad frente o ante la sociedad nacional norteamericana están presentando problemas en cierto modo comparables —guardando todas las distancias y reservas— con lo que han sido en España la creciente configuración y consolidación de las regiones autonómicas y, en algunos casos, de las llamadas «nacionalidades históricas» que han dado lugar al fenómeno del «agravio comparativo». En definitiva, tensiones internas derivadas de una nueva situación sociopolítica tanto en España, por razones obvias del cambio político, como en Estados Unidos por la mayor conciencia y fuerza que los hispanos están adquiriendo en los últimos años.

Una tipología de la actual población hispana de los Estados Unidos surge, casi de manera natural, de un análisis de las *raíces* más inmediatas de cada grupo hispano, considerando que la raíz común y más profunda en el tiempo y en la distancia se encuentra en España, pero sin olvidar que el hispano de los Estados Unidos es, con mucha frecuencia, una planta híbrida y ello nos obliga a tener debidamente en cuenta otras posibles raíces.

He aquí los grandes grupos que pueden observarse en los Estados Unidos dentro de los veintitantos millones de personas que responden al calificativo de hispanos como término de naturaleza estrictamente cultural y especialmente lingüística, hasta el extremo que la otra palabra que desde el punto de vista y la lengua de los «anglos» se utiliza para referirse a ellos de manera genérica es la de *Spanish:*

a. Descendientes directos de los conquistadores y primeros colonizadores españoles. Se trata de una población pequeña en número y concentrada en el Suroeste, especialmente en el norte de Nuevo México y sur de Colorado, con algunos enclaves en Arizona. Esta población hispana, que en Estados Unidos ha conservado su identidad gracias a su secular aislamiento geográfico y cultural hasta la década de los cuarenta, ha desaparecido de otros estados de origen hispánico como California donde no se han dado las mismas circunstancias que favorecían el aislamiento y la preservación de una cultura arcaica española eminentemente rural. Estos hispanos del Suroeste pueden reclamar con razón su especial *status* porque son los descendientes de los más antiguos pobladores no indios del Suroeste y porque nunca fueron inmigrantes en un país extranjero sino colonizadores que avanzaron con la frontera española y habitaban aquellos territorios antes de que se constituyera la nación norteamericana. Solamente les ganan en antigüedad y derechos sobre la tierra la población india de la región, especialmente los indios pueblos.

b. Mexicanos cuyos ascendientes llegaron a los Estados Unidos con posterioridad a la independencia de México y, en muchos casos, muy a finales del siglo pasado o ya dentro del siglo XX. Su paso era un movimiento casi natural, sin una clara consciencia de un cambio de país dadas las circunstancias de la frontera, la proximidad de sus lugares de origen, el mantenimiento de contactos familiares y el ir y venir de tierra *mexicana* a tierras que tradicionalmente habían sido hispano-mexicanas hasta la guerra entre las dos repúblicas y las subsiguientes anexiones territoriales por parte de los Estados Unidos. Esta población mexicana se extiende a lo largo de la frontera del río Grande y se ha acumulado también en las grandes ciudades de Nuevo México, Arizona, Texas y California.

c. Mexicanos de llegada muy reciente a los Estados Unidos, en muchos casos de forma irregular («indocumentados»). Su entrada o la de sus padres ha sido generalmente como braceros que de alguna manera logran la permanencia indefinida y eventualmente la ciudadanía. Se distribuyen por las mismas regiones agrícolas en las que encuentran trabajo y en las grandes ciudades del país, donde llegar a crear barrios o zonas como en Los Angeles o tan el norte como Chicago. Tanto estos mexicanos como los del grupo anterior pueden recibir la denominación genérica de *chicanos.*

d. Puertorriqueños que acogidos al *status* de su isla pueden establecerse legalmente en cualquier lugar del continente, aunque su preferencia haya sido el área metropolitana de Nueva York donde han constituido una minoría muy importante —tanto en los aspectos positivos como negativos— y están transformando el mapa étnico de la gran ciudad y trastornando esquemas y estrategias políticas. Estos puertorriqueños están, por ejemplo, *hispanizando* Nueva York donde la lengua española se ha hecho corriente y en muchas situaciones necesaria (hospitales, policía, etc.).

e. Cubanos cuya afluencia se debió al triunfo de la revolución castrista y que ha tenido otros varios momentos de auge. Por razones obvias, esta población se ha concentrado en parte del estado de Florida y ha hecho de Miami su capital. Las razones de esta inmigración y las condiciones socioculturales de estos cubanos (con altas cifras de clase media y de profesiones liberales, conocimiento previo de la lengua y la cultura del país receptor, etc.) han situado a este grupo en una fuerte posición socioeconómica que los distingue en muchos aspectos del resto de los hispanos de Estados Unidos.

f. Al grupo anterior podrían añadirse otros varios de menor importancia numérica y de distribución más dispersa que tienen en común con los cubanos el proceder de países que no tienen frontera terrestre con los Estados Unidos (caso de México), que han abandonado su país como consecuencia de situaciones políticas o de situaciones económicas negativas producidas por la política y hasta la guerra. Son los casos de gentes procedentes de El Salvador, Guatemala, República Dominicana, Argentina, Colombia, etc. La distancia con el país de origen, la condición de población campesina muy frecuente entre estos inmigrantes y otros factores los distinguen bastante de la inmigración tanto mexicana como cubana.

Nos es prácticamente imposible hablar de un grupo de *españoles* dentro del gran conglomerado de hispanos de los Estados Unidos. Después de la emancipación de las tierras hispanas continentales, la emigración desde España siguió haciéndose a Cuba y a países continentales como Argentina y posteriormente a otros como Venezuela. Mientras Europa emigraba en el siglo XIX y gran parte del siglo XX a los Estados Unidos, los españoles seguían emigrando a Hispanoamérica. Cuando después de la segunda guerra mundial se producen otros grandes movimientos migratorios, los españoles se dirigen a Europa central, y es entonces cuando se generaliza la emigración a los Estados Unidos de hispanos procedentes de otros países americanos. El resultado es una escasísima población *española* en los Estados Unidos que ha tenido su más curiosa y casi anecdótica representación en los pastores vascos o en algunos núcleos canarios o asturianos establecidos en Florida para industrias muy concretas.

A modo de conclusión y resumen presento los siguientes puntos:

— Importancia de la cifra absoluta de hispanos dentro de la sociedad norteamericana. Las cifras, según criterios y fuentes, pueden variar entre veinte y treinta millones pero no hay duda de su peso real y de su constante crecimiento vegetativo y por la persistencia de la inmigración. A efectos lingüísticos, estas cifras convierten a Estados Unidos en el quinto país del mundo de habla española, detrás de México, España, Colombia y Argentina. Solamente este dato debería ser más que suficiente para el reforzamiento de una política cultural española —como empieza a producirse— que subsane el error tradicional de considerar que la «América española» terminaba en el frontera norte de México.

— Variedad interna de los hispanos de Estados Unidos debida a sus orígenes inmediatos, a su condición de población rural o urbana, al tipo de relaciones mantenidas con sus países de origen, a sus niveles socioculturales y, también, a los factores raciales pues mientras muchos hispanos poseen rasgos mestizos referidos a la población indígena americana, otros muchos muestran rasgos que tienen que ver con la importancia del elemento africano en los países del Caribe.

— Preferencia de los hispanos por las grandes áreas urbanas que les obliga a salvar una doble barrera en su lucha por la supervivencia y la superación: la barrera que supone pasar de un universo cultural hispano a otro que es «anglo», y el problema de convertirse de campesinos en urbanitas, proceso que exige siempre una dolorosa adaptación, incluso dentro del propio país como es el caso de la migración interna en España desde las regiones más fuertemente rurales a las grandes ciudades y áreas urbano-industriales. Como un dato más en la relativa similitud de estos movimientos migratorios en los Estados Unidos y en España cabe mencionar que tanto si el emigrante español se dirige a otro país de Europa como si va a una región como Cataluña, puede encontrarse con problemas de lengua y comunicación que, por supuesto, afectan sus posibilidades de adaptación y éxito profesional.

— Dos observaciones finales: la mayoría de los hispanos sienten en los Estados Unidos una especie de complejo de inferioridad que les lleva muchas veces a avergonzarse de su cultura y a tratar de ocultar o enmascarar sus señas de identidad. Este hecho sólo puede empezar a remediarse con una auténtica política educativa y de imagen que les haga ver a estos hispanos la validez y vigencia de la tradición cultural a la que pertenecen. Muy en relación con lo anterior y aunque parezca una afirmación simplista, conviene decir y tener en cuenta que ser *hispano* en los Estados Unidos supone y se explica por la relación histórico-cultural con España y lo que España significó durante siglos en tierras americanas. En otras palabras, la condición de *hispano* en las Américas solamente se adquiere cuando se entra en los Estados Unidos procedente de algún país hispánico, porque mientras eso no ocurre cada individuo será un ciudadano de su país: mexicano, puertorriqueño, cubano, colombiano, salvadoreño... Cuando cada uno de ellos entra en Estados Unidos y se establece como residente y eventualmente ciudadano del nuevo país es cuando adquiere la condición de *hispano* que le permite de inmediato ser algo más que un simple extranjero o un inmigrante más gracias a un número de factores históricos y a un hecho incontrovertible: la importancia y el peso de los hispanos de los Estados Unidos como grupo o minoría étnica.

Félix M. Padilla

Identidad y movilización latina

Identidad y movilización latina

El tema del encuentro tiene un significado muy importante para mí ya que hace unos ochos años que comencé a estudiar sistemáticamente la pregunta de la identidad latina, o la idea de la Hispanidad (1). Así que mi ponencia se refiere a la agrupación y unificación de los grupos multinacionales y culturalmente diversos de habla hispana en un nuevo lazo latino de identificación e identidad. Yo utilizo la idea de la identidad y unidad latina para significar identificación con un lazo de magnitud amplia que incluye los intereses de los varios grupos de gente de habla hispana en los Estados Unidos.

Indiqué anteriormente haber comenzado el estudio sobre la identidad latina hace unos ocho años. Durante este tiempo trabajaba como estudiante postgraduado en la Northwestern University. Este estudio original, que después se convirtió en un libro, en realidad representa un caso de la realidad puertorriqueña y méxico-norteamericana en la ciudad de Chicago. La publicación del libro no solamente ha provocado mucho entusiasmo, y estoy seguro que habrá algunas críticas duras, sino también discusiones entre profesores, estudiantes y gente de la comunidad, sobre el surgimiento o las perspectivas de las expresiones de la conciencia y la solidaridad latina en áreas geográficas que tradicionalmente han representado los distintos grupos étnicos del habla hispana; por ejemplo, los méxico-norteamericanos, California, Texas, etc.; los puertorriqueños, Nueva York; los cubanos, Miami.

Uno de los propósitos de mi libro es ayudar a clarificar el significado del término latino o hispano. El público norteamericano, así como los científicos sociales, se refieren a las experiencias individuales de los méxico-norteamericanos, puertorriqueños y cubanos en términos latinos o hispanos. Las experiencias agregadas de estos grupos también son definidas bajo el nombre de

(1) Por razones de simplicidad, usaré el término «latino» y no el de la «Hispanidad». Aunque reconozco que la clarificación de términos/etiquetas, o lo que los sociólogos norteamericanos han dado en llamar «llabeling theory», es un aspecto integral de cualquier análisis, este punto es discutido muy detalladamente por la profesora Margarita Melville en su ponencia. Véase también mi ensayo sobre los usos, abusos y consecuencias de las etiquetas (Padilla, 1987).

latino o hispano. En ninguno de estos dos casos existe una explicación sobre el proceso por el cual estos grupos llegaron a ser «latinizados» o «hispanizados». En los dos casos mencionados, el uso del término latino o hispano no se corresponde con la percepción verdadera o acciones de la gente. Mi esperanza es que mi libro contribuya en corregir lo que yo creo que es un tratamiento erróneo de una dimensión muy importante en la vida de los puertorriqueños, méxico-norteamericanos, cubanos y otros.

En mi análisis de la idea de la conciencia y unidad latinas, hay varios puntos principales que considerar. El más obvio es el significado político. Como todos nosotros hemos aceptado ya, la «idea de la política» se refiere al proceso por el cual muchos servicios y beneficios son repartidos entre sectores o grupos en competencia dentro de la sociedad. Desde este punto de vista, la política es, en sí, central para la dinámica de la unidad latina. La solidaridad y unidad latinas se refieren a un medio por el cual se puede ganar acceso a los sistemas e instituciones urbanos norteamericanos. En otras palabras, la identidad latina tiene mucho en común con lo que algunos profesores llaman la «etnicidad política», es decir, un vehículo manipulado utilizado para adquirir ventajas o superar desventajas en la sociedad. En efecto, la unidad latina representa un mecanismo aparente para dar curso, en algunos casos, a los intereses comunes de algunos grupos de habla hispana. Los grupos de habla hispana, que comparten intereses económicos y políticos, pueden mantenerse unidos como latinos como una manera estratégica para apropiarse de esas necesidades y deseos que son colectivamente significativas y relevantes. Es decir, el lazo latino representa una innovación creada por grupos para montar un frente competitivo en busca de ventajas o para superar desventajas en la sociedad.

Lo que he hecho hasta ahora es establecer la política como la base fundamental de la conciencia y unidad latina. Esto es importante porque esta base política en realidad implica un proceso dialéctico. El reconocer la correlación positiva entre la identidad latina y la política, es decir, el reconocer que la creación de esta identidad de magnitud amplia se dirige a la adquisición de ventajas o la superación de las desventajas experimentadas en común por varios grupos de habla hispana, también significa reconocer que la conciencia latina política, subraya y prácticamente recrea las distintas, únicas y separadas realidades tradicionalmente nacionales y culturales de los varios grupos, antes de adoptar el lazo latino. Contrariamente, en mi perspectiva teórica las tradiciones culturales de los puertorriqueños, méxico-norteamericanos o cubanos no son impedimentos a una organización alrededor de la base latina. La expresión de la conciencia latina implica la preservación de las tradiciones de los puertorriqueños, méxico-norteamericanos o cubanos. Estas realidades individuales representan la primera etapa del proceso del desarrollo de la conciencia e identidad latinas. En otras palabras, para poder identificar y articular intereses y condiciones «latinas», las personas tienen que tener conocimiento de los intereses y condiciones de sus propios grupos.

Otro punto importante que debemos considerar cuando se utiliza el término latino para representar un lazo que abarca los intereses de diferentes grupos de habla hispana, es el momento de su manifestación. Manifestaciones de cooperación y unidad latina ocurren cuando personas que representan dos o más grupos de habla hispana «interactúan» y «definen» sus situaciones desde el punto de vista latino. Los individuos eligen, comprueban, reagrupan, y transforman las definiciones de sus acciones en términos latinos, según la situación en que se encuentran. Fundamentalmente, entonces, el lazo latino existe en acción; la realidad latina como acción tiene que ser el punto de partida (y el punto de retorno) de cualquier esquema que se proponga analizar empíricamente las relaciones de intergrupo de dos o más grupos de habla hispana que producen un sentido de perspectiva latina. Investigadores interesados en estudiar manifestaciones de expresiones o acciones latinas tienen que darse cuenta de las situaciones y condiciones particulares bajo las cuales este tipo de conocimiento multigrupo se cristaliza. Para mí, Chicago fue el laboratorio social ideal para estudiar este fenómeno ya que representa una de las pocas ciudades en los Estados Unidos que es el hogar de varios grupos de habla hispana. En Chicago, méxico-norteamericanos, puertorriqueños y cubanos viven en comunidades separadas y tienen sus intereses «localizados», pero estos grupos también tienen intereses en común en la ciudad, o lo que yo llamo «relaciones estructurales» para distinguirlas de las que están localizadas dentro de cada comunidad individual. El lazo latino puede establecerse como expresión de intereses y necesidades compartidas durante estos períodos, en relación a esta similitud estructural.

Entonces, una de las características fundamentales del lazo latino es su significado variable encontrado en las relaciones sociales estructurales entre dos o más grupos de habla hispana, es decir, relaciones sociales que trascienden fronteras nacionales, culturales e individuales. Desde este punto de vista, comportamiento latino y solidaridad pueden ser de relevancia crítica en algunas situaciones, mientras en otras puede que sean totalmente irrelevantes. Esto es a lo que me refiero como solidaridad «latino situacional». Esto quiere decir que este lazo de magnitud amplia es más apropiado o sobresaliente para la acción social durante estos momentos particulares en que dos o más grupos de habla hispana se encaran con circunstancias comunes, y se dan cuenta de que estas condiciones pueden ser mejor resueltas, negociadas, o llevadas a cabo desde una perspectiva latina. Contrariamente, hay otros contextos situacionales que la tradición cultural nacional de un grupo en particular (por ejemplo, puertorriqueño, méxico-norteamericano, cubano u otro) es más apropiado para la movilización. En general, la suposición implícita es que algunos contextos y condiciones determinan cuándo los miembros de los grupos distintos pueden tomar un curso de acción del punto de vista de «latinos», o como méxico-norteamericanos, puertorriqueños, cubanos, u otros grupos. Por ello, los grupos de habla hispana nunca deben ser percibidos como tales en todas sus actividades sociales, acciones, y relaciones.

Otra dimensión importante de la conciencia y unidad latinas es que el proceso para establecerlas tiene que incluir el desarrollo de un sistema de símbolos significantes, mantenidos en común por individuos de los varios grupos y alrededor de los cuales se organizan actividades de relaciones de grupos bajo identidad latina. Por «símbolos significantes» entendemos estos distintivos utilizados para definir la realidad latina. En mi estudio de méxico-norteamericanos y puertorriqueños en Chicago, descubrí cómo ciertos miembros de estas dos poblaciones utilizaron la pobreza y desigualdad en el empleo (los dos causados por la discriminación lingüística) como símbolos significantes para definir su realidad colectiva en términos latinos. Otros miembros utilizaron la llamada «cultura hispana» como el símbolo líder para interpretar su «mundo latino». Los participantes interactuantes piensan y actúan como latinos en vez de solamente como puertorriqueños, méxico-norteamericanos, o cubanos, consideran las perspectivas étnicas y culturales de los otros en su propia acción y luego establecen, interpretan, estiman, y formulan actividades particulares en términos latinos basándose en las variantes simbólicas significantes. De esta manera, la identificación con el lazo latino también tiene un aspecto simbólico, establecido, e interiorizado por las personas que interactúan, afectando tanto a sus acciones individuales (puertorriqueñas, méxico-norteamericanas y cubanas) como en relación a sus actividades como latinos.

Al discutir el papel desempeñado por símbolos significantes en la creación de una identidad latina, hay otro elemento muy importante. Me refiero a que en este proceso de interacción de multigrupo no sólo se asume la conciencia e identidad «social» latina en el momento de contacto e interacción, sino que además se crean personas conscientes de la latinidad (interés amplio, latinos) que se han propuesto el bienestar de otros, incluso actuando en presencia de personas de habla hispana de otros grupos. Me explicaré. Una vez que un individuo ha sido parte del proceso de interacción durante el tiempo que se establecieron, se definieron y se interiorizaron los símbolos significantes, cuando este individuo está envuelto en casos referentes a los intereses de todos los grupos, este individuo tiene que actuar en su nombre, es decir, tiene que responder a estas circunstancias desde una perspectiva latina. Es un caso de autoconciencia. En otras palabras, la persona consciente de su latinidad tiene que tener en cuenta en sus actividades de presente y de futuro los intereses globales de la gente de habla hispana y no solamente los intereses de su grupo particular nacional cultural. Entonces, para la persona consciente de su latinidad, el pensamiento humano involucra el identificar y comprender intereses relacionados con intereses latinos. Esto requiere un individuo muy especial, en mi opinión, un actor consciente de su latinidad, puede distinguir las consecuencias de ciertas actividades tanto en cuanto se relacionan con su grupo específico, como en cuanto se refieren a la armazón latina más grande.

Es incuestionable que la variación de la conciencia de los varios grupos de habla hispana es responsable de haber definido el concepto latino como un instrumento útil y muy real para lograr ciertas metas sociopolíticas compartidas. Para gente de habla hispana hoy, su etnicidad no es sólo este grupo o ese individuo, o un compromiso nacional o cultural *per se,* sino también la percepción de las desigualdades latinas en el acceso y la posesión de los recursos económicos, educacionales, políticos, administrativos y sociales en la sociedad norteamericana. Para la persona que es consciente de su latinidad, la expresión de identidad latina significa que personas de habla hispana han construido lazos personales relativamente permanentes basados en gran parte en el acuerdo común de reconocerse el uno al otro como miembros de la misma trama de la sociedad latina. Esto además sugiere que en sus contactos, tales personas han invertido recursos que pueden llamarse latinos, y que el resultado final de tales relaciones formará la base elemental del orden social dentro del cual estos grupos o personas pueden organizar, en parte, su manera de vivir en la sociedad norteamericana.

En otras palabras, la conciencia de la unidad latina tiene que ser vista como una creación social, surgiendo de un proceso de definición e interpretación de cómo este proceso tiene lugar en la interacción de gente de habla hispana. El significado de solidaridad latina tiene que ser formado, atendido, y transmitido por un proceso de comunicación e interacción.

Una observación final: ¿por qué el estudio del proceso de formación de unidad y solidaridad latina ha recibido tan poca atención por parte de los periodistas, profesores y el público en general? Hay varias razones para esto.

Una razón es que, en general, la mayoría de los estudios de relaciones de intergrupo en este país han estado más preocupados por el mantenimiento de fronteras étnicas o de competencia y conflicto entre grupos. No se han desarrollado modelos teóricos para explorar esas posibilidades de flujo de individuos entre grupos, creando nuevas innovaciones culturales y étnicas, como la solidaridad latina.

Otra razón por la cual el estudio de la idea de latinidad como un lazo global no ha emergido suficientemente puede ser el hecho de que las fronteras étnicas de las varias agrupaciones individuales de gente de habla hispana son vistas frecuentemente como estructuradas rígidamente. En otras palabras, dados los diferentes antecedentes de los grupos de habla hispana, y la persistencia de tales tradiciones y prácticas culturales como puertorriqueñas, méxico-norteamericanas, cubanas, etc., no es sorprendente descubrir que el concepto de latino es considerado con aprensión por alguna gente, como si su simple reconocimiento fuera a reemplazar las afiliaciones y lazos individuales de los grupos nacionales. Mi punto de vista es que la idea de identidad latina no representa una estrategia particular para resolver problemas de identidad, creencia y cultura, ni representa la fusión de dos o más culturas en una. Este proceso no es una versión del «melting pot». En otras palabras, pienso que la idea de identificación latina no debe ser percibida como amenaza al «colectivo consciente», como Durkheim se refirió a los valores y normas culturales que separan un grupo de otros. Más bien, la solidaridad latina debe ser vista como simplemente reflejando un compromiso consciente, un lazo político, táctico y estratégico.

Y la razón final para el descuido del estudio del proceso de formación de conciencia y unidad latina parece ser la influencia de la definición del concepto de latino o hispano utilizado por las burocracias de los gobiernos federales y locales, igual que la prensa electrónica y escrita. Estas instituciones tienden a etiquetar o catalogar grupos de habla hispana como una población homogénea basándose en una similaridad de una lengua compartida. Parece que para éstas y otras instituciones de la sociedad el término latino o hispano tiene innatos sentidos relacionados con la comunidad de lengua, y así, gente de habla hispana deben actuar naturalmente según estos significados. El significado es una parte natural de la composición objetiva del término latino. Entonces, de la misma manera que una silla es una silla, una vaca una vaca, una rebelión una rebelión, un latino es claramente un latino *per se*. En este caso, el significado emana del término y no hay un proceso de creación del mismo, lo único necesario es reconocer el significado que acompaña al término.

Otra dimensión de este punto de vista interpreta el significado del término latino como una mentalidad de la persona para la cual el término tiene sentido. Esta mentalidad está definida como una expresión de elementos constituyentes de la psique de la persona. Los elementos constituyentes son cosas tales como sensaciones, sentimientos, ideas, recuerdos, motivos y actitudes. De esta manera, el término latino es nada más que la expresión de los elementos psicológicos dados que se traen al escenario en conexión con la percepción del término.

Veo el significado del término latino como teniendo una fuente distinta a estos puntos de vista recién considerados. No veo la significación de lo latino como emanando de la constitución intrínseca del término, ni lo veo surgiendo por la influencia de los elementos psicológicos en la persona. En cambio, lo veo emanando de las maneras como unas personas actúan hacia otras en relación a ese término. Sus acciones operan para definir la idea de latino. Por tanto yo veo el sentido del término latino como un producto social, como una creación que está formada en, y por las actividades que la gente define mientras interactúan uno con el otro.

Mi posición es que el sentido del término latino para la persona de habla hispana es central por sí mismo. Ignorar el sentido del término latino es falsificar el comportamiento que analizamos. El rodear el significado de factores que supuestamente producen un comportamiento latino lo considero como un gran descuido del papel del significado en la formación de comportamiento latino.

Marc Zimmerman

**Los latinos en los Estados Unidos y en Chicago:
Dimensiones culturales**

Los latinos en los Estados Unidos y en Chicago: Dimensiones culturales (1)

1. Introducción

¿Quiénes son los latinos? ¿Qué hacen, qué quieren, en qué piensan? ¿Cómo se expresan y con qué recursos? ¿Y por qué «latinos»? ¿Por qué no «hispanos», «iberoamericanos»? ¿Qué nombres se deben emplear? ¿Y cuáles no? Las contestaciones no son fáciles, porque en parte el problema se arraiga en la complejidad y diversidad del mundo latino. Muchos vienen con experiencias de medios urbanos en las grandes ciudades. Otros participan en las emigraciones temporales y se identifican con la vida de las pequeñas aldeas texanas. Unos tienen su historia en los Estados Unidos o lo que hoy día se considera territorio estadounidense desde hace varias generaciones; otros llegaron en los años 20, los años 40, o hace unas semanas, desde una región pobre de México, desde una lucha revolucionaria en Centroamérica, de climas áridos o tropicales, de áreas o culturas afro- o indio- latinoamericanas, etc. Algunos de hecho son más negros, más indios, más blancos que otros —y no hay un nexo necesario entre el color o los rasgos físicos y las características culturales—. Entre los santeros cubanos hay gente negra, pero también hay gente que (hasta que empiezan a hablar con su acento caribeño) parecen ser inmigrantes de Madrid o Valladolid. Hay gente con rasgos zapotecas y mayas que son de la clase trabajadora, y otros que provienen de la clase alta urbana de la ciudad de México, o de Guatemala o de otro sitio. Hay latinos que trabajan con sus manos, y hay algunos (y de hecho , más y más) que son profesionales o negociantes. Y hay muchos en EE.UU. que, provisionalmente o por largo plazo, experimentan una vida que no tiene mucho que ver con sus orígenes y aun su ideología de clase.

¿Quiénes son los latinos? La cuestión se ha complicado aún más en los últimos años primero por la diversificación social y la dispersión geográfica de los que ya estaban en los EE.UU., y se-

◆

(1) Gracias a Otto Pikaza, Esther Soler y Samuel Soler por su ayuda en la redacción de este artículo y de mis comentarios en este volumen. También quisiera agradecer a la doctora María Elena Bravo su apoyo.

gundo por la inmigración masiva de los latinoamericanos, por las diversas necesidades y motivaciones que causaron su llegada (huida de problemas económicos, de gobiernos de la derecha o la izquierda, miedo y peligro en situaciones de guerra civil, etc.), y finalmente por la manera en que los que ya estaban y los varios nuevos grupos que han venido se han mezclado, se han transformado y se han relacionado con los otros grupos dominantes y dominados que componen la sociedad de los Estados Unidos.

Por supuesto, el incremento reciente de la inmigración latinoamericana y caribeña que ha atraído a grandes números de personas a las áreas urbanas de los EE.UU. señala procesos más profundos y amplios de un orden socioeconómico, político y cultural en transformación y crisis que se dan en todo el mundo; y claro, también, la nueva inmigración masiva y sus problemas concomitantes implican cuestiones profundas sobre las comunidades locales según ellas tratan de luchar por sobrevivir y prosperar en medio de las transformaciones globales. Teniendo en cuenta todo eso, se debe señalar el papel del medio-oeste y de Chicago, y claro, se debe ver cómo la situación social y cultural de los latinos en los Estados Unidos, en el medio-oeste y en Chicago puede ser importante para los que se preocupen de España y su papel en relación con los latinoamericanos y con el resto del mundo.

Para el propósito de este ensayo, la palabra *latino* y las palabras relacionadas, *latinidad* o *latinismo* serán usadas en un sentido relativamente no riguroso al referirse al pueblo de nacimiento u origen de familia iberoamericana o ibera, que han nacido en los EE.UU. o que por su voluntad o por otra razón, han vivido en ese país como su lugar más o menos permanente. Como tal, los latinos manifiestan una serie de transformaciones de las identidades previamente alcanzadas por medio de un proceso sincrético que comenzó en sus países de origen. Hay una visión tradicionalista y normalmente conservadora que define a los latinos estrictamente en función de su lenguaje y sus patrones culturales tradicionales; otra visión antitradicionalista y a veces radical ve a los latinos primariamente como productos de un ambiente estadounidense (2). Yo optaría por una perspectiva que puede parecer más neutral, pero, creo yo, es más dialéctica y adecuada. De acuerdo con esta perspectiva, el mestizaje cultural alcanzado por los latinoamericanos y especialmente a la dimensión obrera de esta identidad (que de hecho corresponde a la vasta mayoría

(2) Para una caracterización detallada de las dos visiones mencionadas aquí, ver Félix Padilla, *Latino Ethnic Consciousness. The Case of Mexican Americans and Puerto Ricans in Chicago* (Notre Dame, Indiana, University of Notre Dame Press, 1985). Padilla nos recuerda de la distinción entre las identidades nacionales y una identidad más ampliamente latina; cumple una tarea importante de apuntar cómo se construyó la identidad latina a través de las experiencias de discriminación y opresión. Padilla se equivoca al reducir frecuentemente la perspectiva tradicionalista a una cuestión de lenguaje, y por ver casi todo intento de hablar de la cultura como esfuerzo «culturalista» y reaccionario. Yo creo que la perspectiva de Raymond Williams sobre los rasgos «residuales» y «emergentes» de una cultura nos da una orientación sencilla pero coherente para evitar los excesos *(cf.* su libro *The Sociology of Culture,* N.Y., Schocken Books, 1985), especialmente si nos acordamos que no todo residuo es reaccionario (sino que varios residuos pueden servir como recursos progresistas), y que no todas las dimensiones «emergentes» son progresistas.

de los que vienen y se asientan en los EE.UU.) experimenta una serie de transformaciones que conducen a un conjunto de comportamientos y actitudes compartidos que sirve como una represa de características de las cuales los latinos individuales constituyen selecciones y combinaciones particulares.

Finalmente, he escogido la palabra «latino» sobre las otras palabras regularmente evocadas para hablar de la población indicada —inclusive la palabra oficialmente preferida: «hispano», o «hispanic»—. Primero, «latino» tiende a incluir las Américas portuguesas y aun francesas. Pero también «hispanic» es un complemento equívoco, por representar lo español —es decir, lo blanco, lo europeo (aun si es una versión o marca exótica)— mientras lo latino evoca el imperio, el lenguaje, la ley y la religión del imperio mediterráneo; pero se ha venido a designar el producto del mestizaje latino-indígena y/o latino-negro. También se ha querido evocar aquella otra negatividad, la clase subalterna de habla española o portuguesa (o francesa). Yo supongo que en algunas mentes anglosajonas la palabra evoca el machismo, el pelo negro, la piel oscura, las cruces de oro en cadenas, la música tropical, etc. Sin embargo, tanto afirmativa o peyorativamente la palabra «latino» sugiere un punto de referencia a la vez alterno, amplio y antiguo, que tiende a oponer las normas modernizantes de los angloamericanos. Sugiere el orgullo étnico y la afirmación cultural, no aquello de esconder la sangre negra y la piel oscura que, digo yo, están implícitos en la palabra «hispanic».

Con estas definiciones y orientaciones en la mente, procederemos a examinar la situación de los latinos en relación a los cambios pasados y anticipados en los EE.UU., Iberoamérica y el orden global.

2. La demografía, la política y la cultura

El primer efecto de la inmigración continua desde Iberoamérica y el Caribe es el hecho, manifestado tanto en los últimos años, de que la población «hispana» está convirtiéndose rápidamente en la minoría más grande de los Estados Unidos. Una dimensión importante de este hecho es que la mayor parte de esta población es de la clase obrera, aunque no se pueda subestimar la creciente inmigración de negociantes y profesionales, incluso de muchos intelectuales, o la creciente movilidad social y profesionalización entre ciertas capas y grupos de los latinos establecidos allí desde hace tiempo. La heterogeneidad de los latinos ya aquí (cubanos lumpen y clase media con una política conforme con el reaganismo, conosureños de la clase media con una perspectiva más o menos «progresista», etc.) milita en contra de la posibilidad de sobrestimar la importancia de números y estadísticas no matizados: la población latina de los EE.UU. no forma un *bloque* en el sentido gramsciano, y aun entre muchos sectores con intereses objetivos semejantes, es extremadamente difícil construir una unidad efectiva. Sin embargo, al enfocar la dimensión de clase trabajadora que predomina en esta población creciente, se puede notar la tendencia general por medio de la cual los Estados Unidos están experimentando repercusiones potencialmente explosivas como resultado de sus modos de dominación, reproducción y expansión, de acuerdo con los cuales el uso explotador ya de siglos de los pueblos latinoamericanos y caribeños se hace más y más una situación que se ha convertido en un fenómeno fundamental en el interior de los Estados Unidos en sí.

Por las razones indicadas en lo dicho antes y por otras muchas razones, es muy difícil especificar todas las posibles implicaciones del crecimiento de la población latina para el futuro. A pesar de las nuevas medidas y orientaciones con respecto a la inmigración (la amnistía, los procedimientos para impedir el empleo de los que no tienen documentos, la ampliación del tamaño y los poderes del Departamento de Inmigración, las divergencias entre los «establecidos» y los relativamente recién llegados, los intentos de establecer una nueva «ley de braceros» y los éxitos en establecer las famosas leyes de «English only», etc.), la mayoría de los especialistas en el tema insisten en que la inmigración seguirá, incluso a veces a un ritmo aún más acelerado, porque las circunstancias que hacen necesaria la emigración se harán aún más agudas.

Mientras el proceso de la emigración ha ofrecido frecuentemente la posibilidad de dinamizar el desarrollo del «país anfitrión», los problemas para la población emigrante y para las poblaciones entre las cuales los inmigrantes vienen a vivir y trabajar, parecen la dimensión fenomenológica dominante de nuestra realidad social actual. Tales problemas tienen sus efectos sobre las transformaciones culturales, artísticas y literarias y sobre el sistema total del cual los maestros de cultura, arte y literatura son parte.

Uno de estos problemas viene del hecho de que las condiciones materiales dentro de los Estados Unidos han llegado a una configuración de actitudes raciales que tienden a poner juntos a todos los latinos y latinoamericanos, y también del hecho que tal configuración tiende a reproducir las mismas condiciones materiales que la producen. Podemos observar que incluso entre los latinos que tienen las bases de clase y educación más privilegiadas, números significativos (a veces los hijos de los profesionales latinoamericanos inmigrantes) gradualmente llegan a compartir los mismos problemas que experimentan sus «primos» chicanos y puertorriqueños de la clase trabajadora y se hacen menos diferentes de ellos en sus situaciones e intereses. Este proceso ha tenido su lado positivo si pensamos en las alianzas potenciales entre los trabajadores latinoamericanos, pero el lado negativo consiste en la diferenciación que se ha ido desarrollando dentro de un marco de condiciones de explotación y manipulación. Pero a pesar de este último factor (el cual es inevitablemente un asunto crucial para las consideraciones de la unidad latina potencial en relación con las verdaderas luchas cotidianas), es sin embargo cierto que lo que le pasa dentro de los Estados Unidos a la vasta mayoría de los latinos que pertenecen a la clase obrera afectará a todos los latinoamericanos en el país. Inversamente, ya que estamos hablando del grupo que potencialmente va a constituir una proporción significativa de los trabajadores empleados o no dentro del país, lo que les pase a los latinos será importante para el futuro de los Estados Unidos. Finalmente, ya que los pueblos absorben y reaccionan ante los acontecimientos históricos por mediación de la cultura como complejo y proceso, la cuestión de la cultura latina en los Estados Unidos como una específica síntesis evolutiva y variable de varios complejos latinoamericanos, en relación asimismo con otros complejos de minorías y mayorías dentro del país se vuelve un asunto de importancia para todos los pueblos del continente americano y el mundo entero, incluso España.

A primera vista, las perspectivas para los latinos pueden parecer bastante negativas. Sin algunas transformaciones y cambios radicales en la política del Estado y las corporaciones, las tendencias actuales conducen a una situación en la cual una vasta y creciente población de trabajadores sin educación o entrenamiento, muchos de ellos monolingües (en español, portugués o francés), estaría instalada dentro de una sociedad basada en la tecnología avanzada y el trabajo tecnificado; tendríamos una población que necesita alojamiento, servicios sociales, educación y trabajos en una nación cuya propia lógica de desarrollo puede dejarla muy mal preparada para tratar los problemas que ha engendrado. De hecho, porque la edad media de esa población es y será significativamente más baja que la de la mayoría de los Estados Unidos, el país se enfrentará con una agudización mayor de la polarización ya existente entre una población mayor, predominantemente blanca (aunque con algunos intermediarios latinos estratégicos) que más y más monopoliza la riqueza, los recursos y el poder, y una población joven, principalmente no blanca, compuesta de anglo-africanos y latinos, que entrarán en una lucha siempre más difícil para mantener y ganar el acceso a las instituciones y recursos en los cuales la mayoría tendrá un interés y compromiso cada día menor.

A las cuestiones para la teoría de la inmigración y política general puestas en escena con este propósito, podemos añadir un sinnúmero de asuntos pertenecientes al estado legal y político de los inmigrantes, como también a los intereses de las corporaciones e incluso los militares en los asuntos de la inmigración y del desarrollo comunitario de los latinos; y sobre todo podemos destacar las consecuencias psicológicas y culturales de estas cuestiones. Tales consecuencias, aunque están condicionadas por las circunstancias históricas objetivas, a fin de cuentas tienen un impacto crucial sobre aquellas circunstancias por medio de su desarrollo en el transcurso del tiempo y los cambios que vienen con éste.

Para que los latinos desarrollen y contribuyan en lo que ellos puedan a su propio bienestar, a su progreso y el progreso del sitio en que viven, tienen que comprender su situación y hallar las medidas prácticas para actuar sobre ella. En tal esfuerzo, ellos y sus líderes pueden aprender mucho de un cuerpo considerable de materia escrita sobre los temas «objetivos» —es decir, las dimensiones socioeconómicas y políticas de la inmigración y el asentamiento comunitario—. Sin embargo, tendrán más dificultad con respecto a la cuestión de las transformaciones culturales y socio-psicológicas y a los efectos de la inmigración sobre los patrones y valores familiares, sobre los papeles de sexo, y también sobre los asuntos generales de relaciones humanas y de identidad. Aunque se puede considerarlos como «índices de liberación» en un sentido, tales asuntos como la tasa en incremento del divorcio latino, la ruptura de la familia extendida, las presiones por grados más altos de individualización, la participación femenina independiente, etc., implican una desorientación cultural y psicológica para gran número de latinos.

Estos problemas se multiplican por el hecho bien establecido de que la mayoría de los latinos no usan, o «sub-utilizan», los mecanismos institucionalizados de servicio social. Este hecho es también, en parte, un asunto cultural, reforzado por la falta de tales mecanismos en los países de origen donde la familia extendida era tal vez la única salida de las crisis económicas de los individuos y familias nucleares. Sin embargo, aun cuando muchos latinos empiezan a utilizar y depender de tales mecanismos (en algunos casos al punto de que tal utilización puede convertirse en una adicción debilitante), dichos mecanismos están perdiendo su base de financiamiento y muchos dejan de existir. La desorientación resultante contribuye a varios fenómenos contradictorios que son hasta cierto punto reacciones a las presiones (incluso, el racismo, el desempleo, etc.) que se hallan en el proceso de asentamiento: un incremento en el abuso de los niños y de las mujeres, en la participación en pandillas, la toxicomanía, el crimen, etc., la «marginalización» y «lumpenización» de muchos, al mismo tiempo que algunos latinos que han hallado una movilidad social relativa al constituirse como un sector de mediadores de servicios para la población latina en general no pueden aún desempeñar esa función por el síndrome general de la falta de financiación de los servicios para los pobres.

3. Apuntes fundamentales

Podríamos seguir elaborando una serie de observaciones sobre los problemas y los peligros pertinentes al análisis de la vida y el desarrollo latinos. Pero dado el enfoque cultural de nuestra contribución, y dada también nuestra insistencia en la importancia de los asuntos culturales en relación con este conjunto de problemas, podemos tratar de codificar un tanto nuestra orientación mediante los postulados que siguen (de hecho, solamente algunos de los muchos puntos posibles) sobre el futuro latino:

1. En los años que vienen, los latinos en los EE.UU. serán un pueblo que pasará por un proceso conflictivo y doloroso de transformación, un proceso marcado además por los esfuerzos constantes y contradictorios por mantener sus patrones e identificaciones existentes mientras que tratan de modificarlos y transformarlos, en un intento de mantener un equilibrio relativo en medios de los cambios de la sociedad en general.

2. Durante ese período de transición, muchos latinos seguirán intentando una asimilación total a la sociedad capitalista o «anglo», pero la gran mayoría no logrará una asimilación completa. Por cada persona que lo quiere, va a haber muchas otras tan enajenadas por una sociedad basada en la dominación de clases, el racismo institucionalizado y la opresión, que no van a querer una integración o, por lo menos, van a experimentar un conflicto entre un deseo consciente y una resistencia subconsciente. E incluso muchos trabajadores latinos que tal vez quieran integrarse a un nivel de igualdad en el «mainstream» norteamericano no van a poder hacerlo, porque su papel marginalizado como una reserva de fuerza de trabajo barato será demasiado conveniente para ciertos grupos poderosos y calculadores dentro del país.

3. Entonces muchos latinos seguirán buscando su consuelo y alivio del sufrimiento de la dominación social y la discriminación en lo que puedan salvar de sus valores y relaciones tradicionales.

4. Pero los complejos culturales latinoamericanos no podrán durar como son en un mundo cambiante, y si la sociedad estadounidense sigue evolucionando en la dirección actual, la cultura latina puede hacerse menos y menos capaz de satisfacer las necesidades, de proveer todo lo que los gobiernos de dominación en Iberoamérica no podían proveer. En estas circunstancias, podemos esperar ver una posible agudización de los peores efectos que ya están ocurriendo a mucha gente: desempleo incrementado, pobreza incrementada, más crimen y abuso de drogas, más hostilidad entre los recién llegados y los sectores establecidos, hostilidad aumentada entre latinos de diferentes países o diferentes regiones del mismo país de origen; la ruptura de familias y de comunidades enteras, luchas entre católicos y nuevas agrupaciones protestantes, la supervivencia y afirmación agresiva y a veces chauvinista de las dimensiones más negativas y regresivas de la cultura.

5. De hecho, a menos que los latinos puedan desarrollar las dimensiones más positivas de su legado cultural en maneras que integren una dimensión política progresiva, capaz de superar ciertas divisiones comunitarias basadas a veces en ciertos aspectos de la cultura en sí (por ejemplo, el nacionalismo, el regionalismo, el racismo, el compadrazgo, el machismo, el caciquismo, etc.), a menos que los latinos puedan formar alianzas viables y luchar efectivamente por metas

y valores comunes, grandes números se perderán en los recintos oscuros de la vida norteamericana, en una sociedad que se moverá más y más hacia una división entre ricos y pobres, los que tienen y los que no tienen.

6. Un estudio progresivo de la cultura latina de los Estados Unidos implica un examen de los modos prevalentes y potenciales de identificación latina en función de su posible activación para forjar la unidad grupal, alianzas entre diversos grupos latinos, otras minorías oprimidas y varios sectores de clase. Una identificación con las luchas populares de América Latina y de otras partes es una dimensión de lo que está en juego aquí. La meta, después de todo, es encontrar las bases para generar una respuesta viable y organizable a las condiciones de explotación y exclusión.

7. Crucial en el estudio de la cultura latina de los Estados Unidos es la capacidad de captar las dimensiones iberoamericanas y estadounidenses, hispanas, indígenas y africanas a la vez. Pero las divisiones de clase y de estructura académica han dejado a la mayoría de los hispanistas y latinoamericanistas de hecho fuera del desarrollo y de los avances de estudios de los latinos de los EE.UU. y solamente figuras como Gilberto López y Rivas, Martin Lewis y el difundo Joseph Sommers han trabajado cómodamente en los estudios iberoamericanos y latinos. Dados los factores especificados arriba, es importante romper las barreras entre los campos y lanzar un acercamiento más integral a la cuestión. Sobre todo, se debe poner en claro que los estudios latinos no son meramente una rama de los estudios de los Estados Unidos, o lo que mal nombran allá «American Studies» —como tampoco son parte solamente de los «Estudios Hispanos»—.

8. Los esfuerzos de los especialistas chicanos y puertorriqueños instalados en los Estados Unidos para definir sus complejos culturales en sí son importantes sin duda. Pero estos complejos solamente pueden alcanzar una definición plena cuando se vean como fenómenos diferenciados e históricamente cambiantes, en relación con las realidades latinoamericanas, caribeñas y latinas de los Estados Unidos en cuanto que estas realidades se relacionan con el mundo estadounidense y con el mundo más allá.

9. Especialmente importante y sintomático en cualquier análisis de la cultura latina de los Estados Unidos es el hecho de que esta cultura no es un fenómeno que se pueda analizar en su nivel más profundo en función de parámetros estrictamente geográficos. Mientras que el sudoeste de los Estados Unidos ha dominado inevitablemente los esfuerzos pioneros de los estudios chicanos, por ejemplo, todas las olas sucesivas de la inmigración desde partes diferentes de México y los patrones variados de la emigración desde y a partes diferentes de los EE.UU. han resultado en una compleja y frecuentemente sutil red de diferenciaciones y convergencias que se tiene que reconocer y definir en cualquier intento de conceptualizar y forjar cualquier teoría unitaria y coherente sobre las realidades de la cultura chicana. En los estudios necesarios para formular tal teoría, el énfasis creciente tendrá que recaer sobre los grupos que no son del sudoeste. Sin duda, una vez que se descentralizan los estudios chicanos, el mito de «Aztlán» y aun el nombre «chicano» se vuelven más problemáticos, aunque claro, las preocupaciones latinas sobre el espacio grupal y familiar y por un nombre que sirva para todos seguirán estando vigentes.

10. Además, la cultura latina requiere una diferenciación con respecto a las otras culturas minoritarias o étnicas, y de complejos estrictamente inmigrantes, primero por la presencia prolongada de larga duración de los puertorriqueños y mexicanos dentro de territorios tomados directamente por los EE.UU.; segundo por el hecho de la frontera común; y en general por la

existencia continua de un patrón migratorio de dos sentidos entre los EE.UU. y México, los EE.UU. y Puerto Rico.

11. Mientras haya aspectos del desarrollo de los EE.UU. y de la historia y la cultura latina dentro del país que generen tendencias de creciente diversificación y desunificación latinas (incluyendo diferenciación de clase y de afiliación política, etc.); y mientras ciertas dimensiones culturales (la orientación hacia el espacio, el tiempo y la muerte, la manera de medir y evaluar lo individual y lo comunal, la orientación a la familia y la definición que se da a la familia en su forma extendida, etc.) vicien los esfuerzos para forjar una unidad social más amplia entre los latinos y entre ellos y ciertos grupos no latinos, habrá, sin embargo, otros factores, resultantes principalmente de los efectos de la dominación, que sugieran una unidad latina más grande para el futuro y un impacto aún más grande sobre las sub-totalidades latinas y angloamericanas.

12. Una de las dimensiones más complejas y cruciales de la unidad latina ha sido la retención de características que se han definido como pre-capitalistas», «pre-industriales», «católicas», «agrarias», «españolas», «dependientes», etc. Se ha argumentado que estas características dejan que los latinos sean calificados como relativamente «disfuncionales», «sub-privilegiados» o «subdesarrollados» dentro del inmenso sistema productivo inmensamente racionalizado que rige en la sociedad estadounidense. Pero tales características pueden probar ser un resorte o una reserva de fuerza contra los efectos corrosivos del avance capitalista y tecnológico. De hecho, sin ponernos en plan romántico y sin olvidar la funcionalidad de rasgos supuestamente precapitalistas dentro de los sistemas avanzados (por ejemplo, el papel del catolicismo como religión de los trabajadores no anglo-africanos) un futuro más humano para todos los pueblos puede depender en parte de la conservación de tales rasgos entre los latinos y la «latinización» de los no-latinos.

13. Aunque los latinos hayan sido lentos en absorber los valores y patrones productivos de los «anglos» dominantes, su situación dentro de las ciudades estadounidenses les ha conducido a absorber y reforzar ciertas actitudes de hostilidad (y hasta el racismo), pero también a un proceso de «aculturación lateral» con otras culturas minoritarias o étnicas. Aunque con cautela y a veces con resentimiento los latinos son a la vez receptores y generadores de un proceso sincrético de aculturación lateral obrera (incluso entre latinos de diferentes países) que puede constituir un recurso primario y potencial para un futuro latino en lucha unida con otros trabajadores.

14. El lugar particular que los latinos tienden a ocupar en la estructura laboral es, por supuesto, un factor fundamental en su preservación de rasgos culturales «disfuncionales» y al mismo tiempo su potencial para alianzas y acción. Pero el lugar especial de los latinos entre trabajadores latinoamericanos y estadounidenses hace el análisis de la cultura latina un asunto importante para la consideración de las transformaciones futuras en los Estados Unidos y la posibilidad de forjar alianzas internacionales que podrían afectar el futuro de las Américas y del mundo.

15. En cualquier estudio de la cultura latina con metas progresistas, se tiene que hacer una distinción entre la ideología de la cultura y la cultura misma de cada grupo o subgrupo; también entre los productos culturales específicos (en el arte, la música, la literatura, etc.) y la «pequeña tradición» del legado cultural oral y popular, es decir, de las tradiciones de lenguaje, interacción social, etc.: entre lo que la gente dice que cree y hace y cómo verdaderamente actúa en las situaciones concretas. Entonces en el análisis cultural desde una perspectiva socio-histórica deben relacionarse los productos culturales con las principales preocupaciones y realidades mayoritarias dentro de los grupos estudiados. Se tiene que comparar una novela chicana, es decir, una obra

«culta» escrita por un chicano sobre la vida chicana, por un lado, con los productos culturales (tele-novelas, dramas y seriales de los medios de comunicación) que los chicanos consumen y también por el otro lado con la vida de la gente. Hay que hacer una determinación de la relación entre los «ideólogos» de la cultura del pueblo y la cultura del pueblo en sí.

16. Idealmente, un estudio de la cultura latina desde la perspectiva establecida aquí tiene que incluir una síntesis de las contribuciones de los especialistas de varias disciplinas: especialistas en antropología porque nuestro objeto es la cultura; especialistas en sociología porque la cultura no es «inocente» con respecto a asuntos de clase o grupo social; especialistas en historia, porque la cultura es histórica e implica una comprensión de los procesos de transmisión, aculturación, transformación y resistencia, en relación con las presiones de la industrialización, la urbanización, la modernización, etc.; especialistas en sociolingüística porque el lenguaje es el modo de expresión y comunicación cultural que más se presta al estudio objetivo y más vincula la vida cotidiana a las corrientes históricas más amplias; especialistas en la literatura, ya que la literatura de la vida latina en su arca dramática de desarrollo y elaboración es el nexo vivido entre la tradición oral y el mundo de la «cultura de imprenta» o el mundo contemporáneo en sus manifestaciones nacionales e internacionales. Se necesitarán también otros especialistas diversos, tanto como personas que participen activamente en el asentamiento y el desarrollo comunitario de los latinos. A fin de cuentas toda la actividad en este terreno se tiene que centrar en los recursos humanos potenciales y su desarrollo posible en nuestras circunstancias actuales y probables.

17. En los estudios necesarios, claro que se notarán divergencias entre los ideólogos e intelectuales y los grupos que ellos supuestamente representan. Uno puede defender las diferencias en función de «conciencia real» y «conciencia posible», o un sinnúmero de conceptos. Pero por supuesto, se tiene que guardar un grado de escepticismo. Sin embargo, y evitando concepciones de vanguardia, etc., se debe tener en cuenta que la gran mayoría de los intelectuales latinos son los hijos e hijas de los trabajadores cuyos procesos culturales son la base de la identidad latina que los intelectuales estudian. Es decir, que la probabilidad de que los intelectuales puedan servir como «intelectuales orgánicos» es bastante grande. Se debe notar que desde los años 60, los latinos han producido un sinnúmero de intelectuales importantes, y que el estudio del universo latino es ya un asunto bastante desarrollado, entre los latinos mismos. Pero también se debe notar que la inmigración continua de gente desde México, América Central y otras áreas implica que los instrumentos y dimensiones de estudio siguen cambiando y que varios conceptos antes de moda (por ejemplo, el mito de Aztlán) no tienen la misma relevancia por lo menos consciente para los recién llegados y tiene tal vez menos relevancia para el estudio del agregado latino en el que ellos ya participan. A pesar de la amnistía, podemos adivinar que la inmigración latina continuará, y que el agregado social seguirá cambiando en estructura, índole y relaciones internas y externas. En este contexto, podemos decir que todo lo que hemos conocido como la vida, la historia y la cultura de los cichanos, puertorriqueños, etc. de los Estados Unidos constituye nada más que la prehistoria de tales fenómenos y de las luchas latinas, también, del futuro. En anticipación de este futuro, se necesita desarrollar más entendimiento y, claro, más intelectuales orgánicos que nunca. Aunque, finalmente (y tal vez sea mi deber sugerirlo) las perspectivas y contribuciones de los no latinos también han tenido y seguirán teniendo su valor.

18. El asunto en cuestión es una de las posibilidades sociales, culturales e individuales en un mundo de recursos limitados. Se tiene que afrontar este asunto en cada comunidad y región donde hay concentraciones de latinos, pero también hay que afrontarlo a nivel nacional e internacio-

nal. En este último nivel, por sus relaciones históricas, culturales y lingüísticas, el posible papel de España no es insignificante.

4. Chicago como componente y ejemplo del mundo latino

Sin duda, una de las regiones donde menos se ha estudiado el fenómeno latino es el medio-oeste. La situación indicada en un número de la revista *Atztlán* (verano, 1976) dedicado al área ha cambiado, pero no tanto: los estudios del área y sus poblaciones latinas están comenzando, y los estudios sobre ciertos grupos latinos casi no existen. A este respecto, el medio-oeste está muy atrasado comparado con el sudoeste, el oeste y el este de los EE.UU. Todo eso es lamentable, pero también animador, ya que nos indica que hay mucho que hacer. Como dijo Gilbert Cárdenas en el número de *Atztlán* señalado:

«Sabemos poco del comportamiento clasista diferencial de los chicanos y de las variaciones en la experiencia entre los diversos sectores de la población de habla hispana en las comunidades del medio-oeste, como los ancianos, los jóvenes, las mujeres, los trabajadores, etc...» (página 143). «A pesar del reciente crecimiento de la atención prestada a los grupos minoritarios, los grupos étnicos de habla española siguen siendo ignorados y olvidados» (página 156).

Aunque podríamos apuntar los avances desde 1976, todavía hay muchísimo que estudiar sobre los latinos del medio-oeste (3). Y el estudio del asunto es importante, porque el medio-oeste es un área en donde se puede esperar una gran expansión de población y cultura latina en los años que vienen, y además porque en los centros metropolitanos como Chicaco, tenemos los microcosmos tal vez más completos de la variedad de los pueblos y los problemas que componen todos los centros latinos más conocidos.

De hecho, el caso de Chicago en sí es bastante importante en su tipología y excepcionalidad con respecto a la región y el país. Se tiene que notar que la ciudad es una de las capitales mundiales de la inmigración, y que se puede ver la inmigración latina en este contexto internacional tanto como en el contexto regional. También de todas las ciudades del norte y el medio-oeste, Chicago tiene probablemente la historia más rica de inmigración latina continua, y el asentamiento y el desarrollo de esta población están ligados íntimamente al desarrollo de la base industrial y comercial de la ciudad, es decir, a las mismas fuerzas que serán cruciales en el pasado nacional y regional y que serán cruciales para el futuro. En Chicago, todos los puntos mencionados arriba hallan su especificidad en una variedad en situaciones que afectan el desarrollo social y cultural, tanto como cada dimensión de la vida cotidiana. Los latinos han sido una presencia importante en esta ciudad, y la ciudad ha sido un centro importante para los latinos de los EE.UU. a comienzos especialmente de los años 20. Los latinos constituyen un 20 por 100 de la población total de la ciudad, y muchos miles más en la zona metropolitana y en noroeste de Indiana. Es uno de los grupos de Chicago que ha crecido más rápidamente en tamaño e importancia. Y casi sin reconocimiento o estudio, la población ha crecido tanto que Chicago ya es la cuarta ciudad latina en todo el país.

(3) Para el avance más importante ver Padilla, *op. cit.,* y su libro reciente, *Puerto Rican Chicago* (Notre Dame, IND, University of Notre Dame, 1987).

Además es una de las ciudades en las que los problemas de las pandillas, drogas y «dropouts» entre los latinos han llegado al punto de crisis, pero donde también la lucha por la representación política y la búsqueda de alianzas políticas con los negros y otros sectores han sido más intensas y en una manera y otra, más prometedoras.

Hay otros puntos que se deben subrayar con respecto a Chicago y su población latina. Los latinos de Chicago constituyen un grupo entre muchos que han experimentado un proceso de inmigración y asentamiento continuo en la ciudad. Algunos de los otros grupos ya han sido objeto de varios estudios y esos estudios pueden servir en nuestro intento de comprender la experiencia latina. La población latina de Chicago tiene una mezcla significativa de ancianos y jóvenes, nuevos y viejos inmigrantes, hombres y mujeres; una variedad de oficios y profesiones; diferencias importantes en regiones de origen y en raíces socioeconómicas y raciales. También es importante subrayar que comparado con los otros centros de inmigración latina, Chicago es el lugar donde las inmigraciones dominantes de mexicanos y puertorriqueños se juntan más, y también donde la población mexicana es más específicamente primera, segunda y tercera generación inmigrante, es decir, de México más que del sudoeste de los EE.UU. Chicago además es donde el flujo dominante mexicano-puertorriqueño se juntaba con grandes contingentes de Cuba, Centroamérica, Colombia, Ecuador y todos los otros países de Iberoamérica. Mientras que los mexicanos empezaron a llegar durante los años 20, la inmigración puertorriqueña empezó en grande después de la segunda guerra mundial. La inmigración y el crecimiento de la población borinqueña ha seguido de tal manera que Chicago ya figura como la tercera ciudad puertorriqueña en el mundo. La ola de la inmigración cubana vino después de la revolución, cerca de 1960, y los miembros de otro grupo grande, los «marielitos», llegaron en 1980. De las otras poblaciones, los grupos de mayor inmigración a Chicago han sido los salvadoreños y los guatemaltecos que han huido de las situaciones existentes en sus países de origen.

Se debe notar que hay muchísimo que hacer y mucho que criticar, pero los latinos del área tienen una tradición de organizarse de múltiples maneras, y por lo menos, hay ya ciertos logros en el estudio del desarrollo latino en Chicago. Las divisiones entre las nacionalidades latinas y entre las clases y segmentos dentro de las comunidades latinas han impedido una unidad profunda; pero hay ciertas tendencias hacia la unidad entre las muchas organizaciones, asociaciones y aparatos sociales, culturales y políticos, muchas emisoras de radio y televisión, periódicos, centros comunitarios, clubes, etc., que existen y a veces compiten en la ciudad. Pero hay historia de lucha sindical, y están las luchas recientes para una participación política más amplia que indica nuevos niveles de desarrollo y liderazgo dentro de las comunidades (4).

En resumen, por las razones arriba mencionadas y sus corolarios, Chicago es uno de los lugares clave para examinar y probar algunas de las soluciones de los problemas implícitos en la inmigración y el desarrollo latino. De hecho, muchos esfuerzos pasados proveen modelos modificables, y en ciertos casos, aparatos, organizaciones e instituciones concretas ya activas y con mucha experiencia en el trato con ciertas dimensiones sociales y culturales del complejo de la inmigración y del asentamiento comunitario. Centros de investigación local, como el Instituto Latino y varios programas interrelacionados dentro de las universidades y algunas instituciones y organizaciones

◆

(4) Renato Barahona, *Chicago Latinos & Oral History: A Brief Guide to How, What & Why,* ed. with Marc Zimmerman and James Bennett (Chicago, LAST Publications, 1985), pp. 6-7.

comunitarias han establecido ya las bases para los trabajos futuros necesarios en términos de estudio y de acción. El establecimiento de una comisión latina del municipio para la alcaldía (the Mayor's Commission on Latino Affairs) y la creación de una serie de subcomités latinos promete fomentar el bienestar latino y una agenda de prioridades y tareas como parte de lo que el reverendo Jesse Jackson ha designado como una «coalición arco iris». En este contexto, el desarrollo de entidades como el «Mi Raza Arts Consorcium», el Museo Mexicano de Bellas Artes, etc., nos dan esperanza para un futuro de calidad.

5. Posibles direcciones, investigaciones, relaciones

No se pueden abarcar todas las dimensiones de la presencia latina. Los problemas que hemos tocado van a requerir soluciones creativas, y podemos imaginar una situación en la cual la fuerza antilatina/antihabla española se aumentará. Están aquellos que sueñan con un hemisferio donde la cultura hegemónica sea la latina, y hay otros que tienen el mismo sueño, pero lo ven como una pesadilla que hay que evitar. Tienen miedo del bilingüismo, del creciente uso del español, etc. Y a veces, incluso hablan de «oportunidades iguales» para todos, cuando su argumento es culturalista y básicamente racista (5). Por otra parte, se pueden indicar los problemas del racismo y chauvinismo dentro de las comunidades latinas; se puede hablar de alianzas necesarias y el hecho de que tengan mucha dificultad por razones que pueden ser objetivas y verdaderas pero que también pueden tener más que ver con el prejuicio.

Para prepararse para todos los fenómenos dominantes de hoy y mañana, se necesitan por supuesto los estudios sociológicos concretos y objetivos; pero también se necesita enfocar más qué se da hoy día en los asuntos culturales, qué tienen que ver las tradiciones y transformaciones culturales de los latinos en su vida cotidiana, así como la expresión de sus artistas representativos. Sobre la producción literaria y artística podríamos decir mucho; también hay que recalcar la necesidad de trabajo en los campos de la historia oral y la cultura popular. Pero aquí solamente quisiera apuntar la necesidad de estudios de las bases concretas de los pueblos que llegan a los Estados Unidos, y también de las dimensiones culturales e ideológicas que se articulan en cada lugar y que nos ayudarían a entender mejor las actitudes, valores y actividades de los que ya residen y interactúan en los EE.UU. Tenemos la posibilidad de estudiar el «pachuquismo», las pandillas, la vida de las cantinas mexicanas y los colmados puertorriqueños; podríamos tratar el desarrollo de las iglesias protestantes dentro de las comunidades latinas; podríamos examinar las muchas publicaciones, las presentaciones de los medios de difusión masiva, las presentaciones culturales y comunitarias. Podríamos estudiar el feminismo latino, las subculturas homosexuales, santeras, etc. dentro de la comunidad; las interrelaciones mexicano-puertorriqueñas o cubano-puertorriqueñas, y las interrelaciones de los varios grupos latinos con otros grupos étnicos no latinos, por ejemplo, relaciones negras-latinas, etc. Todo eso, se debe desprender de los estudios que se han hecho en el Centro Puertorriqueño de Nueva York, o en los varios centros chicanos en California y otras partes del sudoeste. Pero, como se ha indicado, también deben incluirse las instituciones de Chicago y de otras partes del medio-oeste como un área que se tiene que estudiar si se quieren abarcar todas las dimensiones claves de la totalidad.

(5) Ver Richard D. Lamm y Gary Imhoff, *The Immigration Time Bomb: The Fragmenting of America* (New York, 1985).

Al explorar las raíces hispanas, africanas e indígenas de la cultura latinoamericana y latina, el papel de España puede ser importante. Se puede pensar en una serie de intercambios por parte de investigadores, periodistas, etc. También se puede pensar en intercambios de estudiantes, haciendo distinción clara entre los estudiantes que representan la clase media latinoamericana y los que más bien son hijos de padres de la clase trabajadora y del grupo minoritario dentro de los EE.UU. Pero antes que nada se tiene que fomentar el entendimiento y la comprensión. Los de España tienen que superar cualquier tendencia paternalista hacia los latinos, a imponer sus propias formas de hablar y vivir «lo hispano» como la norma deseable, etc. Se tiene que recalcar la multiplicidad racial y cultural de los españoles; se tiene que desarrollar una perspectiva positiva, pero crítica y honesta sobre el pasado y el presente. Y, por supuesto, también los latinoamericanos tienen que superar sus prejuicios, y a veces la manipulación de la «leyenda negra» y otras imágenes para el beneficio de ciertas capas que ven el fomento de viejos problemas y odios como una manera legítima o por lo menos útil de adelantar sus propios intereses. Si se pueden transcender los odios, los prejuicios, y las grandes torpezas y estupideces históricas, quizá se pueda hablar de una contribución positiva de la interacción de los españoles y los latinos de los EE.UU. para ayudar a la resolución de los problemas que afrontan los pueblos hispanos, latinos, etc. y todos los pueblos en el esfuerzo de forjar un futuro más humano.

Comentario 1

Como el único no hispano en esta conferencia, y también como representante de los muchos no hispanos hispanizados o, como decimos en Chicago, como uno de los «latinizados» en los EE.UU., tal vez puedo contribuir a nuestra discusión al hablar precisamente de eso, es decir, al hablar no de la «americanización», o más correctamente formulada, la «anglización» de los hispanos, sino en la posible latinización de los EE.UU. En este sentido, valdría la pena revisar algo de mi historia personal. Mi formación como un ser latinizado tal vez comienza en la frontera de California y México —San Diego y Tijuana—. Allí aprendí de lo mexicano; pero tal vez mi aprendizaje fue más intenso en las zonas más alejadas del sudoeste, en Minnesota, casi en la frontera con Canadá, donde trabajé con los chicanos de Minnesota y especialmente con los texanos-mexicanos que llegaron (y llegan) cada año para trabajar en los campos. El proceso de latinización siguió por medio del matrimonio y la experiencia de ser padre de un niño latino. Siguió en España, en México y Centroamérica, pero también en los campos de trabajo en Texas y Florida, en el campamento de los marielitos en Wisconsin, y finalmente en Chicago a donde vienen todos los latinos, de todas partes de América Latina y los EE.UU. A fin de cuentas, se puede decir que el fenómeno latino no termina con los latinos, y también que la frontera no es necesariamente un lugar geográfico sino una forma de pensar y sentir.

Ver nuestra discusión dentro de un contexto internacionalista también me parece importantísimo, especialmente cuando se toca el tema de una visión del futuro para todos los latinos y latinoamericanos. En este contexto, se debe subrayar la situación latina vis-a-vis los proyectos políticos de los EE.UU., y también vis-a-vis el proceso de crecimiento tecnológico que pasa a través de la dominación hegemónica anglosajona y dentro de un modelo capitalista suyo, que no tiene que ser el único modelo.

No exige mucha imaginación ni poder conceptual el darse cuenta de que más que otra cosa, hablar sobre lo hispano en los EE.UU. es hablar sobre una capa importante de la clase trabajadora, una capa que participó marginalmente en el desarrollo industrial y que ahora participa con dificultad en el proceso postindustrial. También hablar del latino es aludir al modelo capitalista estadounidense que nos lleva a un análisis del desarrollo y de las vicisitudes de un imperio, especialmente en relación con Iberoamérica, pero también en relación con las luchas internacionales. No debemos olvidar que los latinos pueden servir no solamente como trabajo barato en los restaurantes y los campos sino también como una fuente fecunda de soldados rasos en las guerras del imperio, y aún como un recurso especial en las guerras centroamericanas. Y claro, dentro del imperio, hay otros papeles que pueden desempeñar, hasta tal punto que tenemos que preguntarnos si estamos tratando de un pueblo o varios pueblos con ciertas cosas en común que los ligan a nivel cultural, racial o nacional, pero también ciertas diferencias y semejanzas que los agrupan en función de capas y clases sociales.

Claro que las diferencias de clase se complican con las semejanzas culturales y sin duda hay un intento constante de esconder los intereses de clase debajo de una llamada a la unidad cultural o étnica, en terminos de compadrazgo, o «raza». Así, que con el nacionalismo y el latinoamericanismo se puede jugar de varias maneras para establecer divisiones y unidades.

En el intento reciente de establecer una unidad que trascienda lo nacional, hemos visto una lucha sobre nomenclatura que se debe notar desde el principio. Se pelea por nombres, nombres como «mexicano», «chicano», «mexicano-americano», «mexicano-chicano», etc. Hay unos que son conscientes también de que lo «americano» no puede referirse solamente a la gente de «USA», y que de hecho el único pueblo sin nombre son los de USA (quienes han tratado de apropiarse del nombre de todo el continente, además). Entonces nos esforzamos por hallar un nombre para todos los latinoamericanos de los EE.UU. —los de USA, de habla, cultura o nombre español—. ¿Quiénes o qué son? Trato de explicar este punto en la presentación que escribí para esta conferencia; pero creo que vale la pena recalcarlo aquí, en este contexto al principio de nuestras discusiones. Se ha empleado el nombre «hispano», y de hecho ya es la palabra que se usa más frecuentemente en los documentos legales y en la prensa. Pero hay muchos «hispanos» que rechazan tal nombre y de hecho, prefieren el término «latino». ¿Por qué? Para negar que el nexo sea simplemente España; para rechazar un nombre que excluye a los brasileños, haitianos, los martinicanos, etc. Pero más importante aún es que se siente que las palabras «hispano», «hispanic», «Spanish», etc. tienen que ver con el intento anglosajón condescendiente hacia los latinos, para decir, «oh, usted es pues... blanco europeo. Oh, usted no es como los otros». Es decir, que usted es hispanic pero no «spic». A fin de cuentas, con el uso de la palabra «hispanic» hay un intento de borrar (como una «cortesía») las raíces indígenas y negras, las raíces americanas y africanas de la identidad latinoamericana. Dado este intento hegemónico (en el cual cooperan muchos latinos inconscientemente y otros conscientemente), tenemos la posición opuesta para usar el nombre latino. Claro que el término tiene una lógica antigua, que alude al imperio romano, las lenguas románicas, la religión de Roma, y aun la ley. Pero usar el término *latino* hoy es afirmar paradójicamente las culturas y los pueblos dominados por la civilización mediterránea y su expansión en el nuevo mundo. Es también afirmar la lucha contra el racismo y aun el clasismo. Es afirmar la base trabajadora de la gran mayoría de los «hispanos» en los EE.UU. Es negarse a cooperar con el racismo y clasismo dentro de los latinos mismos. Es afirmar la latinidad en contraposición a una identidad integrada con los poderes dominantes y su voluntad de nombrar y controlar todo.

Ahora bien, con respecto a lo que toca a mi especialidad de la literatura, en mi trabajo estudio la relación entre los procesos sociales de los latinos y las transformaciones culturales como se expresan y se proyectan en la literatura. Pero, claro, aquí se tiene que pensar en relaciones complejas, en continuidades y discontinuidades, en acercamientos y alejamientos de la realidad, en la relación entre el escritor y el grupo que el escritor o la escritora supuestamente representa, entre su público hipotético y el público verdadero que consume su producto. Algo lamentable en los EE.UU. es que los lectores latinos son muy pocos, a pesar de los trementos esfuerzos de empresas como la Prensa Arte Público de Nick Kanellos de producir y promocionar esta literatura. Pero esta literatura está en un proceso claro de desarrollo y profundización. Para bien o para mal, ha podido expresar ciertas tendencias verdaderas tanto ideológicas como materiales; pero sobre todo, tal vez porque los autores no son completamente típicos de los latinos, sino que han servido como intelectuales orgánicos de ellos, han podido probar en el mundo de la creación y la imaginación ciertas direcciones posibles de la vida latina; han podido anticipar problemas y soluciones; han creado mitos e ideologías que contribuyen a forjar el futuro latino.

Comentario 2

Normalmente trato de entender a la población latina en términos de sus problemas al enfrentarse a una sociedad individualista y a la vez capitalista con una cultura basada en formas comunales y precapitalistas. Es decir, que realzo los aspectos culturales que tienen que ver con las actitudes y las costumbres basadas en la importancia y la naturaleza de parentesco como básico en la organización y funcionamiento grupal. Trato de ver el conjunto de valores latinos no solamente como síntesis de «lo hispano», sino también de lo indígena; también trato de entender la contribución africana en el nuevo mundo, pero en lo específicamente hispano, trato de seguir la tradición que realza la diversidad hispana, que realza el papel africano y sobre todo el papel árabe-judío en la formación de las actitudes que tienen que ver con conceptos de tribu, de raza, de sangre, de honor, de parentesco, de papeles sexuales, de tierra y de tiempo, de propiedad, de vida, de muerte y en general de identidad. En este sentido parte de la problemática de los latinos al tratar de sobrevivir y vivir una vida creativa dentro del sistema de los EE.UU. tiene que ver con lo que se llama (en la lengua de ordenadores o computadoras) el «interface» de los valores y orientaciones latinas con la civilización anglosajona/capitalista. Sin duda, muchos latinos sufren porque tienen valores y actitudes que, a pesar de sus muchas transformaciones, todavía transpiran una lógica comunitaria, agrícola, esto es, semifeudal. Y entendemos que hay muchos que incluso son expertos en computadoras, pero entendemos también que la masa trabajadora latina tiene formas de vida que más bien se ajustan con formas pre y no postindustriales. Y también sabemos que estas formas de vida (e inclusive las formas de cortesía y la religión católica) encajan perfectamente bien en el mundo capitalista, pero como formas de un «under class» en lo que se llama un «mercado de trabajo dual». Sabemos que el «Yo soy quién soy» latino no tiene que ver con la identidad individualista, protestante o existencialista, sino con formas sociales. Sabemos que el honor y la lealtad al compadre son formas fuera de modo que no van muy bien en el mundo donde domina el «cash nexus» y el estilo McDonalds o «yuppie». Pero también sabemos que en el desierto de valores postindustriales, del impersonalismo, del desarraigamiento y nomadismo, hay mucha atracción hacia ciertos valores latinos, y la esperanza de que sobrevivan por lo menos ciertas dimensiones, no el machismo, tal vez, pero el sentido de familia, no el compadrazgo hasta la muerte, pero sí algo de lealtad, algo que no sea puro interés «racional». Entonces hay muchos que no son latinos y tienen interés en la latinidad. Pero no se debe ver eso puramente como un producto de nostalgia anticapitalista, antimoderna. Hay muchos latinos que argumentan que el esfuerzo de guardar la cultura contribuye al mantenimiento de los latinos en situaciones de marginalización y pobreza. Y claro hay quienes quieren lo mejor de los dos mundos; quieren combinar «lo mejor de lo "anglo" con lo mejor de lo latino». Pero hay otros más (y yo soy uno de ellos) que argumentan que la gran mayoría de los latinos que pierden su cultura sufren un proceso de desarraigamiento que los dejan con las peores posibilidades de poner sobrevivir en el mundo moderno. Sobre todo, hay algunos de nosotros que persistimos en interesarnos por las tradiciones latinas de lucha y resistencia. Vemos un nexo entre las tendencias marxistas y no marxistas (las tendencias anarquistas, religiosas, etc.) de oposición y las varias luchas populistas y religiosas de los latinoamericanos y los latinos de los EE.UU. Vemos también un nexo entre la lucha de Las Casas, la lucha de José Martí y la lucha de César Chávez. Vemos que con la supervivencia de las tradiciones latinas no tenemos una perspectiva necesariamente conservadora, sino la supervivencia de elementos que no han sufrido una dominación completa y que pueden servir para forjar un futuro más fructífero para los latinos y para todos.

Comentario 3

Arturo Villar ha indicado dos deberes que él trata de seguir siempre y que aparentemente piensa que nosotros debemos guardar en la mente también: primero, contribuir a mejorar la sociedad y segundo, a la vez, no olvidar a los que no han llegado donde está uno y que por una razón u otra, se han quedado atrás. Creo que eso es pensamiento humanista y latino a la vez. Arturo Villar dice que ve la situación de los latinos en EE.UU. mucho mejor que antes. Eso obviamente contradice lo que yo he dicho de la situación latina. Yo personalmente he visto mucho progreso entre los latinos. He visto a muchos que han subido a posiciones de poder y respeto, he conocido muchos que ya tienen más confianza en el futuro o en el futuro de sus niños. Y ya hay muchas más cosas que antes. Hay más revistas, periódicos y libros, más programas de radio y TV (programas no solamente sobre sino *por* los latinos), más organizaciones comunitarias, más representantes a todos los niveles gubernamentales, etc. Tenemos el crecimiento enorme de una capa de intelectuales, tenemos una capa enorme de gente capacitada en muchos sectores de la sociedad. Sin embargo, lo que yo he visto, y lo que me dicen a mí las estadísticas que he leído, indica que los problemas para la gran masa latina siguen siendo grandes e inclusive peores que nunca. No es necesario repetir todos los problemas, sus causas y posibles soluciones. Pero yo creo que es nuestro deber enfocar los problemas y no olvidarlos y no negar la realidad, y hacer inclusive algo de autocrítica con respecto a la situación de bienestar de los más exitosos con la situación de los muchos latinos cuyo presente y cuyas perspectivas futuras no se pueden todavía contemplar como muy placenteros.

Finalmente, aunque en esta conferencia he tratado de recalcar el grueso de lo que veo como el lado más negativo de la situación latina, no quisiera terminar con una nota completamente pesimista, sino indicar que, por supuesto, la conciencia de las posibilidades negativas vive entre muchos, y hay muchos que están peleando y luchando por alcanzar una «negación de la negación». En este contexto, debemos notar que tal vez especialmente entre los latinos que no están al tanto del ritmo del avance modernizante del capitalismo estadounidense, hay ciertas bases culturales, ciertos «rasgos residuales» que han sobrevivido todavía en los procesos desiguales de aculturación, y que representan dimensiones culturales positivas, que pueden desempeñar un papel muy importante para rescatar a los latinos y no solamente a los latinos, sino a todos nosotros. Para decirlo de otra forma, lo que está en juego es el proceso de lucha por mantener lo que es humano, humano para los latinos, humano para todos quienes han pagado el precio de la modernización capitalista y que demandan sus reivindicaciones en cualquier nuevo orden internacional que se desarrolle en los tiempos que vienen. Es posible que, en la búsqueda de alternativas a los sistemas hegemónicos de nuestro tiempo, los pueblos de España y los pueblos latinos de América puedan hallar sus rasgos e intereses comunes y puedan luchar por un mundo más justo para todos.

PARTE TERCERA

ANÁLISIS SECTORIAL

Ernesto Barnach-Calbó

Prioridades y formas de cooperación cultural

Prioridades y formas
de cooperación cultural

La ponencia trata sobre prioridades y formas de cooperación cultural. Pero antes de referirme a éstas, creo conveniente suscitar algunas reflexiones sobre la minoría hispana en Estados Unidos que contribuyan a su mejor conocimiento y, por consiguiente, a mejor precisar el contenido y los objetivos de dicha cooperación.

Hay que considerar, en primer lugar, la enorme cuantía de la población hispana que, según los últimos cálculos del censo, supera las 18.800.000 personas. Lo que la convierte en la minoría de lengua extranjera más numerosa de la historia del país. De continuar su actual tasa de crecimiento —cinco veces superior a la de la población en su conjunto— debido a su mayor juventud y por consiguiente mayor fertilidad, inclinación a tener familias más numerosas y, en fin, a la persistencia de la inmigración —dada la persistencia de las causas que la originan— se convertirá en el año 2000 en la más numerosa del país con casi 35.000.000 o alrededor del 12 por 100 de la población total. Ello sin contar con los llamados ilegales cuya entrada en el país las controvertidas medidas inmigratorias, recién aprobadas por el Congreso, intentan impedir pero cuyas consecuencias son todavía imprevisibles.

Pero, además, a medida que sigue creciendo la población que nos ocupa se va haciendo más heterogénea. Tanto en su composición étnica; origen nacional —a los tres grupos principales de mexicanos, puertorriqueños y cubanos que representan las tres cuartas partes del total— hay que añadir un número cada vez mayor procedente de otros países latinoamericanos y caribeños; arraigo en el país: desde los descendientes de los primitivos hispanos del Suroeste mucho antes de la anexión de esta región por los Estados Unidos hasta los inmigrantes nacidos fuera del territorio norteamericano que constituyen las dos terceras partes de la población hispana; y situación socioeconómica y educativa tanto desde el punto individual como de grupo, si bien considerada en su conjunto está lejos de alcanzar a la población «anglo» siendo su nivel, en lo que a educación se refiere, inferior incluso al de la minoría negra.

La cuantía y heterogeneidad de los hispanos —pese a sus evidentes rasgos comunes— condiciona en buena medida sus opciones y actitudes así como las de los angloamericanos hacia ellos.

Respecto a los primeros si bien su gran número —concentrado en sus tres cuartas partes en seis estados y disperso el resto en proporciones variables en los demás— les confiere un peso creciente que a medida que se vaya acusando en las urnas debe llevarles a una representación política todavía escasa, su diversidad dificulta su unidad y diversifica sus opciones. No pocos analistas, sin embargo, al poner de relieve sus características mayoritariamente comunes sobre todo entre los inmigrantes —lengua española, religión católica, familia numerosa y extensiva, asentamiento urbano y en situación de aislamiento y segregación laboral— opinan que la hispana está evidenciando mayor resistencia a la asimilación que todas las demás minorías a lo largo de la historia del país y algunos incluso que va a resultar inasimilable. Es cierto que su grado de lealtad lingüística y apego a sus tradiciones son bien notables. Sin embargo, tales generalizaciones se antojan arriesgadas.

Parece más plausible, a la vista de lo dicho, que en el seno del abigarrado colectivo hispano se den diversas actitudes: la de los que desean conservar a todo trance su identidad étnico-cultural, rechazando la aculturación, corriendo por tanto el riesgo de permanecer marginados; la de aquellos partidarios de la asimilación total, rechazando su herencia cultural; la de aquellos otros que creen compatible la incorporación al sistema de vida norteamericano con el mantenimiento de sus señas de identidad al menos en la esfera privada, bien extendiéndolas, en la medida de lo posible, a la esfera pública, llegando incluso a producir, en un proceso dialéctico, una progresiva hispanización de la sociedad angloamericana.

Con respecto a los «anglos», la gran cuantía de la población hispana, repetidamente señalada, acentúa sus tradicionales recelos hacia los miembros de las minorías étnicas —sobre todo a los recién llegados— y en consecuencia ante todo intento de afirmación cultural de los hispanos. Tal como prevalece hoy día en la Administración y en amplios sectores de los medios de comunicación —incluyendo los más prestigiosos— y de la opinión pública en general; y como ejemplifica el movimiento ultraconservador «U.S. English» que pretende oficializar el inglés tanto a nivel estatal como federal y en consecuencia acabar con el uso del español en la escuela —la educación bilingüe— y en procedimientos y medios de apoyo al voto (papeleta bilingüe) y a la adquisición de la ciudadanía entre otros.

Según el profesor Fuchs de la Universidad de Brandeis los «anglos» sólo han permitido a las minorías mantener su propia etnicidad a nivel privado, habiéndose impuesto, felizmente en su opinión, a nivel público la cultura cívica dominante; o lo que es lo mismo el principio del «melting pot» por el que supuestamente acabaron asimilándose todas las minorías, salvo la indígena y la negra que aún permanecen en buena medida marginadas. ¿Cuál será el futuro de los hispanos? ¿Qué opción, entre las citadas, prevalecerá? Resulta aventurado intentar contestar a estas preguntas. No obstante, sus singulares características que la convierten no sólo en una población en formación debido a su juventud y al aporte constante de la inmigración, sino a menudo en «formación reactiva» —obligada a defenderse frente a una discriminación a la vez racial, social y lingüística y a organizarse para defender sus intereses— hacen abrigar esperanzas de que la minoría hispana pueda mejorar su situación socioeconómica sin verse obligada a arrancar sus raíces.

Es, por consiguiente, el deber de los países iberoamericanos, todos los cuales tienen en alguna medida residentes de su procedencia en Estados Unidos, apoyar a los hispanos que intentan llevar a cabo este doble objetivo mencionado, consistente en la mejora de su deficiente condición socioeconómica y en el mantenimiento de sus atributos étnicos, entre los cuales algunos de los más significativos compartimos. Veamos algunas formas de cooperación centradas en los siguientes temas:

La educación bilingüe

La educación bilingüe creada y aplicada principalmente para los hispanos es fiel reflejo de las ambivalencias y contradicciones que con respecto a su integración mantienen tanto los propios hispanos como los «anglos».

Tras veinte años de aplicación se encuentra en una situación de gran confusión a la que no es ajeno el hecho de que se haya convertido en un tema candente en el que lo político prima sobre lo pedagógico. Los hispanos la apoyan mayoritariamente habiéndola convertido en bandera reivindicativa independientemente, a veces, de su eficacia como sistema; mientras la Administración procura vaciarla progresivamente de su contenido, remitiendo su aplicación para los niños con limitado conocimiento del inglés a los distritos escolares en competencia con sistemas monolingües en este idioma, como el de inmersión y el E.S.L. (inglés como segunda lengua). Por lo que toda colaboración que se establezca en este campo —ya sea enviando profesores para impartir este tipo de educación a nivel primario como ha hecho el gobierno español en New York y San Francisco, y ofreciendo asistencia técnica a universidades norteamericanas interesadas en mejorar y revalorizar sus programas de formación de profesorado bilingüe— debe tener en cuenta estos factores así como la gran diversidad de modelos existentes. Tanto en lo que se refiere a las prácticas pedagógicas —programas de transición, mantenimiento y enriquecimiento— como a las organizativas —período bilingüe, distribución de las dos lenguas y composición de las aulas de enseñanza— según las situaciones escolares, actitudes y objetivos en cada caso, aunque la ley sólo se refiera al de transición que utiliza el español como mero puente para la enseñanza del inglés. Es precisamente la utilización del español con fines de mantenimiento lo que desata las mas acerbas críticas al considerar los «anglos» que ello va en perjuicio del aprendizaje del inglés y del contenido escolar.

Otras vías de cooperación en este campo son: organización de cursos y seminarios intensivos para profesores bilingües norteamericanos en países iberoamericanos con objeto de ampliar su conocimiento y didáctica del español y de la enseñanza en dos lenguas, familiarizándose con las experiencias de educación bilingüe intercultural en dichos países; ofrecimiento de becas para realizar estudios de postgrado e investigaciones sobre el bilingüismo, habida cuenta la escasez de estas últimas sobre todo en el ámbito iberoamericano y organización de reuniones de expertos con el fin de contrastar las diversas investigaciones y situaciones bilingües en las que el español esté involucrado, a saber, las correspondientes a países latinoamericanos con fuerte población indígena, Estados Unidos y España; y, por último, elaborando material didáctico para la enseñanza del español a estudiantes bilingües hispanos en todos los niveles, habida cuenta que esta enseñanza ha de ser por naturaleza distinta de la destinada a estudiantes «anglos» que aprenden español como lengua extranjera.

El español como lengua extranjera

Paradójicamente, al mismo tiempo que los angloamericanos rechazan cada vez con más firmeza la educación bilingüe y el desarrollo de las lenguas minoritarias, crece la conciencia de la falta de conocimiento de idiomas extranjeros que una comisión presidencial convocada hace algunos años a tal efecto consideró como poco menos que escandalosa con serias repercusiones para su seguridad, diplomacia, comercio y conocimiento del mundo exterior en general. La misma comisión —como también Paul Simon, actual candidato demócrata a la presidencia, en su libro *The tongue tied american*— puso de manifiesto el gran desaprovechamiento de los recursos lingüísticos que de más de treinta millones de personas con lenguas maternas no inglesas, entre las cuales más de la mitad habla español, representaban. La aportación que estos recursos, tanto humanos como materiales —prensa, radio, televisión, etc. en español— puede significar para el conocimiento, difusión y apreciación (aparte de su función en el mantenimiento de la lengua materna) del castellano por los «anglos», debe tenerse más en cuenta y justifica que incluyamos aquí el tema de la enseñanza del español como lengua extranjera. Hecho este, por otro lado, a menudo olvidado por los departamentos universitarios de español dado su tradicional academicismo. Así, por ejemplo, a pesar de su vocación acusadamente literaria, tales departamentos tienden a menospreciar, cuando no a ignorar, la creciente producción literaria de los hispanos, entre la que destaca la chicana a la que habría que apoyar y fomentar con objeto de que nuestro idioma adquiriera mayor prestigio, no sólo entre los «anglos», sino entre los propios hispanos.

En todo caso, el español sigue confirmando su hegemonía en todos los niveles educativos del país y, habida cuenta de que todas las previsiones señalan que seguirá creciendo, España y los países latinoamericanos deben colaborar con los departamentos de español y centros de idiomas para mejorar la calidad de la enseñanza del español tanto en sus métodos, sobre la base de metas o niveles de competencia, como en la formación y actualización del profesorado. Por último, propiciando intercambios a nivel profesional entre instituciones educativas norteamericanas e iberoamericanas, incluyendo la posibilidad que los profesores ejerzan la docencia durante un año académico. En el caso de los profesores norteamericanos de español en las instituciones educativas enseñando inglés como segunda lengua o participando como ayudantes de profesores nativos de español en caso de carecer del dominio suficiente para impartir la enseñanza del castellano pero, en todo caso, perfeccionando su conocimiento de nuestro idioma y consiguiente competencia docente.

María Jesús Buxó Rey

**A nuevos significados,
nuevas realidades culturales**

A nuevos significados,
nuevas realidades culturales

Partiendo de la idea de que la cultura es una construcción constante de estructuras de realidad, me resulta difícil asumir la univocidad entre tradición cultural, lengua e identidad. Como bilingüe de nacimiento y como antropóloga dedicada a estudiar contextos etnográficos pluriculturales, bilingües y multilingües, mi experiencia no se ajusta a las teorías que desde el amplio abanico de las ciencias humanas y sociales establecen una relación estricta entre identidad étnica, cultura y lengua.

Procedentes de modelos elaborados a partir de la uniformidad cultural, así como de ideologías etnicistas, estas teorías tienden a producir un fenómeno de mitificación que consiste en proponer la lengua como la variable que mejor define la cultura, así como ciertas ideas o comportamientos como los únicos constituyentes de la identidad, solidaridad y lealtad étnicas. Si bien este enfoque tiene su razón de ser como argumento político en defensa del derecho a la diferencia, o en la creación de modelos integrados de análisis social, no obstante, en el contexto culturalmente plural de las sociedades complejas actuales la relación unívoca de la identidad étnica con una lengua y una cultura sólo es realidad en las mentes de los ideólogos de la etnicidad, sean éstos científicos, políticos o etnicistas reinvidicadores de la historia específica y los sentimientos diferenciales.

La cuestión es que este encuadre de la etnicidad produce más confusión y problemas que luz para interpretar las nuevas configuraciones de la identidad o aplicar políticas culturales y lingüísticas coherentes. Y estas cuestiones son particularmente interesantes cuando lo centramos en los grupos hispanos de Norteamérica, sean éstos chicanos, cubanos, puertorriqueños u otros. En una visita reciente a Berkeley, el Rey de España, Juan Carlos, decía que la lucha entre las lenguas español e inglés era ya parte de la historia; a lo que respondía un profesor de Berkeley, en una entrevista televisada, que todavía formaba parte de la guerrilla. Es una anécdota interesante para darnos cuenta de que existen ideas y realidades sociales relativas a la relación entre identidad étnica, cultura y lengua que deben ser revisadas para eliminar el único problema que existe: la sacralización de las culturas.

Ciertamente, la cultura es un superorganismo, esto es un poderoso motor ideativo que mueve todo el sistema social e imprime la dirección de las ideologías. En la cultura se codifican las ideas y las experiencias de los colectivos sociales a lo largo de la historia de la humanidad, lo cual nos permite hablar de tradición cultural. En ella se inscriben valores, actitudes, ideas, formas de comportarse e instituciones que regulan las relaciones sociales, todo aquello que en el proceso de socialización aprendemos técnica e ideológicamente para convivir en sociedad y actuar predictivamente. Pero, a la vez, la dinámica propia de la enculturación consiste en constituir nuestras ideas, elaborarlas en forma de creencias y pasar a considerarlas como la única verdad. Así, por ejemplo, la cultura, y la lengua en particular, ocupan un lugar privilegiado en los procesos cognitivos de formalización y expresión del razonamiento, el contraste de hipótesis, o simplemente la traducción de un nivel de discurso a otro, esto es, explicar la religión en términos económicos o la política en términos religiosos. De este modo, se crean hábitos de representación mental, de selección de significados enmarcados en cosmologías, metafísicas, religiones, teorías científicas, utopías o simplemente ideologías. De ahí que vivamos en realidades culturales, esto es, nuestra forma de percibir, categorizar, conceptualizar, tomar decisiones y resolver problemas tiende a pasar por el tamiz cultural.

Si buscamos razones del porqué de esta dependencia aceptada, se podrían dar muchas. Pero hay una muy simple que subyace a todos los seres humanos: la economía intelectual y la consistencia cognitiva, esto es, mantener un sentido de consonancia general entre ideas, creencias, opiniones y comportamientos. Así es frecuente que, cuando algún aspecto de la experiencia personal o social se hace disonante, se tienda a reducir la inconsistencia aunque induzca a error para no complicar excesivamente las cosas o las situaciones. Por eso el ser humano es también el único animal que tropieza siempre con la misma piedra.

Llegados a este punto es posible que nos preguntemos, por qué estamos reforzando aquí la idea confirmada sobre la preeminencia de la cultura sobre el pensamiento y el razonamiento. Pues, precisamente, aunque parezca contradictorio, para evitar la idea del determinismo cultural y relativizar los conceptos tradicionales de realidad, conocimiento, y cultura. Una cosa es admirar y respetar la tradición cultural, y otra pensar que es algo sagrado e inamovible, y por ello el único referente posible para pensar la realidad. Si, por ejemplo, la catalanidad, por citar mi etnia de pertenencia, consistiera en lo que políticos y etnicistas dicen que es, sería un puro estereotipo (vestidos, comidas y bailes), o se disolvería en grandes sentimientos. Ciertamente, algunos rasgos culturales y los sentimientos sirven para la acción, son banderas, iconos, estímulos, pero no ayudan necesariamente a que la cultura se viva de forma creativa y permita trascender las limitaciones propias.

Por una parte, la experiencia evolutiva e histórica nos enseña que la dinámica de cambio es inevitable y que las poblaciones humanas se enfrentan a condiciones cambiantes que demandan estrategias adaptativas e innovadoras para mantener o adquirir el bienestar. Y, por otra, la historia del pensamiento humano nos enseña que la apertura cognitiva, o combinación y yuxtaposición extensa e intensa de variables ideativas, metafóricas y sensoriales, modifica el campo potencial de evocación así como enriquece el simbolismo que subyace a toda construcción cultural. No hay que olvidar que la ciencia descubre bajo la condición de crear, y que las sociedades humanas mejoran con la creación de ideas tales como la igualdad de oportunidades y la democracia.

De este modo cabe entender que la realidad cultural es poder del pensamiento. La cognición humana elabora modelos que no representan necesariamente la realidad en sentido amplio, sino que el modelo resultante integra un sistema de representación adaptativo, pero simultáneamente abierto que permite aportar perspectivas adicionales a la comprensión y la capacidad de objetivación. Esto quiere decir que no vivimos en mundos cognitivamente cerrados, sino abiertos en el sentido de que la creación de modelos es real en sus consecuencias. Estos modelos pasan a ser formas de experimentar los hechos convirtiéndose en objetos de la experiencia y adquiriendo una existencia social.

Esto es lo que nos conduce a la reflexión de que la cultura no es un monolito inamovible e incambiable, sino que consiste en la creación consciente y constante de estructuras de realidad. Sin embargo, los cambios y la posibilidad de imaginar otros modelos de realidad se consideran casi siempre una amenaza para los sistemas de poder, sean éstos políticos, religiosos o de otra índole. Ciertamente, la cultura sólo es algo sagrado para los sistemas de poder constituido interesados en mantener y refrendar por medio de ella el *statu quo*. ¿Cómo? Basta poner dos ejemplos relativos al control ideológico por medio de la cultura y la lengua.

El primero hace referencia al contraste histórico de intereses políticos en la asimilación o mantenimiento de las diferencias culturales que podemos presenciar ahora en Europa, así como en otras partes del mundo. Antes, el control político y educativo pasaba necesariamente por la uniformización cultural (reducción de lenguas y expresiones culturales propias, mantenimiento de diglosias y contrastes entre cultura oficial y popular), a la vez que la sanción se justificaba por el referente sacro de la tradición cultural adscrita al sistema de poder. A quién no le suena, por ejemplo, la frase famosa de Roosevelt (González, 1955) «it would be not only a misfortune but a crime to perpetuate differences of language in this country». En cambio, ahora, la informatización en la administración del Estado, permite a los sistemas de poder abrirse a un nuevo discurso democrático que admite la heterogeneidad étnica y cultural porque en sí mismas estas diferencias no afectan al orden que requiere el sistema de control, sino, más bien, todo lo contrario. Esto mantiene entretenidos a políticos y ciudadanos en los matices de las diferencias culturales, unos para resaltar lo distintivo en los programas electorales y organizar las fiestas de imagen que se dirigen a recoger el voto presuntamente irracional del electorado; y los otros para referenciar su identidad social y dignidad personal ignorantes del poder de la imagen como principio de realidad en la actual producción industrializada de la cultura y la consciencia (Subirats, 1988).

En una dirección semejante se juega con el concepto de identidad, entendiendo por ésta la forma en que la cultura se hace significativa a los individuos en cuanto a la regulación de la conducta, las ideas y las emociones. Así, la identidad ajusta la concepción de sí mismo con la experiencia, produciendo una integración única y compleja de respuestas a la vez al mundo externo de los objetos y los acontecimientos, y al mundo interno de los impulsos, las fantasías y la imaginación creativa.

De nuevo, sin embargo, derivado de modelos científicos elaborados a partir de sistemas culturales integrados y estables (sociedades primitivas, campesinas, u otras), así como ideologías etnicistas unidimensionales, se manipula el sentido de la identidad como uniformidad cultural mediante la cual se constituyen todas las lealtades y solidaridades. No queremos romper este cuadro perfecto e idílico, pero, esta reducción no concuerda con la realidad cultural plural de las sociedades actuales. En estas situaciones, reducir la identidad a una cultura sería tanto como limitar la lengua a la gramática, la poesía a la literatura y la filosofía a un catecismo de ideas condensadas.

Evidentemente, la experiencia etnográfica nos enseña otra realidad. Lejos de barajar unidades precisas y situaciones claramente definidas, nos enfrentamos con la fluidez de la identidad, esto es, la mutabilidad, la variabilidad, la transformación de la identidad que responde a las condiciones de contacto y difusión culturales propias de las dinámicas de modernización y posmodernidad. Así, del mismo modo que se incurre en el error metodológico de tratar la identidad étnica de los grupos sociales exclusivamente en su dimensión estable e integrada, resulta igualmente inadecuado tratar al individuo como un maniquí, una realidad monádica, clónica, portador de una cultura exclusiva, con la que se identifica y reproduce los símbolos, las conductas, y los sentimientos, o, por discrepar, desarrolla una identidad negativa o dañada, de la cual deriva el consecuente conflicto psíquico y social.

El cuadro es bien distinto, las personas son procesadoras activas de la información y, al enfrentarse con estímulos culturales complejos, diversos y fragmentarios, pueden organizar la información de forma selectiva, eficiente, económica y flexible. A eso, precisamente, le llamamos inteligencia: la capacidad para integrar información contradictoria en expectativas probables y tomar nuevas decisiones en el contexto dinámico del cambio social y la modernización. Así, pues, la identidad se fabrica de muchas percepciones e ideas sobre sí mismo y el entorno, de forma que la constitución de la misma no tiene porque hacerse exclusivamente en relación con los rasgos de una cultura tradicional específica, o hablando la lengua correspondiente. Es, precisamente, a la pluralidad cultural a la que atienden las identidades bien constituidas en un trasfondo cultural no uniforme. Se podría expresar, metafóricamente, con la imagen de un espejo roto en mil pedazos del cual resulta una identidad fragmentada, que no quiere decir negativa ni dañada. Por ello, lo importante es cómo y con qué medios se construye la identidad y se transmite lingüísticamente en comunidades culturalmente plurales, bilingües o multilingües sometidas a largos procesos de aculturación, cambio social y modernización.

Esto nos obliga a reconsiderar el tema de la lengua y el habla que, por su poder y fuerza simbólica, es el núcleo donde se libran todas las batallas de la identidad étnica. Extremos conocidos son aquellas situaciones en las que los etnicistas niegan como literatura propia la producida por aquellas personas que, perteneciendo por linaje y nacimiento a esta etnia, escriben por razones históricas y educativas en otra lengua. Por citar ejemplos próximos concretos quiero afirmar que hay cultura catalana o euskera hablada y escrita en castellano.

En el campo de la etnolingüística y la sociolingüística, para referirse a la estructuración social del habla, se ha elaborado el concepto de variantes funcionales de un código aplicado a las diferencias en las formas de hablar según la clase social, el género; pero, asimismo, esta variabilidad se ha hecho extensiva a la predilección y a los cambios de código según las situaciones de diglosia, la adscripción étnica y otras variables de situación contextual.

En este sentido, la sociolingüística hispana en Estados Unidos de Norteamérica es compleja, con mantenimientos y asimilaciones que producen diversas variantes monolingües y bilingües indicativas de la riqueza de respuesta tales como, el Standard Spanish Regional, el Tex Mex, con fuerte influencia del inglés, o el Standard American Regional, con mayor incidencia del castellano. Variantes y cambios de código que se corresponden con la pluralidad de matizaciones de la identidad como bien se expresa en las etiquetas étnicas: latino, chicano, mexican american, mexicano hispano, spanish american, latin american, hispanic, así como en las etiquetas de designación del otro. De esta diversidad de denominaciones, que son matices de la identidad, derivan actitudes distintas respecto al uso y la actitud hacia la lengua étnica, el inglés y el habla acentuada de uno u otro idioma.

Por razones diversas relativas a las historias específicas y su expresión en la educación, el prestigio y la ocupación, la incidencia del inglés ha sido y es tan fuerte que incluso el bilingüismo resultante se constituye hoy basándose en el inglés y en segundo término el hispano (1). Cabe decir que esta situación puede sorprender a algunos españoles por parecer falta de resistencia étnica, especialmente los pertenecientes a etnicidades históricas con larga tradición de lucha y defensa de su diferencialidad.

Pero, si ahora mismo miramos a nuestro entorno más inmediato, nos podemos dar cuenta de que pocos se libran en este momento de la influencia del Gran Colonizador intelectual, estético, alimentario e industrial de nuestros días que, por medio de las multinacionales académicas y comerciales hacen del inglés una lengua de uso ineludible. En cualquier diario de nuestro país se pueden encontrar anuncios que indican, entre otras cosas: «De cada diez personas que triunfan, nueve hablan el inglés correctamente». Cuando llega el verano, todos los que pueden, jóvenes y no tan jóvenes, huyen a Inglaterra para aprender inglés, de tal modo que la ciudad de Londres casi llega a ser un barrio de hispanohablantes. Y, entre aquellos españoles que, por razones familiares, ocupacionales o misioneras, han conseguido tener nacionalidad norteamericana, no quieren perder este pasaporte por nada del mundo. El inglés es la lengua del imperio de occidente y su uso nada tiene que ver con la adscripción a una u otra nacionalidad, al igual que el uso de cigarrillos norteamericanos, champagne francés o vodka ruso. Esto forma parte de las condiciones de pluralidad cultural de las sociedades modernas. Por ello, lo importante no son los signos o vehículos culturales en sí mismos, sino cómo se usan en la dirección más adecuada o creativa según los intereses personales. Permítaseme una analogía vulgar, la cultura se podría ver como un coche. Te puede usar, pues te obliga a limpiarlo, atenderlo y salir para lucirlo, o puedes usarlo en la dirección de tus intereses.

Pero la lengua tiene otra dimensión más profunda, más cognitiva, sobre la que podríamos reflexionar partiendo de las tesis de Sapir-Whorf. Estos autores afirman que en el sistema complejo de reglas de la estructura de la lengua, que es inconsciente, se codifica el conocimiento cultural. Afirmación que han compartido otras aproximaciones como la etnosemántica y etnociencia cuya pretensión última sería representar modelos cognitivos mediante la ordenación de los campos semánticos. A partir de la comprensión de la lengua como guía simbólica de la realidad, estos enfoques nos llevan directamente a los límites wittgenstenianos: los límites de mi mundo son los límites de mi lenguaje. Y desde este determinismo lingüístico es evidente que la identidad étnica pasa por hablar la lengua correspondiente, esto es, una lengua es igual a una cultura.

Una primera reflexión sobre esta afirmación permite darse cuenta que hay algún punto oscuro que debe ser aclarado: quizá sea en relación con la reducción de la identidad a las palabras o la gramática, quizá por proponer la lengua como lugar de la identidad ilusoria del yo, o quizá por la dificultad de imaginarse un mundo tautológico cerrado en los significados de las palabras. Sea cual fuere el punto de referencia, la oscuridad subyace al hecho de establecer la determinación desde la lengua.

Es cierto que el mundo se puede ordenar de forma distinta según la lengua que se hable, sin embargo, la lengua no es la causa de las diferencias en las formas de ordenar y entender la

(1) Con el término hispano hago referencia a cualquier variante lingüística que se use en Estados Unidos cuya lengua matriz sea en origen el castellano.

realidad. Más bien, la lengua está supeditada a la capacidad cognitiva del individuo, aparte de que no es la única forma de representación mental. Es suficiente tener en cuenta que la lengua de la mente no es la lengua natural, aunque los datos de esta última se usen para realizar inferencias sobre la primera. Es decir, la lengua interior no es el aspecto interior del habla externa, sino una función en sí misma, es pensar en significados puros (Vygostky, 1973). El curso del pensamiento se acompaña necesariamente de una salida de palabras, pero los dos procesos no son idénticos, y no hay correspondencia fija entre ambas unidades. El primero es un proceso analógico, que corresponde a la lógica de la asociación de ideas y es relacional. Este puede pasar a código digital o lingüístico que se constituye a partir de un repertorio objetivo de elementos discretos. Por otra parte, el simbolismo se nutre de la combinación de modalidades sensoriales que son las que permiten generar la poiesis, o creación lingüística de imágenes nuevas.

Esto quiere decir que eliminar el determinismo lingüístico y abrirse a la comprensión del problema pasa por incorporar un elemento intermedio que es la cognición.

La lengua, como la cultura, son instrumentos de expresión de la cognición humana, de manera que hay pensamientos diferentes usando la misma lengua, así como pensamientos idénticos usando lenguas diferentes. Esto nos permite entender que no vivimos necesariamente atrapados en un mundo sin alternativas, por el contrario, la capacidad lingüística puede ser un instrumento libre de creación constante, puede permitir neutralizar las limitaciones de la comprensión y extenderse significativamente en múltiples direcciones. Así, pues, no se trata simplemente de empaquetar ideas en palabras, hay que bucear en los procedimientos cognitivos especiales que permiten crear nuevos códigos estéticos o pragmáticos en situaciones socioculturales dadas. Hay que ir a la producción de ideas e intenciones, esto es, cómo se construye un entorno simbólico en un contexto complejo y plural, seleccionando y elaborando viejos y nuevos elementos ideativos.

Por último, eliminados los fantasmas de las determinaciones culturales y lingüísticas en la constitución de la identidad, nos quedamos frente a la cuestión de cómo se constituyen las alternativas propias. En el caso que nos ocupa, las culturas hispanas de USA representan actualmente configuraciones culturales propias que no son ni españolas, ni «anglos», ni mexicanas, ni caribeñas, exclusivamente. De ahí que resulte tan difícil poner a estos colectivos una etiqueta étnica a gusto de todos. Quizá para un político o científico social esto sea una desgracia, pero humanamente es una maravilla.

En este sentido, la dificultad reside en establecer el perfil y destacar los ingredientes que constituyen las diferentes especificidades y sus definiciones. Este tema puede abordarse desde muchos ángulos, motivo por el cual se va a celebrar un congreso en Barcelona-Torredembarra (junio, 1988) con el fin de debatir «la nueva síntesis cultural» reuniendo a especialistas (literatura, antropología, historia, arte, teatro) para tratar los matices de las expresiones culturales hispánicas.

A mi entender, estamos presenciando un proceso de revitalización cultural que no es de resistencia, sino de recreación en una dirección peculiarmente propia. No todos los procesos de revitalización son semejantes. En culturas analfabetas se buscan, generalmente, soluciones en el discurso religioso, en creencias religiosas de síntesis, que se pueden entender como alternativas comunitarias que sumergen en el delirio colectivo la inseguridad personal (Freud, 1972). Pero, en sociedades alfabetas, con larga tradición cultural escrita, la revitalización es por la vía estética, especialmente la poesía, la narrativa, el teatro, y el arte. En definitiva, se trata de una respuesta personal, individualizada (tal como corresponde a la mentalidad de la modernización), de lenta penetración, pero de conscienciación profunda constituida en la fuerza de los símbolos que resultan de la capacidad creativa de sus individuos.

Y esto es lo que ilustra la producción literaria del mundo hispano en las obras de figuras tan relevantes como Rudolfo Anaya, Ron Arias, Miguel Méndez, Tomás Rivera, Margarita Cota Cárdenas, Cordelia Candelaria y tantos otros. Por encima del uso de una o dos lenguas y variantes, así como múltiples y plurales, viejos y nuevos, rasgos culturales, estos autores son capaces de elaborar imágenes que representan en forma simbólica ideas y sentimientos que actúan en el plano más profundo de la vivencia personal. Poesía y narrativa crean la lengua, y, al sintonizar con el sentir de sus colectivos intensificando la confrontación con la realidad, generan el aprendizaje de significados que conduce a la propia síntesis cultural, a la vez que configura el substrato de la nueva identidad.

Sólo me cabe decir para cerrar este comentario, más bien preámbulo, que hay culturas que se quieren mantener por la vía de la resistencia y la agresión, en cambio, otras se renuevan y crecen por la vía de la creatividad. A ellas me he referido al hablar de los hispanos.

Bibliografía

González, J. (1955), «Coming of age in bilingual/bicultural education: A historical perspectiva», *Inequality in Education,* 19, pp. 5-17.

Freud, S. (1972), *El porvenir de una ilusión,* Madrid, Alianza Editorial.

Subirats, E. (1988), «La imaginación y el poder», *El País,* 18 de febrero, p. 11.

Vygostky, L. (1962), *Thought and Language,* Cambridge (Mass.), Mit Press.

Whorf, B.L., *Language, Thought and Reality,* The Selected Writing of Benjamin Lee Whorf, Cambridge (Mass.), Mit Press.

Tomás Calvo Buezas

**Cooperación académica: Universidad
e investigación.
Programas especiales para hispanos**

Cooperación académica: Universidad e investigación. Programas especiales para hispanos

La cooperación universitaria entre la comunidad académica hispana de los Estados Unidos y España debe plantearse principal, aunque no exclusivamente, desde la perspectiva de programas especiales para hispanos, que con fondos financieros específicos para estos intercambios y para esta cooperación, desarrollen con una voluntad política positiva y singular esta área de la cooperación española con pueblos que comparten con nosotros unos vínculos culturales, históricos y lingüísticos particulares.

Los *pueblos hispanos* de Estados Unidos participan a la vez de nuestra vinculación —y por lo tanto cooperación— con *Iberoamérica*, ya que Hispanoamérica no termina culturalmente en río Grande, sino a donde llegan nuestra historia cultural y las migraciones del Sur, portadoras de cultura, costumbres y lengua hispánica. Pero a su vez los hispanos, como *ciudadanos norteamericanos*, pertenecen a los Estados Unidos de Norteamérica, y por lo tanto forman parte de la vinculación, relaciones y convenios de cooperación con los Estados Unidos.

Ahora bien, esta *doble vinculación* y trenzado de raíces y relaciones singulares, puede volverse «de facto» en una discriminación o falta de oportunidades para los hispanos, de no plantearse y programarse una *cooperación específica*, que cubra esta área de cooperación desde la perspectiva de una *affirmative action;* de lo contrario las relaciones con los hispanos se convertirán metafóricamente hablando, como una nuez entre dos rocas: Iberoamérica y Estados Unidos; y de hecho la «doble vinculación» se convertirá por la dinámica de la «libre competencia» en una desigualdad de oportunidades para los alumnos y profesores hispanos de los Estados Unidos. Podrá argumentarse que los hispanos, como ciudadanos norteamericanos, pueden participar y solicitar ayudas de los convenios de cooperación que tienen España y USA, como es el comité conjunto; esto es cierto, y los hispanos *pueden y deben* solicitar esas ayudas. Pero nuestro punto de vista es que de no establecerse *Programas Especiales de Cooperación* para esta área de cooperación, serán muy pocos los hispanos que disfruten de esas ayudas; y en todo caso —y esto es lo más importante para la política cultural de España— no participarán como «hispanos», y por lo tanto no para incrementar y desarrollar los lazos singulares que España tiene con los pueblos hispanos de los Estados Unidos de Norteamérica. Es por ello por lo que debe ser *España la que debe fomentar* y privilegiar esa cooperación singular con la comunidad académica hispana, aunque también las instituciones norteamericanas, particularmente las universitarias, deben participar y colaborar en esta tarea común.

Establecida, pues, la necesidad de programas especiales con hispanos, podemos señalar la *cooperación académica,* agrupándola en cuatro áreas:

1. Alumnos: cursos y becas para tesis doctorales.

2. Intercambio de profesores.

3. Investigaciones conjuntas.

4. Otras actividades de cooperación.

1. Alumnos: cursos y becas para tesis doctorales

Este capítulo de cooperación de alumnos podemos desarrollarlo en dos fundamentales tipos de actividades: *a)* Cursos para hispanos en España, *b)* Becas para investigación doctoral.

A. Cursos para hispanos en España

El objetivo de estos cursos es revitalizar y desarrollar los «lazos hispánicos» de alumnos de origen hispano por medio de un mejor conocimiento de nuestra historia, lengua y cultura.

Las formas posibles de estos *cursos especiales para hispanos* son las siguientes, sin que sean excluyentes las tres formas:

1) Cursillos de un mes en verano para posgraduados, como se viene realizando con profesores actualmente, pero que puedan también participar estudiantes posgraduados.

2. Curso de un semestre sobre historia, lengua, sociedad española e iberoamericana para graduados hispanos, incluidos profesionales, en que al final pudiera darse algún diploma por parte de alguna universidad española, o créditos por parte de alguna universidad norteamericana.

3. Curso de un año académico en colaboración ICI-Universidad, por ejemplo con la Universidad Complutense de Madrid, con mayor grado de exigencia y amplitud curricular, ofreciendo después un diploma universitario de mayor valor.

Además de estos cursos especiales, pueden otorgarse *becas a hispanos para cursos normales universitarios,* que quisieran seguir un curso o unas asignaturas programadas en una Facultad, bien sea de historia, literatura, sociología, antropología, políticas, siempre que algunas asignaturas se refieran a España. Estos alumnos deberían ser graduados, y debiera asignarse desde el ICI un tutor especial, que orientara y supervisara su trabajo en la universidad española.

B. Becas para tesis doctorales

Estas ayudas para la realización de tesis doctorales tienen como finalidad incrementar y fomentar la investigación doctoral, tanto de alumnos hispanos que deseen hacer su tesis doctoral sobre algún tema relacionado con España, como para alumnos españoles, que deseen hacer su tesis doctoral sobre el área de los hispanos en los Estados Unidos.

En ambos casos se exigirá el que tengan inscrito y aceptado su tema de investigación doctoral en alguna universidad española o norteamericana. La exigencia debe ser en el caso norteamericano que el tema tenga relación directa con España, aunque puede desarrollarse desde cualquier perspectiva disciplinar, como son las ciencias sociales, historia, literatura, etc. Al alumno español hay que exigirle que el tema de su investigación doctoral tenga relación con los grupos hispánicos de los Estados Unidos, pudiendo hacerse también desde cualquier enfoque disciplinar.

En ambos casos el alumno de doctorado tendrá un tutor español designado por el Instituto de Cooperación Iberoamericana, que es el concesionario de la beca para la investigación doctoral, que podrá concederse para dos años, prorrogable en circunstancias especiales.

2. Intercambio de profesores

Los programas de cooperación con profesores pueden realizarse a tres niveles: *a)* actividad docente, *b)* actividad investigadora, *c)* otras actividades universitarias (congresos, seminarios, publicaciones, etc.).

Nos referimos en este apartado a la docencia o ciclo de conferencias dado a pequeños grupos de compañeros profesores y de alumnos graduados, que sean de interés para hispanos, o para españoles y para ellos.

Dentro de la actividad, que llamamos en forma genérica docente, existen varias formas y alternativas no excluyentes, como son el intercambio académico formal, intercambio no oficial realizado entre profesores directamente, conferencias-ciclos de cursillos en distintas universidades.

El *intercambio académico formal* entre profesores españoles e hispanos es posible hoy según la ley actual de Reforma Universitaria, bajo la figura de «profesor visitante». Debe desarrollarse más esta fórmula, particularmente entre convenios particulares de universidades concretas españolas y norteamericanas, con la participación del Instituto de Cooperación Iberoamericana, del tipo de convenio que se tiene con la Universidad de Gainsville. No obstante el trámite burocrático para esta forma de cooperación es complejo, difícil y aún encuentra grandes dificultades en la universidad española. Por eso habría, sin abandonar esta fórmula, que incrementar a corto plazo el *intercambio entre profesores,* que podemos denominar no oficial o *«informal»;* y que consiste en el acuerdo de dos profesores (uno español y otro americano) que por un espacio de tiempo corto, por ejemplo veinte o quince días, imparten un cursillo sobre un tema específico dentro del curso normal o cursillo de doctorado del profesor español o hispano. El problema para este intercambio informal, que es el más fácil y de eficacia funcional, es que la institución patrocinadora, en este caso el Instituto de Cooperación Iberoamericana, debe hacer un esfuerzo económico especial para costear este tipo de cooperación.

Otra tercera vía de cooperación entre profesores, y que tiene que ver con la anterior, es la *organización de un ciclo de conferencias* por varias universidades. Así un profesor hispano puede venir y dar una semana de conferencias en Madrid, Barcelona y Sevilla, por ejemplo (tres semanas); y exactamente lo mismo puede hacer un profesor español en varias universidades de New York, California, Texas, Florida, pudiendo hacerlo dentro de las clases de profesores conocidos o en los departamentos de español, o los de Ethnic Studies, como son los «Chicano Studies» o «Puertorrican Studies», etc. Académicamente esta fórmula es fácil, suele funcionar muy bien, y no es excesivamente costosa; pero también aquí se precisa el patrocinio de una institución, como puede ser el ICI.

3. Investigación conjunta

Esta actividad tiene como objetivo facilitar el intercambio de investigación entre profesores hispanos y españoles que están trabajando en temas similares de investigación, a la vez que posibilita la realización de investigaciones conjuntas y comparativas entre ambos colectivos académicos.

Dentro de este apartado entrarían las *bolsas de ayuda a la investigación a profesores españoles* que estén investigando sobre los hispanos en los Estados Unidos, así como a profesores hispanos que estén haciendo investigaciones sobre temas españoles, particularmente si se trata de investigaciones entre profesores universitarios de ambos colectivos.

4. Otras actividades universitarias

Dentro de la cooperación, hay que señalar dos áreas más de actividades universitarias, que son básicas y cruciales para el intercambio y mejor conocimiento de ambas comunidades académicas, como son los congresos y las publicaciones.

Han de incrementarse las bolsas de viaje para la asistencia a Jornadas, Congresos, Seminarios, que sobre temas hispanos se celebran en los Estados Unidos de Norteamérica.

Igualmente ha de fomentarse la celebración en España de *Seminarios y Congresos sobre temática hispana.* De particular relevancia resultarán los Seminarios, que se celebren conjuntamente entre varias universidades españoles y varias universidades norteamericanas sobre temas de común interés, como pueden ser la «identidad cultural», los «lazos culturales entre España y los pueblos hispánicos en USA», «migraciones latinoamericanas a Estados Unidos», «educación bilingüe», «educación y minorías étnicas», «nacionalismo, cultura e identidad», etc. Estos Seminarios podrían irse celebrando alternativamente, una vez en España y otra vez en los Estados Unidos, organizados cada vez por una universidad distinta.

Finalmente hay que resaltar la importancia de *las publicaciones en España de temas hispanos*. Hay que incrementar y fomentar una vía específica de publicación de los trabajos que sobre hispanos se realizan en España, que muchas veces pueden quedar de otra forma sin ver la publicación. Dentro de esta línea de publicaciones, estaría el publicar los trabajos de los dos Seminarios organizados por el ICI en los últimos años, así como las Actas de otros Congresos o Jornadas que están en vías de celebrarse próximamente.

Una acción importante sería la realización del proyecto del que se trató hace años en el I Seminario organizado por el ICI de la *Enciclopedia de los pueblos hispanos* bajo la dirección de un comité editorial formado por universitarios hispanos y españoles y bajo el patrocinio del Instituto de Cooperación Iberoamericana.

Muchos son los caminos que quedan por recorrer en la cooperación entre España y los pueblos hispanos de los Estados Unidos, pero estimo que hemos comenzado a caminar. Este Seminario es una buena prueba de ello; y el hecho de que esté organizado por el Instituto de Cooperación Iberoamericana es una señal de esperanza fundada de que este caminar va a continuar con paso decidido y firme. Para las personas, como un servidor, que a principios de 1976 presentamos una tesis doctoral —creo que la primera en España— sobre un tema hispano, y tan significativo como el movimiento campesino chicano, constituye una gran satisfacción personal, que a la vez se convierte en un deseo de que esta iniciada andadura de la cooperación España-Pueblos hispánicos continúe adelante y tenga saludables frutos académicos.

Nicolás Kanellos

La literatura hispana de los Estados Unidos y el género autobiográfico

La literatura hispana de los Estados Unidos y el género autobiográfico

La publicación de obras literarias en lengua castellana en los Estados Unidos durante las primeras décadas de este siglo fue condicionada por los recursos editoriales y comerciales y por la ideología predominante en las colonias de inmigrantes de México, Cuba, España y Puerto Rico y en las comunidades hispanas ya residentes desde el siglo XIX y antes. El establecimiento de grandes comunidades de inmigrantes hispanos en los centros urbanos del sudoeste, el nordeste y el medio oeste respondió a varias necesidades, como la escasez de mano de obra en los Estados Unidos durante la Primera Guerra Mundial, el caos económico y social ocasionado por la revolución mexicana y la extensión del imperio estadounidense a Cuba y Puerto Rico.

La institución principal que auspició, promovió y divulgó la creación literaria en español fue el periódico publicado en castellano en los centros urbanos de los Estados Unidos (1). Las publicaciones periodísticas hispanas como *La Prensa* y la *Revista Mexicana* de San Antonio, *La Opinión* y *El Heraldo de México* de Los Angeles, *Novedades, La Prensa* y *Gráfica* de Nueva York —sin mencionar periodiquitos importantes como *El Amigo del Hogar* en East Chicago, *La Crónica* en Laredo y centenares de otros desde Tampa hasta San Francisco— no sólo fueron los principales recursos para información y propaganda sino que también sirvieron como instituciones para la educación, la cultura y el entretenimiento de las comunidades. Mantenían lazos fuertes con la cultura y el idioma de la patria a la vez que solidificaban la identidad político-religioso-cultural de las respectivas colonias hispanas en el extranjero.

(1) Para un tratamiento más a fondo del papel de los periódicos en la historia literaria del hispano en los Estados Unidos, ver mi artículo «Hacia una historia de la literatura hispánica en los Estados Unidos», en *Imagen e identidad: el puertorriqueño en la literatura,* ed. Osela Rodríguez de Laguna (Río Piedras, Editorial Ithuacán, 1986).

Casi todas estas empresas publicistas fueron fundadas y administradas por representantes de una clase elite y conservadora que fomentó la idea —tan estudiada por Américo Paredes y otros (2)— de una colonia en el exilio, o sea el «México de Afuera», el «Trópico en Manhattan» y así por el estilo. Los empresarios divulgaban y patrocinaban esta ideología que implicaba ciertos corolarios que beneficiaban económicamente sus empresas publicistas: 1) la lengua inglesa y la cultura anglosajona representaban una amenaza para el idioma castellano y para la cultura hispana; 2) la ética y la moral anglosajonas podrían contagiar la de los hispanos católicos; 3) había que elevar el nivel de cultura de la comunidad proletaria hispana y crear una imagen positiva del hispano en este país anglosajón —éstos para responder a sus intereses de clase y contrarrestar la discriminación contra hispanos—. El último corolario era el retorno a la patria que no sólo era posible sino deseable tan pronto como las hostilidades bélicas cesaran o las condiciones económicas mejoraran (3).

Desde el siglo pasado los periódicos hispanos, los mismos que divulgaban esta ideología de colonia interior o de colonia en el exilio, eran los principales editores de obras de creación literaria. A través de sus páginas vieron primera luz novelas por entregas, cuentos, poesías, ensayos literarios, cuadros de costumbres y crónicas. Esta tradición continuó en el siglo XX con el destacamiento de un género en particular, la crónica. A través de este cuadro de costumbres, los moralistas expatriados satirizaban la vida de la colonia hispana cuya cultura se veía amenazada por la cultura dominante anglosajona. Entre los más destacados cronistas podemos nombrar al mexicano Jorge Ulica, cuyas *Crónicas diabólicas* se publicaban en *La Crónica* de San Francisco y al cubano Alberto O'Farril, director de *Gráfica* de Nueva York. Tenían una veintena o más de colegas que usaban seudónimos como El Malcriado, Kaskabel, Azteca, Lorelei y Chicote en su afán de comentar o simplemente reírse de la mezcla de idiomas o «spanglish» en los sectores populares, la adopción femenina del vestuario y de las costumbres más liberales de las norteamericanas de los años veinte, de las desventuras cómicas del jíbaro o el guajiro perdido en la gran metrópoli sajona, del sufrimiento de sus paisanos caribeños en los largos y gélidos inviernos del norte (5). También se quejaban y se oponían a la discriminación y a la opresión del obrero hispano.

Pero más importante para el desarrollo intelectual y cultural del hispano en los Estados Unidos durante esas primeras décadas del siglo fue la creación de casas editoriales en gran parte liga-

◆

(2) Américo Paredes, «El folklore de los grupos de origen mexicano en los Estados Unidos», *Folklore Americano*, 14/14 (1966), pp. 146-63.

(3) Richard A. García, «Class, Consciousness, and Ideology—The Mexican Community of San Antonio, Texas: 1930-1940», *Aztlán*, 9 (Fall 1978), pp. 23-69.

(4) Para un estudio sobre Ignacio E. Lozano, el dueño de dos de los periódicos más importantes de la época, y su ideología, ver Francine Medeiros, *«La Opinión*, A Mexican Exile Newspaper, A Content Analysis of Its First Years, 1926-1929», *Aztlán*, 11/1 (Spring, 1980), pp. 65-87.

(5) Ver Julio G. Arce, *Crónicas diabólicas de «Jorge Ulica»*, ed. Juan Rodríguez (San Diego, Mazie Press, 1982) y Clara Lomas, «Resistencia cultural o apropiación ideológica». *Revista Chicano-Riqueña*, 6/4 (1987), pp. 44-49.

das a los periódicos. Las más importantes por su alta productividad, la distribución extensa de sus libros y el impacto de éstos fueron la Casa Editorial Lozano en San Antonio, Texas —fundada por Ignacio E. Lozano, dueño de *La Prensa* de San Antonio y de *La Opinión* de Los Angeles— y Spanish American Printing de Nueva York. Estas empresas publicaban toda clase de libros, desde lo más práctico, como libros de cocina y manuales para secretarios hasta lo más filosófico y religioso. Las obras de ficción y de teatro se dividían en tres grandes clases: 1) las obras políticas —como la novela de la revolución mexicana, *Carranza* de Alfredo González (6), *Como gatos y perros* de Teodoro Torres (7) y la obra dramática independentista, *Bajo Una Sola Bandera* (8) del puertorriqueño Gustavo O'Neill y el drama socialista *Los Hipócritas* de la puertorriqueña (9) Franca de Armiño; 2) las novelas sentimentales, como *El poder de una carta* (10) de Ceferino Martínez Riestra y muchas otras; 3) y de mayor importancia para nuestro estudio, las novelas de inmigración como *Lucas Guevara* (11) del venezolano Alirio Díaz Guerra, *El Sol de Texas* de Conrado Espinoza (12) y *Las aventuras de Don Chipote o Cuando los pericos mamen* de Daniel Venegas (13).

Tanto en estas novelas de inmigración, como en las crónicas y en el teatro cómico, bufo y de «vaudeville» se desarrolla un estilo y una ideología literaria de inmigración que, en parte, responden a los intereses de clase de los empresarios y escritores, pero que también reflejan al campesino y al obrero hispano inmigrado.

En *Las aventuras de Don Chipote,* como en tantas obras literarias y dramáticas, el protagonista es un obrero ingenuo que ha emigrado a los Estados Unidos para barrer el oro de las calles.

(6) San Antonio, Casa Editorial Lozano, 1928. González también sirvió de director del periódico de Lozano, *La Opinión* en Los Angeles hasta 1979. Para más información sobre las novelas de la revolución mexicana que se editaron en los Estados Unidos, ver John Rutherford, *An Annotated Bibliography of the Novels of the Mexican Revolution of 1910-1917 in English and Spanish* (Troy, NY, The Whitson Publishing Co., 1972).

(7) San Antonio, Casa Editorial Lozano, 1924. Teodoro Torres también sirvió de director de *La Prensa* de San Antonio. También escribió *Pancho Villa. Una vida de romance y de tragedia,* 2.ª ed. (San Antonio, Casa Editorial Lozano, 1925).

(8) Obra perdida, de finales de los años 20 de la cual tenemos amplia información.

(9) New York, Modernistic Editorial Publishing Co., 1937.

(10) El Paso, Editorial J.R. Díaz y Cía., 1920.

(11) New York, New York Printing Company, 1917.

(12) San Antonio, Viola Novelty Company, 1927.

(13) Los Angeles, *El Heraldo de México, 1928.* Ver mi artículo «*Las aventuras de Don Chipote,* obra precursora de la novela chicana», *Hispania,* 67/3 (Fall 1984), pp. 358-363.

A través de una serie de episodios picarescos en que es maltratado por sus amos gringos y por hispanos del hampa de Juárez, El Paso y Los Angeles, se desilusiona y vuelve a su patria, concluyendo que el mexicano se hará rico en los Estados Unidos «cuando los pericos mamen», o sea, nunca. Mejor se queda en su país.

Un sastre inmigrado de México encuentra algo parecido en la revista teatral *De México a Los Angeles,* según *El Heraldo de México* del 28 de noviembre, 1920:

Un sastre, establecido en la capital de México, ya entrado de años, ha oído hablar frecuentemente de las grandezas y adelantos de los Estados Unidos, y en especial (porque es lo que a él le interesa) lo referente a su oficio. Entusiasmado por las fabulosas noticias que recibe, y ambicionando aprender y hasta hacerse rico, se viene a los Estados Unidos, sin más compañía que una pequeña libreta en la que alguien apuntó algunas frases en inglés, con lo que él cree estar al cabo de la calle en cuanto a la cuestión del idioma; pero resulta que desde el mismo momento en que llega, se convence de que el librito de marras no le sirve de nada y después de recibir varias hostiles manifestaciones de parte de unos «primos», un gendarme de quien hace el panegírico, comparándolo con nuestros polizontes, se lo lleva a rastras y lo mete en un hotel donde sigue pasando la pena negra, por no poder hacerse entender. Por fin llega a un restaurante mexicano (?) donde cree estar a salvo de molestias y resulta que le dan un tremendo golpe con el timo de la «indemnización» que le obligan a pagar a un individuo norteamericano a cuya esposa ha invitado a un modesto «ice cream soda». Va nuestro héroe a Venice, y se encanta; pero a pesar de todo, más impresionado por lo desagradable de sus chascos que por la belleza de la playa, decide regresar a México, sin haber aprendido siquiera un sistema nuevo de ensartar agujas.

Siempre armados en contra de la amenaza cultural de la asimilación, cronistas como Ulica, reflejando una postura más burguesa, censuraban las tendencias de las clases populares a adoptar las costumbres norteamericanas y mezclar el inglés con el español en cuadros como «Do You Speak Pocho?», «Cómo Hacer Surprise Parties», «Los Parladores de ''Spanish''» y este trozo de «Inacia y Mengildo» de las *Crónicas diabólicas* de Ulica (14):

—Oiga Ud., le dijo el Juez de la causa, ¿por qué mató Ud. a su marido?

—Señor Juez, contestó «Inacia», por «encevelizado» y sumamente «impropio».

—Explíquese Ud...

—Pues, señor, desde hace ocho años que vine a este pueblo, he procurado educar al hombre. Yo soy de Aganguero, es cierto; pero no tan «dejada de la mano de Dios» como era mi esposo, a quien Dios tenga en su santa gloria. Yo, al mes, tenía sombrero, guantes, «overcoat» y zapatos «chinelos». Nada me estorbaba, nada me lastimaba, y podía «bullir» todos los dedos de la mano, menos el chiquito. «Menegildo» se compró un «suit» que decía que «no le estaba», y lo maltrataba mucho, de boca y con las manos. Con el pretexto de que los zapatos le apretaban, se los quitaba al llegar a casa, y me costaba «triunfo» conseguir que se cortara el pelo a la moda, con ese rape tan aristocrático que se usa por acá. De comer, no quería sino cosas «ignominiosas» como chicharrones, chorizos, sopas, tostadas, frijoles, menudo y pozole. Imposible ha-

◆

(14) San·Diego: Maize Press, 1982, pp. 89-90.

cerlo comer «clam chowder», «bacon, liver and onions», «beet-stew» o «hot-dogs». Las «latas» les aborrecía a muerte y decía que la mantequilla, «tan linda como es», estaba hecha de sebo. El día de los acontecimientos, un sábado por cierto, vi que traía muy descuidadas las uñas de las manos y le ordené que fuera a que le dieran «manicure». El no quiso, y envié por la muchacha que hace eso, para que en la casa y en mi presencia se sujetase al tratamiento. Se encerró él en un cuarto, y como no quería salir, por la ventana le arrojé, en momentos de desesperación, con cuanto pude, hasta que mi indignación fue terrible y le tiré con una llave de tuercas que le dio en el «celebro» y lo hizo roncar. Vinieron los médicos y cuando le quitaron el ronquido, me dijeron que el pobre se había muerto... Esa es la verdad «pelada», señor Juez.

Estos, creo yo, son los rasgos predominantes de esta literatura:

1. La literatura de la inmigración hispana surge del saber popular, del folklore, de la balada, del corrido, la décima, la plena, el punto guajiro y el chiste. Sube al escenario por medio de la revista mexicana, el teatro bufo cubano y el cantar guajiro y puertorriqueño en los cuadros de variedades. Entra en la literatura escrita primero por la vía de la crónica y después en la novela. (La poesía de los periódicos y de las casas editoriales era de índole más sentimental o filosófica.)

2. Esta literatura, en general, reacciona en contra de la vida que encuentran los hispanos en los Estados Unidos y se nutre de la nostalgia para la patria, la naturaleza edénica de Puerto Rico y Cuba, la ausencia de discriminación en México. Los temas típicos son el choque de culturas e idiomas, la explotación de los trabajadores hispanos, lo inhóspito del medio ambiente natural y social, la desilusión del inmigrante frente a la imposibilidad de barrer el oro de las calles de los Estados Unidos. En Nueva York, en particular, es la época en que se crea el topos de la metrópolis infernal, representando un Harlem arrabalero lleno de crimen y suciedad que devora a los hispanos, un estereotipo que se confirmará en *La carreta* de Marqués y se continuará después en Puerto Rico con Pedro Juan Soto, J.L. Maldonado-Vivas, José Luis González y muchos otros escritores de la actualidad. En cuanto al desengaño de la promesa de riqueza, claramente lo vemos en *Lucas Guevara*, pero está más articulado en *Don Chipote, o cuando los pericos mamen* cuyo propósito es instar a los mexicanos a no emigrar de su patria y satirizar y criticar el maltrato del obrero mexicano en suelo estadounidense.

3. Esta literatura es altamente nacionalista. Su nacionalismo cultural se intensifica por la percibida amenaza de la cultura y la política sajonas y, por ende, lucha en contra de la asimilación, satirizando al pocho, al agringado, al pitiyankee, al dandy y a la pelona. No sólo los estamentos más populares suscriben a ese nacionalismo, sino que lo vemos promocionado por los empresarios culturales como el escritor y comerciante puertorriqueño Gonzalo O'Neill (que también sirvió de tesorero para el Teatro Hispano de Nueva York); también por el dueño mexicano del Teatro Hispano de Nueva York, el señor del Pozo; por Ignacio Lozano, dueño de la casa editorial Lozano; por Teodoro Torres, editor de *La Prensa* de San Antonio; por el cubano Alberto O'Farril, director de *Gráfica* de Nueva York.

Ahora bien, no hay duda de que esta tradición haya influido en la literatura actual de los grupos hispanos de los Estados Unidos, si no directamente por vía escrita, seguramente por tradición oral. Y como ya he mencionado, el retrato negativo del puertorriqueño neoyorquino ha sido continuado y exagerado en los retratos que estereotipificaban el barrio puertorriqueño de

Nueva York, la asimilación y el «spanglish» que se encuentran en obras como *Spiks* (15), *A vellón las esperanzas* (16) y *En Nueva York y otras desgracias* (17). La literatura cubana del exilio y la joven literatura cubano-norteamericana han repetido, o mejor dicho, creado de nuevo algunos de los patrones que notamos en la literatura inmigrante de las décadas veinte y treinta: 1) literatura política y de exilio, 2) literatura costumbrista y de sátira de la asimilación y del interlingüismo, o sea, es literatura de choque cultural, como *El super* (18) de Iván Acosta, *La vida es un Special* (19) y *La montaña rusa* (20) de Roberto Fernández.

Pero, la literatura actual de los chicanos y «nuyorriqueños» en inglés o en forma bilingüe no es una literatura de inmigración. Es una literatura norteamericana del campo y de la ciudad, que se basa en tradiciones literarias norteamericanas e hispanoamericanas y reclama sus derechos tanto civiles como estéticos. *Sí*, expresa a veces una nostalgia de México o Puerto Rico y a veces una idealización romántica del pasado azteca, taíno o africano, pero también sus autores se dan cuenta de que la vida en México o Puerto Rico les sería imposible. Al contrario de lo que se concluye en las obras de Venegas, Díaz Guerra, O'Farril y más tarde en Marqués, el regresar a la patria no es ninguna solución frente a la opresión y marginalización en los Estados Unidos. La problemática de los escritores actuales, como Tomás Rivera, Rolando Hinojosa, Ed Vega, Miguel Algarín, Tato Laviera, Nicholasa Mohr, Denise Chávez es definitivamente otra. La ideología de estos autores dista mucho de la de «la colonia en el exilio» de sus antecedentes en los años 20 y 30. Para escritores como Ed Vega tampoco se soluciona el problema estético y social cultivando la novela de inmigración de la tradición norteamericana, o sea, la autobiografía étnica novelada, como bien lo atestigua Vega en la introducción a su novela, *The Comeback*:

I started thinking about writing a book, a novel. And then it hit me. I was going to be expected to write one of those great American immigrant stories, like STUDS LONIGAN, CALL IT SLEEP, or FATHER, which was written by Charles Calitri, one of my English teachers at Benjamin Franklin High School. Or maybe I'd have to write something like MANCHILD IN THE PROMISED LAND or a Piri Thomas' DOWN THESE MEAN STREETS... I never shot dope nor had sexual relations with men, didn't for that matter, have sexual relations of any significant importance with women until I was about nineteen and in the Air Force stationed in the Azores where it was common practice for the airmen to visit houses of pleasure. And I never stole anything, except once when Benjamin Franklin was playing in the city basketball finals at Madison Square Garden and my friend Jimmy Webb was on the team (How you doin', Jimmy Webb, wherever you are), and coming out of the Garden, everyone was going wild and I took an apple from an old man who was selling them. I didn't to a block before I started feeling sorry for the old guy. It was like every Mother's Day I would start thinking about kids who were orphans and I'd cry. The apple wasn't heavy in my hand or anything like that, but I went back and paid the old man

(15) Río Piedras, Editorial Cultural, 1970.

(16) Nueva York, Las Américas, 1971.

(17) México, Siglo Veintiuno Editores, 1973.

(18) Miami, Ediciones Universales, 1982.

(19) Miami, Ediciones Universales, 1981.

(20) Houston, Arte Público Press, 1985.

for it. It only cost a nickel anyway. I was a real jerk. Aside from some fist fights, I've never shot anyone, although I've felt like it. It seems pretty far-fetched to me that I would ever want to really do permanent physical harm to anyone. It is equally repulsive for me to write an auto-biographical novel about being an immigrant. In fact, I don't like ethnic literature, except when the language is so good that you forget about the ethnic writing it.

Vega se está refiriendo a la novela norteamericana por excelencia, la que se basa en el mito de Horacio Alger y el crisol de las razas. Representa ésta uno de los cánones literarios más importantes de la literatura estadounidense. ¿Qué son los cánones? Según Altieri (21), «Canons are essentially strategic constructs by which societies maintain their own interests. They are ideological banners for social groups». Dice Krupatt (22) que los cánones representan la institución de «those particular verbal artifacts that appear best to convey and sustain the dominant social order». Finalmente, añade Van Hallberg (23) que «Canons are recognized as the expression of social and political power». Las bases ideológicas se establecen definitivamente en las primeras grandes obras autobiográficas norteamericanas que son, *The Autobiography of Benjamin Franklin* y *Walden,* por Henry D. Thoreau, con su ideología de individualismo y democracia pluralista. Influida, claro está, por la larga tradición autobiográfica confesionista que se inicia con las *Confesiones de San Agustín* y que influye a través de las edades en el desarrollo de la novela occidental y la autobiografía como documento histórico, lo que distingue la autobiografía norteamericana de sus antecedentes europeos son las siguientes tendencias:

1. La meta del escritor en su libro y en su vida es crear una identidad, la cual representa uno de los valores máximos del individualismo norteamericano (24).

2. Intensificando su herencia confesional religiosa, la autobiografía encuentra gran popularidad en la sociedad puritana de principios del siglo diecinueve y durante su desarrollo se mantiene abiertamente didáctica (25). Dos tipos de autobiografía que prevalecen en esta época son las memorias de ministros como Cotton Mather y las «confesiones» de ladrones, asesinos y otros criminales que durante el proceso y la ejecución de los mismos se editaban y circulaban como ejemplos moralistas (26). Es de notar, también, que estas narrativas, llenas de aventuras e intriga, satisfacían al público puritano que no podría consumir una literatura «frívola», de ficción (27).

(21) Charles Altieri, «An Idea and Ideal of a Literary Canon», en *Canons,* ed. Robert von Hallberg (Chicago, University of Chicago Press, 1983), p. 42.

(22) Arnold Krupat, «Native American Literature and the Canon», en *Canons,* p. 310.

(23) Robert von Hallberg, *Canons,* p. 1.

(24) Albert E. Stone, *Autobiographical Occasions and Original Acts* (Philadelphia, University of Pennsylvania Press, 1982), p. 10.

(25) Thomas Cooley, *Educated Lives: The Rise of Modern Autobiography in America* (Columbus, Ohio State University Press), pp. 4-5.

(26) *Ibíd.,* p. 5.

(27) *Ibíd.,* p. 7.

3. Es representada por las narrativas de los esclavos refugiados en el norte antes y durante la guerra civil norteamericana, las cuales son fuentes directas de la autobiografía étnica de hoy. Sus narraciones, escritas por los esclavos mismos o narradas a un copista o editor, se publicaban como apoyo político y moral para el movimiento abolicionista en los Estados Unidos. La *Vida de Frederick Douglass,* con ediciones en 1845, 1849 y 1879 y con más de 100.000 copias vendidas antes que apareciera *La cabaña de Tom,* se acredita como modelo para la novela tan importante de Harriet Beecher Stowe (28).

4. La idea de que el hombre se hace en la sociedad cultivando sus talentos también tiene sus raíces en San Agustín, pero encuentra su expresión más escueta en la obra de Jean Jacques Rousseau, por medio de la cual llega a formar base importante para el desarrollo del *Bildungsroman* del siglo diecinueve en Europa (29). Pero en los Estados Unidos, ambos Franklin y Thoreau insisten en esta idea que pronto se convertirá en un lugar común de la democracia norteamericana: «the self-made man». Es importante esta última tendencia porque representa la integración del individuo a la sociedad y la idea de que éste la puede reformar al mismo tiempo.

En suma, tenemos varios preceptos de un verdadero canon literario, los cuales representan la ideología del grupo predominante y normativo de la sociedad estadounidense. La autobiografía norteamericana, novelada o no, parte de la premisa de democracia pluralista, resalta al individuo en su poder de crear su identidad social y no sólo hacerse en la sociedad sino influir sobre ella. Es frecuentemente confesional, didáctica y moralista. También como herencia de su evolución moral y religiosa frecuentemente relata la conversión del individuo y su hallazgo de una verdadera identidad social mediante la resolución de una crisis psicológica. Este género literario que ha gozado de tanta popularidad desde los inicios de la literatura norteamericana hasta hoy, ha tenido tanta flexibilidad para dar expresión tanto a los magnates y a las grandes figuras históricas como a los esclavos y criminales; ha sido forma tan predilecta entre los nuevos escritores étnicos, sobre todo de primera generación de inmigrantes europeos a los Estados Unidos, que se ha originado un canon especial para la novela autobiográfica étnica. La autobiografía étnica novelada se basa usualmente en la vida del inmigrante en «América» y las barreras raciales, sociales y económicas que tiene que romper para lograr el gran Sueño Americano; pero en esta novela el inmigrante siempre logra sobrepasar estas barreras y asimilarse. Para cada uno de los grupos de inmigrantes europeos tenemos una contribución al canon: *The American* de Howard Fast para los alemanes, *Studs Lonigan* de James Farrell para los irlandeses, *América, América* de Elia Kazan para los griegos, *The Story of Honkey Koey* para los húngaros, *Call it Sleep* de Henry Roth, entre muchos, para los judíos. Todas éstas surgen de grupos que estaban por asimilarse a la sociedad norteamericana. Se dan a la luz como una indicación de aceptación del grupo por la nacionalidad oficial estadounidense. Tan repetido es el canon que se ha satirizado en obras como *Portnoy's Complaint* de Phillip Roth, y hasta tiene su expresión pornográfica en *The Happy Hooker* de Xaviera Hollander.

Este género auténticamente norteamericano ha funcionado para comprobar y fomentar los mitos nacionales que desde tiempos de Franklin y Thoreau estaban concretándose en la literatura: 1) el mito de crisol de las razas; 2) el mito de los Estados Unidos como país de oportunidades

(28) *Ibíd.*

(29) *Ibíd.,* pp. 16-17.

—oportunidades para el individuo a asimilarse, a subir la escala social, pero sólo si puede perseverar frente a barreras de discriminación por parte de la sociedad norteamericana y la pobreza que trae el inmigrante de su patria. Así que tenemos como premisa básica que el precio de la participación y los beneficios de la sociedad norteamericana *es* deshacerse de la lengua y la cultura de la patria original. Estas representan barreras para la integración y para competencia económica. El individuo, al convertirse y hacerse en la sociedad norteamericana, tiene que deshacerse de su lealtad a otra nacionalidad.

Ahora, cuando hablamos de este género y sus cánones sólo estamos hablando de la literatura editada por las grandes casas comerciales para el consumo general y masivo. Estos libros sirven para introducir a estos escritores en el mercado norteamericano y para presentar la literatura «étnica» a la sociedad estadounidense. Es una forma de finalmente aceptar al grupo como parte del crisol, parte de la conciencia y la identidad estadounidenses. Y parece que ha funcionado más o menos bien para los otros grupos étnicos, especialmente cuando se tiene en cuenta el desarrollo y la importancia de la literatura judío-norteamericana. Pero ¿qué tal las minorías raciales? En cuanto a las autobiografías noveladas de los negros, desde *The Invisible Man* hasta *The Color Purple*, se ha insistido mucho más en la cultura de la pobreza, el crimen, las drogas, el incesto y lo anormal. Seguidores de esta tradición han sido las autobiografías puertorriqueñas: *Down These Mean Streets* de Piri Thomas, *Nobody's Hero* de Lefty Barretto, *Run Bay Run* (confesión religiosa) de Nicky Cruz y *Benjy López* confesada al sociólogo Barry Levine (30). Entre los méxico-norteamericanos, la cadena va desde *Pocho* hasta *Macho, Chicano* y *Hunger of Memory* (31). Existe hoy por lo menos una adición cubano-norteamericana, *Our House in the Next World,* por Oscar Hijuelos (32).

Estas autobiografías hispano-estadounidenses representan la única literatura escrita por hispanos que reniega de la cultura hispana y que no reconoce ninguna tradición literaria hispana. Y ésta es la única literatura hispana publicada por las grandes casas comerciales. Es tan atractivo este canon para los escritores que aspiran a entrar en las corrientes literarias principales de los Estados Unidos que hasta los escritores de más talento y preparación cultivan el género. Por ejemplo, Edward Rivera en su *Family Installments. Memories of Growing Up Hispanic* (33) sucumbe a la práctica de despreciar la patria: en el primer capítulo donde describe el pasado isleño emplea la palabra *mierda* y sus sinónimos más de cien veces para caracterizar la vida del jíbaro —la misma vida que sus antecedentes consideraban edénica. En *Our House in the Next World,* Cuba es personificada por un padre alcohólico y machista. Entre hispanos, el género de autobiografía étnica

(30) Piri Thomas, *Down These Mean Streets* (Nueva York, Signet Books, 1976); Lefty Barretto, *Nodody's Hero* (Nueva York, Signet Books, 1976); Nicky Cruz, *Run Baby Run* (Plainfield, New Jersey, Logus Books, 1973); Barry Levine, *Benjy López* (Nueva York, Basic Book, 1980).

(31) José Antonio Villarreal, *Pocho* (Nueva York, Doubleday, 1959); Richard Vásquez, *Chicano* (Nueva York, Avon, 1971); Edmund Villaseñor, *Macho* (Nueva York, Bantam, 1973); Richard Rodríguez, *Hunger of Memory* (Boston, David Godine, 1981).

(32) Nueva York, Persea Books, 1983.

(33) Nueva York, Penguin Books, 1982.

ha generado sátiras en las casas editoriales pequeñas, como en *The Comeback* de Ed Vega, prota-
gonizada por un jugador de hockey que es esquimal puertorriqueño que sufre la clásica crisis de
identidad, y como en la novela chicana, *The Autobiography of a Brown Buffalo*, de Oscar Zeta
Acosta (34). Pero el canon es tan básico que ha habido hasta impostores étnicos que lo han culti-
vado de forma sobresaliente. Hablo de la apócrifa autobiografía *Famous All Over Town* de Danny
Santiago, seudónimo de Ed James (35).

Les toca, entonces, a las pequeñas editoriales hispanas salir del canon oficial y producir una
literatura auténtica, que reconozca la tradición literaria hispana, sea en inglés o en español. Algunos ejemplares de esta obra auténtica y fiel a las raíces hispanas son, por ejemplo, *El super* de
Acosta —que a su vez es un comentario de *La carreta* de René Marqués—, *La vida es un Special*
y *La montaña rusa* de Roberto Fernández, *The Comeback* de Ed Vega, *The Klail City Death Trip
Series* (36) de Rolando Hinojosa y *... y no se lo tragó la tierra* (37) del difunto Tomás Rivera.
Las autobiografías étnicas producidas por las grandes empresas comerciales no pueden reconocer
la tradición literaria hispana porque para ellas el mundo minoritario hispano es analfabeto y carece de tradición literaria. Según estas casas editoriales los escritores sólo pueden basarse en la
realidad brutal. La cultura de la pobreza no produce escritores con excepción de 1) los Jean Ge-
net americanos como Miguel Piñero, Lefty Barreto, Piri Thomas y el Danny Santiago apócrifo
y 2) de los escritores educados y asimilados que han logrado dominar el idioma del Rey Inglés
(The King's English) y que han logrado deshacerse del idioma de la pobreza para abrazar de lleno
la tradición literaria anglosajona, o sea, escritores como Richard Rodríguez.

Así que tenemos dos representaciones y dos tradiciones diferentes: un canon de la inmigración y de la presencia minoritaria hispana creado por los mismos hispanos y otro canon creado
por la estructura del poder comercial, intelectual y que, gracias a ello, ha podido divulgarse masivamente y aparecer en todos los medios de comunicación. Pero, irónicamente, la tesis mía es
que el canon de la autobiografía étnica norteamericana se basa en una mentira, un mito que no
responde a la realidad y, en definitiva, ni en sus raíces ni en la experiencia empírica ni en el nivel
de cultura popular puede considerarse como un género literario verdaderamente hispano. Representa, al contrario, un arma intelectual y popular para anegar la cultura hispana mientras que
convence al lector anglohablante de que el sistema pluralista todavía funciona en esta sociedad
abierta y democrática.

◆

(34) San Francisco, Straight Arrow, 1973.

(35) Nueva York, Simon & Schuster, 1983.

(36) Los libros que forman parte de la serie son: *Estam-
pas del Valle y otras cosas* (Berlekey, Quinto sol Publications,
1973); *Klail City y sus alrededores* La Habana, Casa de las
Américas, 1976); *Korean Love Songs* (Berkeley, Justa Publications, 1978); *Mi querido Rafa* (Houston, Arte Público Press,
1981); *Rites and Witnesses* (Houston, Arte Público Press,
1982); *Dear Rafae* (Houston, Arte Público Press, 1985); *Part-
ners in Crime* (Houston, Arte Público Press, 1985); *Claros
Varones de Belken* (Tempe, Bilingual Review Press, 1986);
Klail City (Houston, Arte Público Press, 1987).

(37) Segunda edición, Houston, Arte Público Press.
1987.

Enrique Guerrero Salom

Cooperación educativa

Cooperación educativa

Hay una vía tradicional de cooperación entre nosotros, que es la que se desarrolla a partir del tratado de amistad con los EE.UU. En virtud de ese tratado de amistad hay un convenio complementario sobre cooperación científica, cultural y educativa y económica. Este convenio ha dado lugar a lo largo de los últimos cinco años, a una serie de posibilidades de cooperación de distinto tipo, que voy simplemente a enumerar:

Ayudas de investigación cooperativa, que son proyectos de investigación que se desarrollan cooperativamente entre una institución española y una institución norteamericana; ayudas de cooperación institucional; bolsas de viaje; becas individuales de distinto tipo, entre las que se encuentran becas de ampliación de estudios para licenciados españoles; becas posdoctorales para españoles y también becas posdoctorales para investigación en España para norteamericanos; becas de actualización de conocimiento en EE.UU.; becas de ampliación de estudios para artistas; becas posdoctorales de más corta duración.

No quiero extenderme demasiado, pero sí quiero llamar un poco la atención sobre algunos aspectos de este programa. En primer lugar, hay una parte de esta cooperación que se dedica a fomentar el conocimiento por parte de los EE.UU. de los aspectos relevantes de la cultura española. Es una parte modesta, como son todas las partidas de este convenio de cooperación cultural, pero a lo largo de los últimos cinco años, algún esfuerzo se ha hecho para trasladar allí exposiciones, para organizar recitales, para desarrollar actos culturales en algunas ciudades de los EE.UU.

A lo largo de estos últimos cinco años se han concedido un total de 851 becas, así como veinte ayudas especiales y el monto total de la cooperación no supera los quince millones de dólares. Quiero decir con ello, en primer lugar, que es una cooperación muy modesta si hablamos en términos de España, y desde luego prácticamente insignificante si hablamos en términos de EE.UU. En segundo lugar, que es una cooperación que no podemos decir exactamente que haya sido utilizada por los hispanos de los EE.UU., sino más bien por los españoles que van a EE.UU. En tercer lugar que, como es bien sabido, es un procedimiento, una vía de cooperación, que está en estos momentos bastante en suspenso, esperando qué solución se puede dar a la renovación o no renovación del convenio con los EE.UU. En el caso de que éste no prosperara habría que ir, naturalmente, a nuevas formas de cooperación. Pero sí quiero decir que teniendo conciencia de que esta forma de cooperación fundamentalmente se utiliza por españoles que se trasladan a EE.UU., para tipos de estudios que no están directamente vinculados con la herencia hispana, cabe, sin embargo, la posibilidad de utilizarla también desde esta perspectiva, y creo que, tanto por parte de la Administración como por las instituciones que ustedes representan, podemos hacer un esfuerzo en ir mentalizando a los gerentes de esos comités, entre los cuales se encuentra el Ministerio de Educación, para que esta conexión entre los hispanos de EE.UU. y la cultura española se convierta en un programa prioritario dentro de los programas del propio Comité Conjunto. Me parece que es una razonable propuesta y que, desde luego, por parte del Ministerio de Educación no encontraría más que apoyo.

Hay otras formas de cooperación recientemente puestas en práctica. Se firmó un acuerdo en 1985 entre el Ministerio de Educación y la ciudad de Nueva York, con el fin de dotar a esta ciudad de una serie de profesores españoles que pudieran incorporarse a los programas de educación bilingüe. En estos momentos hay unos 250 profesores incorporados a este sistema. Sobre los beneficios de la educación bilingüe hay que señalar que además de que se trata de un derecho están las ventajas pedagógicas. Así pues, el Ministerio de Educación ha provisto a la ciudad de Nueva York de estos 250 profesores especializados en matemáticas, en ciencias, historia, lengua y literatura, psicología clínica y educación especial, en lo que se refiere a terapia del lenguaje.

Estos profesores están enseñando en español, en programas bilingües y en la ciudad de Nueva York. Sus autoridades educativas nos han expresado que sus necesidades son mucho más amplias de lo que en estos momentos les estamos proporcionando, que podrían incluso llegar a un monto de 3.000 profesores, y quisiera llamar la atención sobre el hecho de que se trata de una experiencia piloto (o que deberíamos tratar de que fuera así) para una futura aplicación a otras ciudades de los EE.UU., quizá siguiendo el modelo determinado por dicha experiencia. Con el estado de California hay también un acuerdo firmado por el Estado español en julio de 1986. El sistema es básicamente el mismo y quiero resaltar que en el memorándum de acuerdo entre el estado de California y el Ministerio de Educación español, y en su explicación del por qué se va a este tipo de cooperación, se dice literalmente: «En virtud de todo ello el Ministerio de Educación y Ciencia de España es consciente de su responsabilidad, compartida con el resto de países hispánicos y grupos de hispanos en los EE.UU. en la cooperación con todos los grupos, organismos e instituciones que tengan por fin último el de lograr una mayor calidad de la enseñanza, incluida la del español como primera y segunda lengua».

Creo que es resaltable la voluntad del Ministerio de Educación de avanzar en estos programas de cooperación, en todo caso contando con el apoyo, la presencia, colaboración, cooperación e información previa de los grupos hispanos en los EE.UU. y también en un tipo de análisis posterior de los fallos y deficiencias que se hayan producido en las posibles ayudas, para la eventual modificación de estos proyectos.

En este momento hay aproximadamente unos 70 profesores españoles en el programa de California. Quiero señalar que hemos tenido problemas serios. Estos problemas vienen de distintas raíces. Algunos de ellos son imputables a los propios candidatos, por su deficiente conocimiento del inglés; otros son imputables a las dificultades que encuentran en las escuelas de California para que sea aceptado el sistema bilingüe, o para hacerlo en su plenitud; otros son achacables al Ministerio de Educación y Ciencia, por no haberlos previsto en tiempo necesario.

También hay que decir que estos problemas, a su vez, están marcados por todos los conflictos que en estos momentos se desarrollan en los EE.UU. sobre la «guerra de las palabras» y sobre el problema planteado acerca de la vigencia real de la educación bilingüe, aunque éste sea un derecho reconocido por una ley de carácter federal. Quiero decir con ello que en estos momentos el Ministerio de Educación no está todavía en condiciones de valorar afinadamente cómo se están llevando a cabo estos programas, entre otras cosas porque el programa de California, de verdad, empieza este año a funcionar aunque el convenio de cooperación esté firmado en 1986, y el programa de Nueva York esté un poco más avanzado pero ambos no nos permiten todavía un análisis depurado sobre qué podemos hacer en el futuro.

Por otra parte hay una serie de elementos, que no hace falta que yo recalque: por ejemplo, la colaboración con EE.UU. en el campo educativo no depende solamente del Ministerio de Educación, o no está adscrito sólo al Ministerio de Educación. La hacen instituciones privadas, instituciones públicas, la hacen universidades, etc. Y por último hay un programa, que es la posibilidad de implantar en el «curriculum» de determinados estados o determinadas ciudades o determinados centros de los EE.UU. proyectos referidos a la historia, a la herencia de la cultura hispana. No hace mucho ha tenido lugar un Seminario de este proyecto, conocido como «spanish aeritage». Forma parte de los proyectos del Quinto Centenario y creo que habrá posibilidad de hablar más extensamente de esta cuestión.

Alicia de Jong Davis

El mercado hispano y los medios de comunicación

El mercado hispano
y los medios de comunicación

Para 1990 los Estados Unidos serán el segundo país en número de hispanos. Este trabajo tiene como propósito analizar el mercado hispano en los Estados Unidos en relación con los medios de comunicación, llegándose a las siguientes conclusiones:

1.º El mercado hispano se perfila en una proyección de incremento, debido primordialmente al aumento demográfico.

2.º En este mercado desempeñan un papel predominante los medios de comunicación en español, los cuales son el único nexo que existe en muchos casos entre el consumidor hispano y el mercado. Esto es particularmente más relevante en el caso de inmigrantes recientemente llegados a los Estados Unidos.

3.º El control de los medios de comunicación está pasando gradualmente de las grandes compañías a la propiedad privada. Todos estos factores: aumento de población, incremento en el uso del español como lengua comercial y la descentralización de la industria de la comunicación pronostican un incremento acelerado en la importancia del mercado hispano en los Estados Unidos. *Strategy Research Corporation* en su reciente estudio titulado «1987. El Mercado Hispano en los Estados Unidos» calcula que en tres años dicha población alcanzará la cifra de treinta millones, esto sin contar los indocumentados de origen hispano que en este momento oscilan entre los tres y cinco millones, y los otros tantos que emigrarán a los Estados Unidos en los próximos cinco años. El promedio de la población hispana es joven con una edad promedio de 23,6, a diferencia de los 30,0, edad promedio de toda la población estadounidense; presentando además el índice de nacimiento más alto. Las familias hispanas son, por lo general, grandes, con un promedio de 3,35 personas, a diferencia del 2,7 del total de los Estados Unidos. Debido a este alto crecimiento demográfico, los hispanos que viven en los Estados Unidos constituyen ya el mercado hispano más rico del mundo.

El poder adquisitivo de la población hispana es considerable y sigue creciendo. En 1980 el hispano gastó 52.900 millones de dólares; en 1986, 107.300 millones; este año, 134.100 millones, y para el 1990 se calcula que gastará la cantidad de 172.000 millones.

En 1987 el salario de una familia hispana de clase media era de 22.900 dólares, casi el 70 por 100 del salario de la clase media en los Estados Unidos. A lo largo de los años los ingresos de los hispanos han ido aumentando con igual consistencia que los del resto del país.

La matrícula académica crece aceleradamente en la población hispana, tanto en la universidad como en las escuelas secundarias, igualando al «anglo» en la escuela primaria. La educación en general ha habilitado al hispano a colocarse en el mercado obrero, llamado «blue-collar positions», en otras palabras, trabajos manuales especializados, mercado en el que va adquiriendo cada año más importancia la fuerza laboral femenina, también. Todo esto explica el gran interés por parte de políticos, publicistas y medios de comunicación por conquistar este muy lucrativo sector de la población norteamericana.

Según las más recientes estadísticas, se invierten anualmente alrededor de 400 millones de dólares para atrapar al consumidor hispano. La publicidad está dirigida a los tres grupos hispanos de los Estados Unidos —mexicanos, puertorriqueños y cubanos—, población que se calcula que constituye 25 millones de consumidores con un ingreso en 1986 de 113.000 millones de dólares. El mercado hispano está segmentado de acuerdo con el país de origen, pero geográficamente se concentra, aproximadamente el 80 por 100, en áreas metropolitanas, lo cual facilita llegar a él en una forma eficaz mediante los medios de comunicación. El porcentaje de la población hispana urbana es el siguiente: en Nueva York un 23 por 100; Los Angeles, 32 por 100; Miami, 43 por 100; San Antonio, 48 por 100; Alburquerque, 37 por 100; El Paso, 61 por 100; y Bakerfield, un 24 por 100. El méxico-norteamericano prefiere vivir, pues, en California, Texas y los estados del suroeste de los Estados Unidos. Los puertorriqueños se han concentrado en Nueva York, Chicago y en el noroeste, mientras que los cubanos se han radicado en Miami y en el área de Nueva York-New Jersey. Por su parte, los centroamericanos y suramericanos prefieren las áreas urbanas donde ya existen nutridas colonias latinas.

El mercado hispano reporta significativas ganancias comerciales. Casi el 20 por 100 (uno de cada cinco) de las personas que viven o compran en el mercado norteamericano son consumidores que hablan español. Aunque el hispano tiene distintos patrones culturales y modalidades lingüísticas de acuerdo con su lugar de origen, el común denominador es el idioma español que continúa siendo su lengua primaria y que lucha por conservar como medio de perpetuar su identidad cultural. Consciente de que el hispano es más receptivo a los anuncios en su lengua de origen, la mayoría de la publicidad es en español y está dirigida primordialmente a los nuevos inmigrantes con poco dominio del inglés.

El hispano es un mercado que ofrece grandes oportunidades en el presente y un gran potencial en el futuro. Debido principalmente a que el hispano está muy orientado a los medios electrónicos y a su concentración demográfica en ciertos núcleos urbanos, con una mínima cantidad de inversión un publicitario puede dominar todo el mercado hispano. El hispano usa también los medios de comunicación electrónicos en español como su primera fuente de noticias, información y diversión. De ahí que la gran identificación que la comunidad hispana tiene con la radio y la televisión propicie el auge en los medios de comunicación en español.

La radio en español, cubre virtualmente el 100 por 100 de la población hispana. La cifra de emisoras de radio que transmitían programaciones totalmente en español en 1975 era de 67; pero en el presente esta cifra es de 177. De estas emisoras, 140 están en los Estados Unidos y 37 en Puerto Rico. De las 9.825 emisoras de radio restantes en los Estados Unidos, 450 incluyen de una a veinte horas semanales de programación en español. Todo esto supone un aumento considerable, tanto de inversión como de radioyentes. La publicidad en español a través de la radio es fácil, económica y muy efectiva, inclusive entre los hispanos que no hablan español. La programación de estas emisoras es producida localmente y cubre las necesidades de cada región, brindando una oportunidad única para la promoción de artículos de consumo.

La gran identificación que la comunidad hispana tiene con la radio, la comparte también con la televisión. Está claro que el hispano prefiere la televisión en español a la televisión en inglés, forma parte integral de su cultura. Se calcula que el hispano pasa diariamente un promedio de dos horas y media frente al televisor. Este interés y fidelidad a la televisión se debe en parte a la capacidad de penetración de este medio. *Strategy Research Corporation* en un informe de 1987 encontró que más de dos tercios de los hispanos entrevistados habían visto televisión en español el día antes de ser entrevistados. Cifra que contrasta con el 47 por 100 que había escuchado la radio en español y un 21,5 por 100 que había leído el periódico en español. La televisión es más popular en Nueva York, donde el 76,8 por 100 indicó haber visto la televisión en español, y menos popular en los mercados de Texas y el suroeste, donde también se registró un nivel más bajo de radioescuchas y de lectores. En otro estudio titulado «Hispanic viewing of Spanish television» («Lo que ven los hispanos de la televisión en español»), realizado por la misma corporación, se encontró que el hispano entre los 18 y 34 años ve el mismo número de programas televisivos que aquellos de 35 y 40 años. A diferencia del periódico y de la radio, la mayoría de la programación en la televisión en español no está diseñada teniendo en cuenta un público en particular, casi toda su programación es importada, siendo México el primer exportador, debido a los grandes nexos con Televisa. El méxico-norteamericano ve las mismas telenovelas en Los Angeles que el puertorriqueño en Nueva York y el cubano-norteamericano en Miami. El televidente ya se ha acostumbrado a los diferentes dialectos y a las diferentes culturas de los países donde fueron producidos los programas. Lo que se produce en Estados Unidos prácticamente se limita a noticias, y programas de asuntos públicos y de interés para la comunidad. Algunas emisoras producen un programa semanal de variedades y ocasionalmente alguna que otra serie especial. Las telenovelas son el espectáculo cotidiano y genera el público más grande en todos los sectores. A diferencia de las novelas de la televisión en inglés que suelen durar años, estas novelas en español tienen de 120 a 160 episodios y duran de cinco a cuatro meses. La programación de la televisión en español, brinda una atmósfera agradable para los hispanos, de ahí, que cualquier publicidad a través de este medio que lleve un sello de credibilidad propiciará una respuesta favorable del consumidor. Para aquellas emisoras que ofrecen una alternativa a las novelas o que producen directamente alguno de sus programas, las compensaciones económicas son muchas. Por ejemplo: el programa «Sábado Gigante» del Canal 23 en Miami, será sindicalizado este año, así como el Canal 52 de Los Angeles, que ofrece películas en lugar de novelas y ha captado el 65 por 100 de público, y el Canal 47 en Nueva York que ofrece novelas tanto como miniseries y programas de variedades.

Pero la ventaja que hoy tiene el publicitario para dominar el mercado a bajo costo desaparecerá dentro de cinco a diez años. Habrá entonces mayor competencia, de ahí que las campañas publicitarias tendrán que ser más complejas y la inversión será mayor; se doblarán menos «spots» al español, habrá gran énfasis en anuncios bilingües para tratar de atraer a los jóvenes hispanos. Otros anuncios se producirán en inglés para atraer al público hispano que no habla español. Pero, sin duda, la publicidad en español continuará siendo el mejor medio para alcanzar con mayor efectividad el mercado hispano. El promedio de televisiones por vivienda es hoy de 1,91, y cuando menos el 24 por 100 de los hogares está suscrito a cablevisión. Los inversionistas, conscientes de ello, siguen adquiriendo canales de televisión. Actualmente se cuenta con 29 emisoras con programación totalmente en español; las cuales, en su mayoría, están afiliadas a UNIVISION (antes SIN) y tres a la nueva cadena TELEMUNDO, habiendo algunas independientes.

En prensa escrita, continúan surgiendo revistas y periódicos en español y en inglés dirigidos al hispano. Sólo la «Asociación Nacional de Publicaciones Hispanas» representaba 42 periódicos con una circulación aproximada de 1,34 millones, en 1986. Los diez periódicos en español que se publican diariamente en los Estados Unidos se caracterizan por el énfasis que hacen en reflejar el lugar de origen de sus lectores. Así, *La Opinión* de Los Angeles en su cobertura resalta las noticias de México y temás de interés para los méxico-norteamericanos; *El Diario-La Prensa* y *Noticias del Mundo,* ambos periódicos de Nueva York, destacan las noticias de Puerto Rico y de Centro y Suramérica; *El Miami Herald* y *El Diario de Las Américas,* ambos en Miami, resaltan noticias sobre la relación Cuba-Estados Unidos. Todos ellos cubren, además, extensamente las noticias locales que atañen al hispano. Los periódicos en español dependen sobremanera de la fuente de información vía cable. Aunque algunos cuentan con un pequeño cuerpo de reporteros, principalmente tienen que depender de los servicios de agencias: La Prensa Asociada (AP) y La Prensa Unida Internacional (UPI), para las noticias tanto locales como nacionales. Y la Agencia EFE de España y Notimex de México para las noticias internacionales.

Aunque la publicidad en los periódicos es menor, es un excelente complemento a la publicidad vía radio y televisión. Los periódicos en español son eficaces en la promoción de tiendas, restaurantes, teatros y otros establecimientos, particularmente cuando ofrecen anuncios de rebajas. La prensa hispana en general puede ser usada muy eficazmente para apoyar y complementar una campaña publicitaria iniciada en los medios electrónicos.

Los medios de comunicación hispanos continúan siendo rentables a pesar de algunos problemas económicos. Si bien algunos de ellos han monopolizado el mercado por muchos años, la presión competitiva de los nuevos inversores garantiza una mejora en la programación que ofrecen. El futuro parece prometedor para los medios en español porque el hispano continuará siendo fiel a su producto y fiel a su emisora, de igual modo que el inversor continuará siendo fiel al mercado hispano.

Ricardo R. Fernández

**La condición educativa
de los hispanos en los EE.UU.**

La condición educativa
de los hispanos en los EE.UU.

Tened cuidado. Vive la América española
Hay mil cachorros sueltos del León español.

Rubén Darío, «A Roosevelt»
Cantos de vida y esperanza (1905)

Cualquier análisis de la condición educativa de los hispanos en los Estados Unidos de Nortea-mérica tiene que partir necesariamente de una realidad demográfica en la cual se nota que los grupos hispanos han crecido en número e influencia en las últimas décadas. Entiéndase que al ha-blar de hispanos se trata aquí de los tres subgrupos más numerosos en EE.UU.: los méxico-nor-teamericanos, los puertorriqueños, y los cubanos, así como de un creciente número de centroamericanos que se han desplazado a este país debido a conflictos internos en sus respecti-vos países, principalmente Nicaragua y El Salvador. El censo de 1980 reveló que había unos 14,6 millones de hispanos residiendo legalmente en los EE.UU., lo cual representaba un 6,4 por 100 de la población del país. Para marzo de 1987, el censo informó de que ese número había aumen-tado a 18,8 millones, que representaban un 7,9 por 100 de la población total. Es decir, en el plazo de cinco años pudo observarse un crecimiento de un 29 por 100 (4,2 millones). Se calcula que para el año 2000 la población hispana de los EE.UU. alcanzará las cifras de entre 23,1 y 26,9 millones, lo que representaría entre el 8,6 por 100 y el 9,9 por 100 de la población total, de los cuales entre un 12 por 100 y un 19 por 100 serían inmigrantes (National Council de la Raza, 1986).

Dada la concentración de los hispanos en ciudades y áreas urbanas (más del 80 por 100 resi-den allí) es fácil apreciar el impacto que este crecimiento poblacional ha tenido en el sistema públi-co de educación del país, donde sólo un 10 por 100 de los alumnos asisten a escuelas privadas. Un análisis de la matrícula escolar de los 25 distritos más grandes de EE.UU. nos revela que sólo tres tienen menos de un 50 por 100 de estudiantes minoritarios (hispanos, negros, asiáticos, in-dios norteamericanos) y de éstos un buen número, entre los que se encuentran los distritos esco-lares de Nueva York, Los Angeles, Miami, San Diego, Houston, Alburquerque, Denver, San Antonio y El Paso, cuentan con un gran número de hispanos. En 1984 una de cada cinco personas en los EE.UU. pertenecía a uno de los principales grupos minoritarios (Kasarda); para el año 2000 el demógrafo Harold Hodgkinson (1985) señala que esta proporción aumentará a una de cada *tres* personas.

La concentración poblacional en ciertos estados de la nación crea una situación única ya que casi dos terceras partes de *todos* los hispanos en los EE.UU. residen en tres estados: California (33 por 100), Texas (21 por 100) y Nueva York (11 por 100). Si a éstos se les añaden los hispanos residentes en la Florida, Illinois, Nueva Jersey, Nuevo México y Arizona, el total suma el 85 por 100 de todos los hispanos de la nación.

El futuro de los distritos escolares más grandes en los EE.UU. se ha complicado en las últimas dos décadas debido a los cambios sufridos por la economía norteamericana. La pérdida de población de las ciudades a causa del movimiento de familias y empleos a los suburbios que las rodean ha reducido la base económica de éstas, creando serias dificultades para los sistemas escolares al mismo tiempo que éstos experimentan un aumento en la matrícula escolar. La emigración poblacional interna de las regiones más frías e industrializadas del este y del norte del país (el llamado «Rustbelt») hacia estados con climas más cálidos (el llamado «Sunbelt») con mayores oportunidades de crecimiento económico y reducida influencia de los sindicatos laborales añade también una dimensión importante a este cuadro demográfico ya que son estas regiones y estos estados los mismos que han experimentado el mayor aumento en el número de residentes hispanos. Por consiguiente, son los distritos escolares urbanos los que han recibido el impacto más directo de esta emigración interna y crecimiento natural, que contiene también un elemento de inmigración del extranjero, especialmente en los estados cuyas fronteras colindan con México, en la Florida, y en Nueva York. El fallo del Tribunal Supremo de los EE.UU. en el caso de *Plyler* v *Doe* (1982) garantizó el derecho a instrucción gratuita a los hijos de los llamados «indocumentados», trabajadores que entraron o residen ilegalmente en el país. A consecuencia de esto, una multitud de distritos, particularmente en Texas y California, se vieron obligados a recibir a estos estudiantes y proveerles servicios, incluyendo instrucción bilingüe y ayuda especial para aprender inglés, el idioma común de la enseñanza.

Es imposible entender a fondo la condición educativa presente de los hispanos sin considerar antes, aunque sólo en forma abreviada, la lucha librada en los últimos veinte años en EE.UU. por grupos hispanos en favor de la educación bilingüe. Intimamente ligado a esta lucha está el fenómeno que se ha venido observando desde principios de la década actual de grupos que se oponen rotundamente no sólo a la educación bilingüe sino a que ningún organismo gubernamental provea servicios bilingües a nadie. Esto es, insisten en la prohibición absoluta de materiales electorales o servicios telefónicos de urgencia en hospitales, y en general al uso de ningún otro idioma fuera del inglés para ningún servicio pagado con fondos del erario público. El idioma, que se había utilizado antes como instrumento para organizar una lucha política común que abarcaba todos los grupos hispanos, ha llegado a convertirse en el tema alrededor del cual se organizan los grupos de oposición, temerosos de lo que puedan representar el gran crecimiento poblacional de estos grupos en ciertas regiones, los logros económicos y los avances políticos de los hispanos en cuanto a cambios en la estructura social y la política lingüística del país.

Los orígenes más recientes de la educación bilingüe en los EE.UU. provienen de la década de los sesenta y fueron resultado del llamado «Movimiento de los Derechos Civiles», encabezado por la población negra en su batalla contra la política de segregación basada en criterios raciales. Aunque ya desde 1954 la Corte Suprema de los EE.UU. había determinado que la discriminación racial violaba la Constitución federal, no fue hasta 1964 cuando el Congreso de los EE.UU. aprobó una nueva ley de los derechos civiles que garantizaba a todos los ciudadanos protección en contra de la discriminación racial. Para los hispanos, que también habían sufrido la discriminación racial en décadas anteriores aunque quizás de otro matiz y en menor grado que los negros, fue el idioma español el foco de organización de los esfuerzos en la lucha por obtener mejores oportunidades educativas.

Para 1968 se aprobó una nueva ley federal que proponía el método de la educación bilingüe como el medio más efectivo de enseñanza de niños hispanos en las escuelas públicas del país. Este proyecto de ley no imponía ninguna obligación sobre ningún estado o distrito escolar; simplemente aportaba fondos limitados a aquellos distritos escolares que los solicitaran y que fueran juzgados merecedores de los mismos. Esta política lingüística por parte del gobierno federal, que en 1968 comenzó con una aportación de 7,5 millones de dólares, creció rápidamente y para 1980 llegó aproximadamente a 174 millones. (La cantidad propuesta para el año fiscal de 1989 por la administración del presidente Reagan es de 200 millones de dólares.) Impulsados por esta iniciativa federal, muchos de los estados de la nación aprobaron proyectos de ley que requerían que se proveyera instrucción bilingüe a estudiantes de primaria y secundaria cuyo primer idioma no fuese el inglés con el fin de que éstos pudieran aprender rápidamente ese idioma sin quedar retrasados en sus materias escolares durante el período de aprendizaje de una nueva lengua.

En 1974 el Tribunal Supremo de los EE.UU. emitió su fallo unánime en el caso *Lau* contra *Nichols,* declarando que los niños chinos del distrito de San Francisco que no hablaban inglés tenían el derecho a recibir ayuda para aprender el inglés, y que el no proveerles esta ayuda era «burlarse de la ley» y constituía una seria violación de sus derechos civiles. La decisión no especificó que se tenía que proveer instrucción bilingüe sino que dejó que la determinación sobre qué método de instrucción debería utilizarse en manos de los distritos escolares. Sin embargo, en vista de las leyes federales y estatales aprobadas previamente, la interpretación pública general fue que la enseñanza bilingüe era el método lógico para ser empleado —y en muchos casos requerido— por leyes estatales y por los tribunales federales en los varios litigios presentados ante ellos por grupos hispanos en distintas regiones del país. Apoyados por el dictamen de la suprema autoridad judicial del país, los grupos hispanos reanudaron la lucha social y política por institucionalizar la instrucción bilingüe en el sistema público de educación.

Para 1982 la Secretaría Federal de Educación calculó que en EE.UU. había aproximadamente 2,4 millones de niños que no dominaban el inglés lo suficientemente bien como para integrarse a las aulas escolares en las que la instrucción diaria se llevaría a cabo exclusivamente en inglés. A pesar de que en ese momento más de una docena de estados de la nación requerían programas de instrucción bilingüe sufragados con fondos estatales y locales, y de que en 1982 más de 234.000 estudiantes recibían instrucción bilingüe por medio de programas subvencionados con fondos federales, se calculó que aún quedaban entre 1,5 y 1,8 millones de estudiantes sin recibir ningún tipo de ayuda, lo cual estaba en contra de las leyes y reglamentos federales. (Estas cifras se debaten constantemente y no se ha podido llegar a un acuerdo en el cálculo de los niños que no dominan el inglés lo suficiente como para estar en un aula donde la instrucción se dé sólo en inglés.) En 1988 a pesar de la gran inversión de fondos federales y de las diversas determinaciones judiciales de los tribunales federales, hay todavía más de un millón de escolares en el sistema público de educación que necesitan pero no reciben instrucción especial, sea bilingüe o mediante clases de inglés como un segundo idioma. No ha de extrañarnos, a la vista de estas condiciones, que un gran número de alumnos hispanos en las escuelas primarias y secundarias del país tengan unos índices tan bajos de aprovechamiento escolar y unas tasas altísimas de deserción escolar, dos fenómenos que comentaremos más adelante.

Volviendo al tema del idioma, es importante señalar que la fuerza política de los hispanos ha ido aumentando durante las últimas dos décadas. Esto resulta evidente al analizar el creciente número de hispanos que han ganado escaños políticos a todos los niveles por medio del proceso electoral. Para facilitar la participación de minorías excluidas anteriormente de participar en el proceso electoral democrático, el Congreso de los EE.UU. aprobó en 1975 la «Ley del Derecho al Voto» (Voting Rights Act). Esta ley federal ordenó que, en lo que respecta a aquellos votantes que no dominan el inglés y viven en áreas donde constituyen el 5 por 100 de los electores elegibles, las elecciones deberían llevarse a cabo mediante el uso de materiales bilingües (en el idioma apropiado a esa localidad) de modo que estos ciudadanos o residentes legales puedan ejercer su derecho constitucional al voto democrático.

En algunas ciudades como San Francisco, San Diego y Miami hubo bastante controversia sobre el impacto de esta ley. Un número de ciudadanos anglohablantes, preocupados por la creciente inmigración del extranjero a estas ciudades, expresaron su oposición a las elecciones bilingües, insistiendo que un requisito fundamental impuesto por la ciudadanía norteamericana era el que los electores debieran de saber inglés y, de no saberlo, se les debería negar el derecho al voto mediante el uso de materiales bilingües. Todo esto hay que entenderlo, claro está, en el contexto sociopolítico más amplio de estas ciudades que ya venían experimentando cambios radicales en un plazo de tiempo muy corto, tal como sucedió en Miami con la emigración aérea de exiliados políticos de Cuba en la década de los sesenta y con la última ola de refugiados (los llamados «marielitos», nombre derivado del puerto cubano de donde partieron hacia EE.UU.) que llegó en 1980.

El choque de esta inmigración masiva en el sur de la Florida, principalmente en el condado de Dade (Miami), se manifestó en los disturbios raciales entre negros e hispanos (sobre todo cubanos) que conmovieron a esa ciudad ese año. Pocos meses después, tras agrios debates públicos, una sólida mayoría de los votantes del condado de Dade aprobó una prohibición del uso de ningún otro idioma que no fuera el inglés (refiriéndose por supuesto al español) en ninguna actividad sufragada con fondos públicos. Estos esfuerzos fueron organizados exitosamente por personas y grupos de ideología conservadora que temían perder el control de las instituciones sociales y políticas públicas. La restricción sigue en vigencia hoy día pero, una vez se calmó el ambiente al cesar la inmigración y se redujeron los problemas acarreados por ésta, el uso del español dejó de ocupar la primera plana de los diarios de la ciudad. Sin embargo, no debe interpretarse por esto que el debate ha cesado. Los varios medios noticiosos en español, incluyendo una edición en ese idioma del diario de mayor circulación —el *Miami Herald*— informan periódicamente de las variadas circunstancias en que se continúa ventilando el asunto del uso del idioma español en el sector público. En el sector privado de Miami el uso constante del español en el comercio es una indicación clara del poder económico de la comunidad cubana. Es común toparse con anglohablantes que han aprendido (o se esfuerzan por aprender) a hablar el español porque aprecian la ventaja que les da el idioma para penetrar el mercado hispanohablante que representa cientos de millones de dólares anualmente en esa región.

En California los acontecimientos que allí ocurrieron se parecen en ciertos aspectos a lo que sucedió en Miami. En San Francisco hubo oposición al uso de materiales bilingües en las elecciones (principalmente en los idiomas chino y español, dada la población minoritaria de esa ciudad) y hasta llegó a aprobarse en 1983 una prohibición en contra de las elecciones locales bilingües. Aunque esta acción no tuvo ningún impacto contra la ley federal que ordenaba lo contrario (dada la supremacía de las leyes federales cuando surge un conflicto con leyes estatales o locales), sí fue una manifestación pública directa del sentir de muchos votantes de esa ciudad.

Para comienzos de la presente década se fundó una organización nacional llamada *U.S. English*, cuyo propósito fundamental es intentar que se adopte una enmienda a la Constitución de los EE.UU. que declare que el inglés es el idioma oficial de la nación, y que autorice una legislación que proteja o realce la primacía del inglés. Entre los fundadores se encontraba el ex senador federal de California, S.I. Hayakawa, y varios otros personajes de renombre nacional. Con el apoyo de varios grupos de orientación política archiconservadora, esta organización creció rápidamente en su número de miembros. Para 1986, tras prolongados esfuerzos y una inversión de grandes sumas de dinero en una campaña bien organizada, *U.S. English* logró reunir el número requerido de firmas y pudo así someter al voto popular en California una resolución que declaraba que el inglés era el idioma oficial de ese estado, prohibía toda actividad que «aminorara la primacía del inglés», y otorgaba a todos los residentes de ese estado el derecho de someter una demanda judicial en contra de cualquier acción por parte de un oficial electo y organismo estatal público que se opusiera al sentir de la resolución.

Muchos grupos que representaban a distintos sectores de la comunidad hispana y de otros grupos raciales y étnicos se opusieron públicamente a esta resolución, pero no contaban con los recursos necesarios para montar una campaña eficaz. Como resultado de esto, en noviembre de 1986 la resolución fue aprobada por más de dos terceras partes de los votantes, incluyendo a varios miles de hispanos. Esta aparente contradicción se explica si entendemos que la mayoría abrumadora de los hispanos y de los inmigrantes más recientes del Asia y de Centroamérica entienden perfectamente la importancia del inglés y la necesidad imperiosa que hay de aprenderlo para poder aspirar a tener éxito en la escuela, en el trabajo, y en la vida social, económica y política norteamericana. Por eso muchos vieron ese voto como una manera de afirmar su patriotismo y lealtad a los EE.UU., y no prestaron mucha atención a las implicaciones del mismo ni a las posibles consecuencias futuras. El lado negativo de la resolución, que contiene prohibiciones en contra del uso del español o cualquier otra lengua que no sea el inglés, nunca se expuso abiertamente por los medios noticiosos. La campaña de *U.S. English* hizo hincapié en la necesidad de tener un solo idioma en el estado y en el país, y trató muy de soslayo las complicaciones que surgirían una vez aprobada la resolución. No queda claro, en 1988, cuál será el impacto de esta resolución del estado de California. Informes recientes indican que la oposición de los grupos en contra del uso del español ha llegado a manifestarse incluso en el sector privado. Ha habido protestas en contra de la cadena de restaurantes McDonald's por la impresión de menús bilingües, así como también en contra de la compañía de teléfonos por la publicación de guías telefónicas bilingües. Es muy probable que sean los tribunales federales los que tendrán que resolver las disputas legales sobre lo que esta ley significa, y en cuanto a cómo debe adaptarse a los requisitos impuestos por las leyes federales y a los precedentes legales previamente establecidos.

Una consecuencia concreta de lo que sucedió cuando se aprobó la resolución que afirma la primacía exclusiva del inglés ocurrió en junio de 1987. El mandato estatal de California que obligaba a los distritos escolares a proveer instrucción bilingüe caducó tras el veto del gobernador Dukemejian de un proyecto de ley aprobado por la legislatura que hubiera extendido el mandato. Al cesar esta obligación se esperaba que muchos distritos escolares eliminaran los programas bilingües y optaran por limitarse a tener programas de enseñanza del inglés como segunda lengua («ESL»). Los programas de ESL suplementan el currículo normal de la escuela, cuyo idioma de instrucción es el inglés, pero en ellos los alumnos no reciben ningún tipo de instrucción bilingüe para mantenerse al mismo nivel que compañeros anglohablantes en las diversas materias. El resultado es que muchos estudiantes quedan rezagados en sus materias mientras se dedican al aprendizaje del inglés y un buen número es retenido en el mismo nivel o grado por otro año. A pesar de las obvias desventajas para los alumnos que este acercamiento acarrea, hay un sinnúmero de distritos en California y en otros estados que prefieren emplear el método de «ESL», y por motivos más bien ideológicos rechazan la instrucción bilingüe. Sin embargo, la predicción de que al caducar el mandato estatal se suspendería la enseñanza bilingüe no se realizó y, aunque hubo excepciones, la inmensa mayoría de los distritos escolares, especialmente aquéllos con programas de instrucción bilingüe que sirven a un gran número de hispanos y a otros estudiantes que no dominan el inglés (tales como Los Angeles, San Diego, San José y San Francisco) decidieron continuar los mismos.

El caso es que en estos sistemas escolares, donde ya había miles de maestros y otros profesionales dedicados a la enseñanza bilingüe, se optó por seguir ofreciendo los servicios que tanto trabajo había costado comenzar años antes, cuya eficiencia había sido comprobada, acatándose así a los deseos de miles de padres de los niños matriculados en esos programas. También hay que reconocer que en la época más reciente el «problema» del rápido aumento de la matrícula escolar de alumnos hispanos y de otras minorías lingüísticas ha empezado a verse no como un fenómeno pasajero —como sucedió en la década de los 70— sino como una realidad permanente de estos distritos. Estos estudiantes no van a regresar a sus respectivos países, como se pensó una vez, sino que tienen necesariamente que formar parte integral del estudiantado del sistema de educación pública de California y de muchos otros estados. Esta aceptación, que en algunos distritos venía acompañada de una nota de resignación al cambio demográfico reciente, se debe también en parte a la creciente influencia política de los hispanos, y especialmente a su mayor participación en las juntas directivas de los distritos escolares. El aumento de administradores hispanos en los sistemas educativos, desde directores de escuela hasta superintendentes de distritos, también contribuye a una mejor representación de los intereses de la comunidad hispana, y lleva a una mayor aceptación del grupo por la mayoría anglohablante.

La crisis de la deserción escolar

Uno de los temas que más se ha venido discutiendo en círculos educativos norteamericanos durante la década de los 80 es el de la deserción escolar. La frase en español subraya el hecho de que el alumno abandona el aula —es un desertor— y por lo tanto debe responsabilizarse de sus acciones. La comparación con lo militar es obvia. En inglés la metáfora habla de los alumnos que se van de la escuela (se «caen», en inglés: *drop out*) y se les considera víctimas o bajas en una contienda. En ambos casos el uso se enfoca en el estudiante, no en la institución, para propósitos de análisis. Esta perspectiva, aunque está cambiando lentamente, todavía predomina en la mayor parte de los estudios que se han llevado a cabo sobre este problema. El resultado es que en estos estudios se acaban analizando las características personales del alumno y de su familia, así como una serie de variables demográficas y socioeconómicas sobre las cuales se hacen ciertas predicciones de lo que probablemente lleve al estudiante a decidir abandonar la escuela. La más seria limitación de este análisis estriba en que se desoyen o menosprecian todas las variables relacionadas con la institución misma —la escuela— y no se examinan críticamente los posibles cambios que podrían llevarse a cabo para crear un ambiente mucho más receptivo a los alumnos, especialmente a aquellos que se muestran propensos a no terminar su educación formal en la primaria o, más comúnmente, en la secundaria.

La preocupación por el problema de la deserción escolar en los EE.UU. hoy día no·es nueva.

Desde principios del siglo veinte se empezó a estudiar el fenómeno de los alumnos que abandonan la escuela (en esa época esto sucedía típicamente durante la primaria) para irse a trabajar y ayudar económicamente a sus familias. A medida que nos adentramos en el siglo, la tasa se fue reduciendo de un 90 por 100 que se salía de la escuela antes de graduarse en 1910 hasta que alcanzó el 50 por 100 en la década de los 50. Para 1970, sólo aproximadamente un 25 por 100 de los alumnos eran desertores escolares, lo cual implica que 75 por 100 persistían en la escuela hasta recibir un diploma de escuela secundaria.

Aunque esta cifra se ha mantenido estable en los últimos años, el problema ha adquirido proporciones de crisis ya que la economía del país no puede incorporar a miles de individuos que abandonan su educación formal sin haber antes desarrollado destrezas que les permitan conseguir empleos decentes, es decir, que les paguen un sueldo que les permita vivir adecuada aunque modestamente. Las grandes empresas no pueden ya depender de obreros con las destrezas requeridas por un sistema industrial de alta tecnología. Muchos de estos obreros sólo pueden trabajar en las industrias de servicios, tales como las cadenas de restaurantes MacDonald, ganándose el salario mínimo requerido por la ley federal, que resulta insuficiente para mantener una familia. A consecuencia de esta situación, muchas de estas personas tienen que acudir a las instituciones de asistencia pública para recibir subvenciones de dinero federal y estatal, convirtiéndose así en seres dependientes del erario público y de la caridad de individuos y de instituciones privadas.

La deserción escolar de los hispanos ha sido objeto de varios estudios en los últimos años. Entre los más reconocidos están los de una organización llamada *ASPIRA* y sus varios afiliados de Nueva York, Pennsylvania, New Jersey, Illinois, Florida y Puerto Rico. Fundada en la ciudad de Nueva York hace más de un cuarto de siglo por la doctora Antonia Pantoja, insigne educadora puertorriqueña, esta organización se ha dedicado a velar por los intereses de la comunidad hispana con un enfoque particular, aunque ciertamente no exclusivo, en los estudiantes puertorriqueños que asisten a las escuelas públicas.

El primer estudio sobre este tema lo llevó a cabo el doctor Isidro Lucas en Chicago, Illinois, en 1971. En un informe que fue rechazado públicamente por el sistema escolar de esa ciudad, el doctor Lucas informó de una tasa de deserción escolar para los alumnos puertorriqueños de las escuelas públicas de esa ciudad que sobrepasaba el 70 por 100. Es decir, siete de cada diez alumnos que comenzaba el noveno grado (primer año de la secundaria) no alcanzaba llegar al duodécimo (cuarto y último año). Resulta un tanto irónico que trece años más tarde, en un informe producto de la investigación llevada a cabo bajo los auspicios de Aspira de Illinois, el sacerdote católico Charles Kyle corroboró los datos de Lucas al hallar que un 71 por 100 de los estudiantes puertorriqueños de tres escuelas secundarias de esa ciudad abandonaban las aulas antes de graduarse, debido en parte al miedo que les tenían a las pandillas que merodeaban por ese vecindario, y a la falta de maestros hispanos que pudieran servirles de modelos.

Aspira, de Nueva York, en un estudio publicado en 1983, encontró que las tasas de deserción escolar para alumnos hispanos de las escuelas públicas de Nueva York ascendía a más de dos terceras partes de los estudiantes.

Un informe publicado en 1984 por el Hispanic Policy Development Project (HPDP) señaló que 45 por 100 de los alumnos hispanos que estudian en las escuelas públicas de los EE.UU. no logran graduarse en la secundaria. En comparación, los alumnos anglohablantes (excluyendo a los negros y otras minorías) tienen un índice de sólo un 17 por 100 de no graduarse. Es alarmante enterarnos por medio de este informe de que el 40 por 100 de los hispanos que abandonan la escuela lo hacen antes de llegar al décimo grado (segundo año de la secundaria). Se nos informa también de que una cuarta parte de los estudiantes hispanos que comienzan la escuela secundaria son uno o dos años mayores que sus compañeros de aula. Este retraso se debe a que muchos de ellos han sido retenidos una o más veces en la escuela primaria por falta de aprovechamiento académico o por desconocimiento del inglés.

En el estado de Texas, un estudio llevado a cabo en 1986 por Intercultural Development Research Association (I.D.R.A.), una organización nacionalmente reconocida que aboga por los intereses educativos de los méxico-norteamericanos e hispanos, señaló que un 45 por 100 de los hispanos que comenzaban el noveno grado en el sistema escolar público de ese estado abandonaban el mismo antes de obtener un diploma de escuela secundaria. Si estas tasas se comparan con las de otros grupos en el mismo estado, observamos que un 34 por 100 de los estudiantes negros y un 27 por 100 de los estudiantes anglosajones abandonan la escuela sin obtener un diploma de secundaria. Se encontró también que los hispanos constituían casi la mitad de todos los jóvenes y adultos entre las edades de 16 a 24 años que habían abandonado la escuela sin completar ni siquiera el noveno grado, y que los hispanos entre las edades de 16 a 19 años tenían dos veces más probabilidades de abandonar la escuela que sus compañeros anglohablantes que no eran negros.

El informe de I.D.R.A. añadió también unos datos importantes relacionados con el impacto económico de las altas tasas de deserción escolar en Texas y se calculó (usando como base de este cálculo el grupo de alumnos que pasó por el sistema escolar público entre 1982 y 1986) que el costo se elevaría a más de 17.000 millones de dólares en ingresos dejados de ganar e impuestos no pagados por unos 86.000 desertores, y añadiendo también los gastos de las subvenciones gubernamentales, seguro de desempleo, programas de adiestramiento, y encarcelamiento, calculados para estas personas durante ese mismo período de tiempo. Por otra parte, el informe señaló que, en comparación con esa pérdida de ingresos y otros gastos incurridos por el estado, la inversión requerida para montar programas de prevención de la deserción escolar y para proveerles educación secundaria (y aun postsecundaria a aquellos que decidan continuar sus estudios) a los 86.000 desertores escolares costarían aproximadamente 1.900 millones, lo cual implica que cada dólar invertido generaría beneficios que se elevarían a casi nueve dólares. Ante estas cifras, el impacto económico de la deserción escolar se capta muy claramente. De ahí que haya surgido en los últimos años la preocupación pregonada por tantos informes de que hay que tomar medidas directas e inmediatas para combatir este serio problema que afecta a aproximadamente un millón de alumnos anualmente y tiene un impacto que se estima en 240.000 millones de dólares para los EE.UU.

No es difícil ver cómo la prosperidad de los EE.UU. en un futuro no muy lejano dependerá en parte importante del desarrollo y del progreso de las comunidades minoritarias, entre las que figuran prominentemente los hispanos. Un dato que confirma esta aseveración es el siguiente. En 1950, por cada persona jubilada de su empleo que recibía una pensión mensual del Seguro Social (el organismo federal que administra estos fondos públicos) había 17 trabajadores que aportaban sus cuotas para mantener este programa; para 1992 se anticipa que sólo *tres* trabajadores contribuirán con parte de sus ingresos al Seguro Social por cada empleado jubilado, y uno de estos tres provendrá de algún grupo minoritario (negro, hispano, asiático, indio norteamericano). Si estos grupos no se componen de una proporción de trabajadores igual a la del grupo anglosajón de modo que puedan mantenerse empleados y contribuir a la productividad nacional, el resultado será un descalabro para la economía norteamericana.

La crisis que la deserción escolar representa para los hispanos en los EE.UU. estriba en que, de no disminuir estas altas tasas de alumnos que abandonan las aulas antes de obtener un diploma de secundaria y quedan por consiguiente limitados en cuanto a oportunidades de empleo o de educación más avanzada, los avances sociales, económicos y políticos logrados en las últimas dos décadas se verán disminuidos. Es por eso por lo que para los hispanos el fenómeno de la deserción escolar ha cobrado tanta importancia en los últimos años. Afortunadamente la gravedad del problema se ha reconocido y se han iniciado múltiples programas para combatir esta situación. Cientos de los distritos urbanos más grandes, que contienen la mayoría de la población hispana, han desarrollado programas dirigidos a prevenir la deserción escolar. Aunque todavía no podemos apreciar el impacto total de estos esfuerzos, que ascienden a cientos de millones de dólares en toda la nación, hay indicaciones de que ha habido progreso. En un reciente informe (febrero de 1988) el sistema escolar público del condado de Dade en Miami, Florida, informó de que la tasa de deserción escolar había bajado en un 5 por 100 durante el período de 1986-87, lo cual nos da esperanzas de que sea posible contrarrestar, al menos parcialmente, este problema. Los resultados de los esfuerzos que se llevarán a cabo en los próximos años serán un mejor indicador del éxito de los distintos programas dirigidos a que los jóvenes continúen en la escuela.

Resumen y conclusión

Al comenzar este capítulo nos propusimos esbozar a grandes rasgos una descripción de la condición educativa presente de los hispanos en los EE.UU. Partiendo de la explosión demográfica hispana en las últimas dos décadas, pasamos a discutir brevemente la problemática de la educación bilingüe ya que este movimiento ha sido el vehículo principal que ha impulsado la agenda sociopolítica de los grupos hispanos, dándoles un tema alrededor del cual se han podido organizar y alcanzar logros importantes. En parte como una reacción a la educación bilingüe, pero sin duda más directamente ligado al fenómeno de la inmigración, entramos a analizar el movimiento surgido en la década de los 80 que trata de enmendar la Constitución federal e imponer el inglés como el idioma oficial de los EE.UU., y al mismo tiempo reducir drásticamente o eliminar por completo el uso de otros idiomas en todos los servicios provistos por organismos gubernamentales. El éxito que estos grupos han tenido en un corto plazo de tiempo indica que el debate continuará de forma más intensa, dada la fuerte oposición de los grupos hispanos y de otras minorías lingüísticas que ven esto como un insulto y, más trascendentalmente, como una forma de mantenerlos en una posición subordinada en la estructura social, económica y política del país.

Por último, el problema de la deserción escolar entre los hispanos se analizó en cuanto a su magnitud y al impacto negativo socioeconómico que acarrea no sólo para esta población sino también para el resto de la sociedad norteamericana. Esta profunda pérdida de capital humano y económico representa una seria deficiencia que no puede ser mantenida por mucho tiempo sin tener consecuencias destructivas, incluso para una economía tan poderosa como la de los EE.UU. Esto se comprueba en las pérdidas sufridas por el país que cada año se ve obligado a competir en el mercado internacional contra países como el Japón, cuyas tasas de deserción escolar no sobrepasan el 10 por 100. La ventaja que resulta en esta competencia económica se refleja en el balance de pagos negativo que en los últimos años ha venido registrándose en los índices económicos, que tienen repercusiones serias para el futuro.

El porvenir de los hispanos en los EE.UU. y los futuros avances que puedan lograr estarán basados en gran medida en su crecimiento poblacional, que aumentará su influencia política. Las proyecciones demográficas señalan que de mantenerse las tasas de crecimiento que se han venido observando en los últimos quince años, a comienzos del siglo veintiuno los hispanos se convertirán en el grupo minoritario más numeroso dentro de la sociedad norteamericana, sobrepasando a los negros. Si estas predicciones se cumplen, la influencia de los hispanos y su impacto en todos los aspectos de la vida social, económica y política del país serán esenciales. Lo que esto significará para el sistema educativo público ya empieza a observarse en ciudades fronterizas y en las grandes metrópolis, como Los Angeles, Nueva York, Chicago y Miami, donde la matrícula de alumnos hispanos ha crecido significativamente y se nota una mayor influencia de la comunidad hispana sobre el sistema educativo, que se refleja en el número de empleados hispanos (administradores, maestros y otros trabajadores no profesionales), y en una mayor representación hispana en las mesas directivas de estos distritos, donde se establece la política educativa.

Los últimos años del siglo veinte prometen ser una época de expansión y actividad política y económica para los hispanos residentes en los EE.UU. El impacto que esto tendrá en el carácter de la sociedad norteamericana será duradero, y se reflejará no sólo en la comida, la música, la moda, y otros aspectos más bien superficiales de la cultura popular sino en la integración total de los hispanos en la economía, la política, y la vida social del país. Hay quienes auguran que esto llevará a la desaparición gradual pero segura de los hispanos, que se unirán inevitablemente al llamado «melting pot» o crisol donde se combinaron los varios grupos étnicos de migraciones anteriores para formar la nación norteamericana. Ante estas predicciones hay que tener en cuenta cuánto han perdurado las costumbres, las tradiciones culturales, y sobre todo el idioma de los hispanos. Y aunque es imposible predecir el futuro, sabemos que el destino de los EE.UU. estará íntimamente ligado al desarrollo económico y político de México, Puerto Rico, Cuba, la América Central y Suramérica, no sólo por proximidad geográfica sino también dados los vínculos históricos que por siglos han existido en el hemisferio.

No se ha escrito, pues, el final de la larga historia de las relaciones entre los EE.UU. y el mundo hispánico, del que a principios de siglo el insigne poeta nicaragüense Rubén Darío cantara:

> «la América del grande Moctezuma, del Inca,
> la América fragante de Cristóbal Colón,
> la América católica, la América española,
> la América en que dijo el noble Guatemoc:
> "Yo no estoy en un lecho de rosas"; esa América
> que tiembla de huracanes y que vive de amor;
> hombres de ojos sajones y alma bárbara, vive.
> Y sueña. Y ama, y vibra; y es la hija del Sol.
> Tened cuidado. ¡Vive la América española!
> ¡Hay mil cachorros sueltos del León español!»

Bibliografía

American Journal of Education (1986), volume 95, n.º I (november), «The Education of Hispanic Americans: A Challenge for the Future», Gary Orfield, ed., Chicago, The University of Chicago Press.

Aspira of the New York (1983), *Racial and Ethnic High School Dropout Rates in New York City: A Summary Report,* New York, Aspira, Inc.

Clark, Terry A. (1987), «Preventing School Dropouts: What Can Be Done?», Citizens Budget Commision *Quarterly,* volume 7, number 4 (Fall).

Fernández, Ricardo R. (1987), «Legislation, Regulation, and Litigation: The Origins and Evolution of Bilingual Education Policy in the United States, 1965-1985», *Ethnicity and Language,* Winston A. Van Horne, Ed., Milwaukee, UW System Institute on Race and Ethnicity.

Fernández, Ricardo R. and Vélez, William (1985), «Race, Color, and Language: Changing Schools in Urban America», *Urban Ethnicity in the United States: New Immigrants and Old Minorities,* Joan W. Moore and Lionel W. Maldonado, Eds., *Urban Affairs Annual Review,* volume XXIX, Los Angeles, California, SAGE Publications.

Hodgkinson, Harold L. (1985), *All One System: Demographics of Education, Kindergarten through Graduate School,* Washington, D.C., Institute for Educational Leadership.

Intercultural Development Research Association (1986), «Texas School Dropout Survey Projects: A Summary of Findings», San Antonio, Texas.

Intercultural Development Research Association, *Newsletter* (april 1987), «The Economic Impact of the Dropout Problem», San Antonio, Texas.

Kasarda, John D. (november 1984), «Hispanics and City Change», *American Demographics.*

Kjolseth, Rolf (1983), «Cultural Politics of Bilingualism», *Society,* volume 42, may/june.

Kyle, Charles L. (1984), *Los Preciosos: The Aspira Chicago Dropout Study,* Research Report for Aspira, Inc. of Illinois, Chicago, Illinois.

Lau v *Nichols,* 414 US 563, 39 L Ed. 2d 1, 94 S Ct 786 (1974).

Lucas, Isidro (1971), *Puerto Rican Dropouts in Chicago: Numbers and Motivation,* Final Report to the Office of Education (Project O-E-108).

National Commission on Secondary Education for Hispanics (1984), *Make Something Happen: Hispanics and Urban High School Reform,* volumes I and II, Hispanic Policy Development Project, Washington, D.C.

National Council of La Raza (1986), *The Education of Hispanics,* Washington, D.C.

Plyler v *Doe,* 475 US 202, 72 L Ed 2d 76, 102 S Ct 2382 (1982).

United States General Accounting Office (1987), *School Dropouts: Survey of Local Programs,* Washington, D.C.

Oscar Martínez

El mundo de la frontera

El mundo de la frontera

La tesis de esta ponencia es que los hispanos de la región fronteriza México-Estados Unidos viven en un mundo diferente al de sus compatriotas en el resto del país. Al hablar de la zona fronteriza me refiero principalmente a los pueblos y las ciudades que están situadas junto a la frontera y a zonas del interior de los Estados Unidos que mantienen contacto continuo con México. Voy a resaltar dos temas:

Primero, que a lo largo de la historia la frontera ha contribuido a producir confrontación y violencia entre los hispanos y la sociedad dominante de una manera más acentuada de lo que es el caso en el interior del país.

Y segundo, que la frontera ha definido la manera de vivir de los hispanos fronterizos, con el resultado de que la conservación de la cultura latina y el idioma español es superior en la región fronteriza que en el interior del país.

Cuando el gobierno mexicano en 1825 abrió las puertas de la provincia de Texas a inmigrantes «anglos», éstos fueron recibidos cordialmente por los méxico-texanos. El aumento de población significaba más protección contra los indios bárbaros y también la posibilidad de estimular la economía local. Los comerciantes yanquis introdujeron muchos productos que estaban en demanda y que los lejanos centros de producción mexicanos no podían abastecer. Como la primera ola de inmigrantes «anglos» fue relativamente reducida, éstos se integraron en la sociedad mexicana con la cual establecieron un sistema de interdependencia. Tal ambiente produjo relaciones étnicas pacíficas.

Sin embargo, el gran aumento de inmigración «anglo» en años posteriores trajo consigo un deterioro de la amistad que existía entre ambos grupos. Al promover sus intereses ante el gobierno mexicano, los «anglos» esperaban el apoyo de los méxico-texanos, y frecuentemente lo recibían, pero en 1836 los «anglos» exigieron la independencia total para Texas, y este hecho dividió a los méxico-texanos. La revolución texana de 1836 produjo una década de conflicto intenso con México y enemistad étnica en la frontera Estados Unidos-México; la cual duró varias generaciones.

Las confrontaciones generadas por la fricción racial también ocurrieron en Nuevo México, Arizona y California, cuando estas provincias fueron incorporadas a los Estados Unidos a consecuencia de la invasión de México en 1847. Los «anglos» que llegaron a la región impusieron un sistema político, económico y social que favorecía sus propios intereses y dejaba los de los mexicanos e indios por detrás.

El período de 1848 a 1920 fue particularmente difícil para aquellos mexicanos que se vieron obligados a quedarse a vivir en territorio norteamericano y para sus compatriotas que por razones económicas emigraron de México al país vecino. Este pueblo carecía de poder político y su cultura era denigrada por la sociedad dominante. La tensión étnica y de clases producía encuentros violentos con frecuencia. Tales incidentes ocurrían generalmente en la región fronteriza donde existía gran inestabilidad en las relaciones internacionales entre los Estados Unidos y México.

Las confrontaciones entre «anglos» y méxico-norteamericanos aumentaron vigorosamente en la década de 1910 cuando la revolución mexicana produjo tensión a lo largo de la frontera. La guerra civil en México causó muertes y daños en las propiedades de «anglos» en ambos lados de la frontera, ya que ocurrieron actos destructivos en territorio mexicano y norteamericano. La reacción entre los «anglos» fue intensa y dio luz a muchos incidentes violentos contra los mexicanos al norte de la frontera. Los choques más trágicos ocurrieron en 1915 y 1916 en el sur de Texas, cuando los simpatizantes del Plan de San Diego, un documento que fomentaba la rebelión contra los «anglos» en el suroeste de los Estados Unidos, repetidamente atacaron poblados al norte del río Bravo.

Al terminar la revolución mexicana, las relaciones entre los «anglos» y los hispanos cambiaron profundamente. El antagonismo étnico continuó y los enfrentamientos raciales siguieron ocurriendo, pero la violencia en gran escala, el patrón de generaciones anteriores, fue ya menos común. Quizás el factor más importante para explicar este cambio fue que la amenaza a la soberanía nacional dejó de ser un problema importante entre los dos países. Esto causó que la región fronteriza dejara de ser el territorio desde donde se lanzaran invasiones imperialistas, incursiones ilegales, ataques de indios y bandidos, y cualquier otro tipo de actividad de enfrentamiento. La desaparición de los movimientos armados en la zona binacional disminuyó de una manera significativa los sentimientos nacionalistas que habían surgido en épocas previas y que habían afectado las relaciones étnicas. El crecimiento de la población urbana y el desarrollo de instituciones modernas también ayudaron a conseguir la tranquilidad, ya que el aislamiento tradicional de la frontera se redujo grandemente. El conflicto se manifestó de una manera más útil y mejor controlada por la sociedad. Esto trajo consigo una gran reducción de incidentes que pudiera causar desórdenes.

Ahora pasamos al segundo tema.

El vivir tan cerca de México en sí representa un factor esencial en la vida cotidiana de los hispanos fronterizos. Esta proximidad hace posible el contacto continuo con la herencia mexicana y la cultura latina, y garantiza que éstos sobrepasan a los méxico-norteamericanos que viven en el interior del país en el mantenimiento de su mexicanidad. Por lo tanto, no es sorprendente que el nivel hispano de asimilación a la sociedad norteamericana sea mucho más bajo a lo largo de la frontera que ninguna otra región.

La conservación de los patrones culturales latinos es uno de los factores que más ha fomentado la fricción entre los hispanos y los «anglos» en la zona fronteriza. Por tradición la sociedad dominante espera y frecuentemente exige que todo grupo étnico nacional se asimile completamente al sistema del país, dejando su idioma primario y sus tradiciones culturales a un lado. A lo largo de la historia muchos grupos de inmigrantes han pasado por esa trayectoria, pero el hispano-mexicano se ha resistido, no solamente por el contacto que mantiene con su país de origen, sino también porque en gran parte de los Estados Unidos existe una herencia genuinamente hispana, ya que parte de los Estados Unidos perteneció a España y a México, porque los mexicanos que emigran a los Estados Unidos en gran número siguen fortaleciendo la cultura hispana, y también porque los «anglos» han rechazado a los hispanos en épocas anteriores.

Un ejemplo contemporáneo de conflicto étnico en la frontera es el debate sobre el idioma español. Para la gran mayoría de hispanos fronterizos el bilingüismo es algo muy natural y es una fuente de orgullo personal. Sin embargo, con algunas excepciones, para la población «anglo» hablar español representa una afrenta a la cultura dominante. Tal actitud ha causado gran oposición a programas bilingües en las escuelas públicas y también ha estimulado, en años recientes, un movimiento para declarar el inglés como idioma «oficial» del país. La reacción contra el español está basada en el temor a una supuesta invasión extranjera de carácter demográfico y cultural que, se teoriza, va a causar una gran fragmentación de la sociedad norteamericana. Dado que ni el español ni ningún otro idioma de los que se hablan actualmente en Estados Unidos representa la mínima amenaza para reemplazar al inglés como idioma oficial, el temor lingüístico es totalmente irracional.

El problema del idioma está fuertemente relacionado con la preocupación que existe entre los norteamericanos por el gran flujo migratorio mexicano hacia los Estados Unidos. Por ser la entrada al país y una de las zonas favoritas de los inmigrantes para trabajar y vivir, la frontera es la región donde más se debate este tema. Consecuentemente los hispanos fronterizos se encuentran en una situación defensiva y ambivalente. Si se oponen a las medidas oficiales que pretenden poner alto a la emigración, se les acusa de no ser fieles a los intereses nacionales, y si apoyan tales reglamentos, sus compatriotas que luchan a favor de los inmigrantes los critican por su supuesta falta de solidaridad. Por lo tanto, no es sorprendente que el tema de la inmigración cause fuerte división interna entre los mismos hispanos.

Para concluir, no obstante la experiencia negativa histórica y los problemas contemporáneos del idioma y la emigración, se puede decir que las relaciones entre los hispanos fronterizos y la sociedad «anglo» han mejorado significativamente. La discriminación contra los méxico-norteamericanos ha disminuido considerablemente e incidentes serios de tipo racial ya son relativamente raros. En comparación con otras fronteras alrededor del mundo donde constantemente hay fuertes discordias entre grupos étnicos, lingüísticos y religiosos, la frontera Estados Unidos-México se ha adaptado al binacionalismo y biculturalismo. Si no hay aceptación total de las diferencias étnicas que existen por lo menos hay tolerancia y disposición para encontrar soluciones dentro del sistema democrático del país. Sin duda, los problemas fronterizos continuarán causando controversias, pero esto no implica que los hispanos fronterizos no sigan disfrutando de su vida bicultural y binacional. La evidencia nos sugiere que la cultura hispana en Estados Unidos florecerá aún más en el futuro y que ninguna otra región será más hispana que la zona fronteriza.

La tasa de hispanización de la población «anglo» es más alta en la zona fronteriza que en otras partes del país y es muy lógico porque la mayoría de la población en la frontera es hispana. Entonces aunque resistan van a tener esa influencia. También hay muchas familias «anglo» que han vivido en la frontera por muchos años y que tienen intereses económicos en ambos lados de la frontera.

Muchos de ellos tienen intereses económicos en el lado mexicano y por esa necesidad se esfuerzan por aprender el español y por practicar las costumbres hispanas. Muchos de ellos se han casado con hispanos. Lo normal sería un hombre «anglo» casándose con una mujer hispana, pero también hay casos de mujeres «anglo» que se han casado con méxico-norteamericanos, y también con mexicanos.

La frontera México-Estados Unidos se ha visto como una región única que no representa la cultura predominante de los Estados Unidos y tampoco la cultura predominante de México, sino algo muy diferente, algo muy especial. El libro de Joel Garreau, *The Nine Nations of North America,* denomina la región fronteriza como una de las naciones del norte de América. Efectivamente, la frontera es una región, ambos lados de la frontera constituyen una unidad económica cultural y social, y eso es lo que distingue a la vida fronteriza. No se trata de que la población fronteriza sea tan diferente culturalmente de la sociedad del interior de México; lo que pasa es que existen muchos lazos, mucha interacción entre los dos lados de la frontera; hay muchos ejemplos que se pueden dar, pero voy a dar dos: El primero es sobre la emigración. Desde el día que se creó la frontera muchos mexicanos empezaron a cruzarla, y también los norteamericanos, y empezó una interacción económica muy intensa. Parte de esa interacción económica es el contrabando, el gran contrabando que se ve en la frontera, que es algo único pero también universal. Esta clase de interacción puede encontrarse en cualquier parte del mundo, pero lo que caracteriza a esta frontera como única es que el nivel de esta interacción es muy alto, muy intenso.

Yo veo a los mexicanos que viven en la frontera —en el lado norteamericano— como representantes de un grupo regional de los Estados Unidos; son tan norteamericanos como los norteamericanos del interior del país, nada más que viven en una región que está muy próxima a México y hay una interacción intensa con los patrones culturales y económicos de México. En el lado mexicano los mexicanos fronterizos tienen cierta tensión con los mexicanos del interior de México porque ellos velan por los intereses únicos de su región fronteriza y el gobierno central de México tiene otras políticas y quisiera integrar a esa región que siempre se está ligando a los Estados Unidos. El gobierno de México siempre ha temido que estos mexicanos están perdiendo su mexicanidad que se están volviendo gringos económicamente. Pero estudios que se han hecho han demostrado que los mexicanos de la región fronteriza son aún más mexicanos que los mexicanos de la ciudad de México, o que de los de Guadalajara o Acapulco, u otros centros turísticos del país.

Quisiera ahora hacer un comentario sobre el problema de cómo explicar la marginación de las minorías en los Estados Unidos y específicamente de los hispanos, los méxico-norteamericanos y los puertorriqueños en particular, porque éstos son los grupos que más sufren la pobreza en el país y por supuesto, otros grupos que han llegado recientemente a Estados Unidos. Hay dos extremos para explicar esto. El primero:

Hay gente que dice que el problema básico es el racismo estructural que existe en Estados Unidos que ha marginado a las minorías. El otro extremo es decir que esta gente que tiene estos problemas de pobreza es por su propia culpa. No tienen valores positivos, no aprecian la educación, no tienen la ambición para salir adelante. El problema es muy complejo y es importante discutir un poco las causas de estos problemas entre nuestra gente.

Quisiera comentar algunos de los factores que ni tienen que ver con el racismo ni con los valores culturales que tienen estos grupos. Simplemente, tienen que ver con el sistema industrial capitalista en los Estados Unidos y con el sistema democrático político del país que causa problemas para los de abajo en los Estados Unidos.

Por ejemplo, muchas veces confundimos la discriminación racial con la discriminación económica. El sistema capitalista industrial de los Estados Unidos margina a muchos sectores del país, ya sean hispanos, negros o blancos. La gente pobre en los Estados Unidos no está favorecida en ese sistema. Relacionado con eso está el gran materialismo norteamericano. La cultura del materialismo que tenemos en los Estados Unidos afecta negativamente a toda la sociedad norteamericana, pero, en particular afecta a nuestra gente porque los pobres se emocionan muchísimo cuando pueden comprar productos como una televisión, un video, una antena parabólica, etc. Son víctimas del consumismo, porque al adquirir esta tecnología la usan para la diversión y pierden mucho tiempo al consumir esa clase de recreación. Eso es trágico para los niños. Consumen mucho tiempo en esas cosas y como vienen de una cultura pobre eso les afecta en sus estudios. Y eso no tiene que ver con el racismo y no tiene que ver tampoco con los valores culturales, tiene que ver con la situación económica en la que se encuentra esta gente. Es muy difícil solucionar ese problema.

También el sistema político de los Estados Unidos causa marginación entre nuestros grupos porque está basado en el poder de los sectores de la población norteamericana que salen a votar, y los que votan más son las clases medias y altas, la gente que tiene el dinero o que está bien integrada a la cultura política. Esa es la gente que elige a los políticos que van a representar la ideología de esos sectores. Ahora tenemos una administración que representa el conservadurismo en los Estados Unidos y que favorece a las clases privilegiadas. No le interesa mucho ayudar a las clases marginadas, y eso es un problema básico que afecta a nuestras comunidades. Tenemos un sistema democrático en los Estados Unidos y eso es muy positivo, pero lo negativo de la democracia es que hay una tiranía de la mayoría en los Estados Unidos que verdaderamente es una tiranía de una minoría que tiene los medios para participar en el sistema político. Es una minoría la que elige a los gobernantes de los Estados Unidos. Entonces allí hay una contradicción; ése es uno de los precios que se paga al vivir uno en una democracia tal como existe en los Estados Unidos.

Finalmente, quisiera mencionar otro factor que no tiene nada que ver con el racismo o con problemas inherentes que vemos en nuestros propios grupos. Se trata de la inmigración de gente de México y otros países latinoamericanos a los Estados Unidos. Hay que tener en cuenta que cuando vemos los resultados del censo, cuando vemos las estadísticas, los resultados son muy negativos porque los niveles de ingresos y de educación, etc. son muy bajos. Pero esto no quiere decir que nuestro pueblo no esté progresando. Parte de la explicación es que llegan muchos grupos pobres con niveles de educación muy bajos y las estadísticas reflejan la presencia de estos grupos en nuestra sociedad.

Ana Roca

El español y los estudiantes hispanos
en los Estados Unidos: puntos de partida

El español y los estudiantes hispanos en los Estados Unidos: puntos de partida

La enseñanza del español para estudiantes hispanos bilingües en los Estados Unidos no es un tipo de enseñanza nueva. Sin embargo, en los últimos quince años, debido a la polémica sobre la educación bilingüe, y como consecuencia de ésta, encontramos un sin número de artículos, monografías, conferencias y libros acerca de temas relacionados como: el cambio de códigos o llamado *code-switching*, estudios sobre el mantenimiento o la pérdida del idioma, las variedades que existen en el español de los Estados Unidos, y la adquisición de idiomas en ambientes multilingües (como hallamos en ciudades como Miami, Los Angeles, San Francisco, Nueva York, Chicago). Menos impresionantes —tanto por la calidad como por la cantidad— son las investigaciones y los materiales específicamente diseñados para la enseñanza del estudiante bilingüe de ascendencia hispana que se ha desarrollado académicamente en los Estados Unidos. *Teaching Spanish to the Hispanic Bilingual: Issues, Aims, and Methods* (Valdés, Lozano, García-Moya, eds., 1981), es, sin embargo, una útil y valiosa colección de ensayos que ofrece una significante contribución a estas relativamente nuevas ramas de la sociolingüística hispánica y de la enseñanza del español en los Estados Unidos. Este interés más reciente por la investigación de las perspectivas lingüísticas y pedagógicas del aprendizaje del español formal por parte de los hispanos en Norteamérica, ha revelado hasta ahora —como indica Guadalupe Valdés— un desacuerdo profesional en lo que se refiere a los objetivos pedagógicos, la metodología, y la teoría de la enseñanza:

«*Teaching attitudes concerning the new programs, their basic purpose, the nature of the instructional purpose, and the ordering of the principal objectives are currently in a state of flux. Confusion exists concerning the legitimate philosophical position of the Spanish-teaching profession about this instruction. While certain groups speak of teaching standard Spanish as a second language, others speak of teaching the language as a native possibility of adapting existing textbooks for this specialized instruction. In essence, it is difficult to ascertain what each of the various groups is doing as there is not, at this moment, a clear agreement concerning the use of terminology in general.*» (Valdés, 1981, 4.)

Sabemos que tradicionalmente la lengua española se ha enseñado como lengua extranjera en los Estados Unidos. Por consiguiente, en los diferentes niveles educacionales ha habido poco énfasis en el desarrollo de programas orientados hacia las necesidades pedagógicas del estudiante hispano bilingüe, que, al haberse criado en los Estados Unidos, no llega a veces a desarrollar con facilidad destrezas en la lectura o la escritura en español. Frances Aparicio, profesora de español en la Universidad de California en Berkeley, señala que sólo en los últimos años se ha comenzado a investigar con seriedad los factores lingüísticos y pedagógicos que pudiesen resultar en una mejora en este tipo de enseñanza especializada a nivel universitario (Aparicio, 1983, 232). Recientemente encontramos también un interés en estudiar el proceso de alfabetización bilingüe, los métodos de la enseñanza, la planificación programática, los materiales o textos empleados en los programas, y la coordinación de niveles según las capacidades de los estudiantes. Otros investigadores se han interesado más en estudiar las actitudes, el uso del español en la vida pública, las cuestiones sociolingüísticas, y las ramificaciones sociopolíticas y pedagógicas de dicha enseñanza dedicada a mantener el español hablado y a mejorar la capacidad de leer y escribir de los estudiantes de ascendencia hispana en Estados Unidos (Elías-Olivares, 1976; Valdés, 1981; Barkin, 1981; Roca, 1986; Elías-Olivares *et al.*, 1985).

En esta monografía, me propongo presentar brevemente el ámbito general de las cuestiones problemáticas y típicas que hallamos en la investigación y en la enseñanza del español para estudiantes de habla española (denominada en inglés «Spanish for Native Speakers», «Spanish for Speakers of Spanish», «Spanish-S» o «Spanish for Hispanic Bilinguals»); para ello me baso en los pocos estudios que se han publicado y en mi experiencia como profesora de estos cursos en la Universidad Internacional de la Florida *(Florida International University)* en Miami, donde alrededor del 40 por 100 de los estudiantes de dicha universidad se autoclasifican como hispanos.

Esta nueva esfera de la investigación pedagógica y de la sociolingüística aplicada, nos plantea retos teóricos y prácticos. En cuanto a la enseñanza universitaria, casi todas las investigaciones publicadas relacionadas con la enseñanza y la alfabetización de los estudiantes hispanos bilingües, se han dirigido hacia las dificultades y las cuestiones pedagógicas que se les presentan a los estudiantes de ascendencia chicana (Sánchez, 1983, 1981; Valdés, 1978; Teschner, 1982) o puertorriqueña (Guitart, 1981). Al repasar los estudios publicados en este campo, notamos la falta de investigación orientada hacia una exploración de las necesidades pedagógicas de la población estudiantil cubano-norteamericana. Sería de interés, por ejemplo, investigar ciertos temas lingüísticos relacionados con las cuestiones teóricas y metodológicas de la enseñanza de la lengua y de las tres culturas hispanas principales que residen en Norteamérica: ¿Qué diferencias morfológicas, fonológicas, y semánticas encontramos en el habla de diferentes grupos generacionales de estas tres culturas hispanas de los Estados Unikdos (o sea, los méxico-norteamericanos o chicanos, los puertorriqueños, y los cubano-norteamericanos)? ¿Qué tipo de gramática pedagógica ha de escribirse para facilitarles a estos grupos de estudiantes bilingües el aprendizaje de la lectura y la escritura española? ¿Cuáles son los problemas fundamentales que presentan los textos que tradicionalmente se usan para enseñar español a los estudiantes de habla inglesa? ¿Por qué no conviene usar dichos textos? ¿Qué otras dificultades presentarían materiales (libros de gramática y de lectura) preparados en España o en Hispanomérica para estudiantes monolingües de habla hispana? ¿En qué consistirían las innovaciones metodológicas y tecnológicas en este campo especializado de la enseñanza del español en Estados Unidos (lecciones por computadoras, películas o videos que se dirijan a las culturas hispánicas)? ¿Cómo las actitudes hacia la lengua (por ejemplo, hacia el cambio de código y hacia variedades que no se consideran normativas) por parte del estudiante, del profesor, y de la comunidad afectan a la enseñanza y el aprendizaje del español? ¿Cómo estas nociones de lo que se consideraría y no se consideraría español «*standard*» o formal afectan el mantenimiento, el cambio o la pérdida de la lengua? ¿Cuándo esas variedades del español llegan a impedir la comunicación oral entre chicanos, puertorriqueños, y cubano-norteamericanos u otros hispanos de otro país? ¿Cómo se parece y se distingue este caso de otros en los cuales el español también se encuentra en contacto con otras variedades de la lengua y otros idiomas? Incluso si fuera posible estar de acuerdo en qué consiste el español normativo, ¿es posible enseñarlo con éxito en tan corto tiempo (uno, dos o tres cursos universitarios) a estudiantes ya adultos que han recibido poco o ningún entrenamiento formal en el idioma? En fin, podemos plantear muchas preguntas que merecen ser investigadas por profesores de español en Norteamérica.

El factor cultural es una cuestión que debemos de tener en cuenta al escribir materiales especiales para la enseñanza del español. En *Life with Two Languages* (1982), François Grosjean nos informa que se cree que un 61 por 100 de los hispanos en los Estados Unidos son méxico-norteamericanos, 14 por 100 son puertorriqueños de la isla, 7 por 100 provienen de Suramérica, y 6 por 100 son cubano-norteamericanos, mientras que el resto es de diversos lugares (p. 86). Estos variados grupos de ascendencia tan variada, tienen también unos diversos niveles de competencias lingüísticas en lo que se refiere a la lectura y la escritura en español —factores que hacen aún más difícil la clasificación de estudiantes por niveles, el diseño del *syllabus* o programa de clase, el desarrollo de los materiales, el *curriculum* o programa de estudio, y el enfoque pedagógico y las técnicas usadas en la enseñanza en sí.

El profesor universitario de español, entonces, frecuentemente se encuentra ante clases de estudiantes bilingües que fluctúan dentro de un amplio ámbito en el que encontramos una variedad de niveles lingüísticos —informales y formales— en lo que se refiere al español hablado, la comprensión oral, la lectura y la escritura. Los estudiantes que hayan pasado por algún entrenamiento formal en la lengua durante los años de secundaria básica, comienzan la clase de español universitaria con cierta ventaja ya que por lo general, pueden leer más y expresarse por escrito con más facilidad que los que nunca llegaron a tomar clases especializadas para estudiantes bilingües. Por otra parte, a veces encontramos estudiantes de segunda generación, que, aun pudiendo comprender relativamente bien el español, se cohíben y raramente se expresan oralmente delante de sus compañeros de clase. Sus inhibiciones lingüísticas —o timidez— sin embargo, son algo fácil de entender. Las actitudes negativas hacia la lengua española, por parte de los estudiantes, desempeñan un papel importante en el desarrollo de las destrezas lingüísticas igual que en el desarrollo del concepto positivo de sí mismo de cada estudiante. Por consiguiente, sería constructivo averiguar cómo el maestro puede asistir a dichos estudiantes adultos que caen en el silencio y que no participan en clase.

Basándome en mi propia experiencia, puedo pensar en varios de esos estudiantes. Una estudiante, en particular, entendía todas las instrucciones y las explicaciones dadas en clase. Hacía sus tareas regularmente y sacaba buenas calificaciones en los exámenes escritos. Sin embargo, casi nunca se expresaba durante la clase. Si se le preguntaba algo, siempre contestaba la pregunta en inglés; pero después de terminar la clase, cuando ya sus compañeros se alejaban del aula, entonces se atrevía a hablarme en español a solas. Me dijo, por ejemplo, que pensaba que su español no estaba a la par con el español de sus compañeros de clase. Yo supongo que, en parte, el comportamiento de mi estudiante es el resultado de complicados factores socioeducacionales. Sea la estudiante de ascendencia mexicana, puertorriqueña o cubana, uno de los factores significativos puede que sea el hecho de que algunos estudiantes hayan sido castigados y se les haya prohibido hablar español en la escuela o en el colegio superior.

No hace tantos años, en un estudio hecho por la Asociación Nacional de Educación (National Education Association-Tuscon Survey Group on the Teaching of Spanish to the Spanish-Speaking, 1966), se averiguó que se les permitía a los maestros castigar a sus estudiantes por hablar en español. La Asociación explica que:

in telling him that he must not speak this native language, we are saying to him by implication that Spanish and the culture it represents are of no worth. Therefore (it follows again) this particular child is of no worth. It should come as no surprise to us, then that... [the child] develops a negative self —concept— an inferiority complex. (NEA = Tuscon Survey Group, 1966, 11.)

Grosjean, que se ha dedicado a estudiar el campo del bilingüismo, explica claramente la dinámica y las consecuencias de las actitudes negativas hacia una lengua minoritaria en un ambiente bilingüe:

The language of minorities in bilingual or multilingual countries have often been the object or attack by the dominant group. One very common approach is to call the language a dialect or a patois and to heap on it the negative connotations associated with the dialects by non-linguists —that they are less rich than the standard languages, less grammatical, and are spoken in a coarser, less refined way. (Grosjean, 1982, 122.)

Grosjean también señala la manera negativa en que a veces se refieren los suizos de habla francesa hacia los suizos de habla alemana, y los canadienses de habla inglesa hacia sus compatriotas de habla francesa, y yo añadiría la manera en que los norteamericanos monolingües de habla inglesa igual que los hispanohablantes del resto del mundo, miran —con malos ojos, pudiéramos decir— el español que se habla en los Estados Unidos. Y estas actitudes negativas, según Grosjean, «originate within the dominant group but are slowly adopted by the minority, so that in the end its members feel that they are speaking an ''impoverished'' language» (p. 127).

En los Estados Unidos tradicionalmente se han apoyado y fomentado los objetivos del «crisol americano» o «melting pot» y ha rechazado el desarrollo de una nación multilingüe y multicultural. A pesar de todo el dinero federal, estatal y local que se ha invertido en programas bilingües, el país nunca ha llegado a aceptar el bilingüismo. El etnocentrismo, la xenofobia, y un ambiente político que no ha apoyado mucho o favorecido una sociedad bilingüe o plural, se pueden considerar, en parte, como algunos de los factores responsables de las actitudes negativas hacia las lenguas extranjeras. Guadalupe Valdés, entre otros, ha señalado que el bilingüismo en los Estados Unidos nunca ha disfrutado el prestigio social que encuentra en otros países, y, según ella: «while in many other countries one is not considered educated if one is not bilingual, in the United States to be bilingual means to be uneducated» (Valdés, 1981, ix).

Año tras año, conferencia tras conferencia, los profesores que enseñan español para estudiantes bilingües repiten que es necesario desarrollar textos especializados que satisfagan las necesidades lingüísticas y culturales de los estudiantes. Esta falta de textos con una base pedagógica sólida y eficaz, es un problema fundamental que persiste en todos los niveles de esta enseñanza especializada. Aunque algunas editoriales han comenzado a publicar dichos textos para estudiantes universitarios, tanto las reseñas de libros como mi propia encuesta (Roca, 1986) e investigación del tema (Roca, 1987), muestran que sólo existen hasta la fecha unos pocos textos adecuados entre los cuales podemos escoger. Por consiguiente, tanto la enseñanza como el aprendizaje, se hacen más difíciles para los profesores y los estudiantes.

Hay muchos temas que investigar antes de poder mejorar la enseñanza de la lectura y la escritura para estudiantes hispanos bilingües de los Estados Unidos. Hay un sin número de artículos eruditos y libros acerca de la metodología para la enseñanza de los idiomas extranjeros, lo mismo no es cierto en el caso de la enseñanza del español para los estudiantes hispanos bilingües en los Estados Unidos. La agenda sólo se está empezando a preparar y los temas relacionados con el fenómeno del bilingüismo, son infinitos.

Bibliografía

Aparicio, Frances. «Teaching Spanish to the Native Speaker at the College Level», *Hispania*, 66.2 (1983), pp. 232-238.

Barkin, Florence. «Establishing Criteria for Bilingual Literacy: The Case of Bilingual University Students», *Bilingual Review/La Revista Bilingüe*, 8.1 (1981), pp. 1-13.

Elías-Olivares, Lucía. «Ways of Speaking in a Chicano Community: A Sociolinguistic Approach», Diss. University of Texas at Austin, 1976.

Elías-Olivares, Lucía; Elizabeth A. Leone, René Cisneros, and John Gutiérrrez, Eds. *Spanish Language Use and Public Life in the United States.* Berlin, Nouton Publishers, 1985.

Guitart, Jorge. «The Pronunciation of Puerto Rican Spanish in the Mainland: Theoretical and Pedagogical Considerations», *Teaching Spanish to the Hispanic Bilingual,* Guadalupe Valdés, Anthony G. Lozano, and Rodolfo García-Moya, Eds. New York, Teachers College Press, 1981.

Grosjean, François. *Life With Two Languages.* Cambridge, MA, 1982.

National Education Association. *NEA-Tuscon Survey on the Teaching of Spanish to the Spanish-Speaking, the Invisible Minority... Pero no vencibles.* Washington, D.C., NEA Department of Rural Education, 1966.

Roca, Ana. «Spanish Language Instruction for Cuban-American College Students». Paper presented at El Español en los Estados Unidos, VII, held at the University of New Mexico, Alburquerque, 1986. Paper is based on dissertation research and survey.

—. «Pedagogical and Sociolinguistic Perspectives on the Teaching of Spanish to Hispanic Bilingual Students in South Florida». Diss. University of Miami, Coral Gables, FL, 1986.

Sánchez, Rosaura. *Chicano Discourse.* Rowley, MA, Newbury House, 1983.

Teschner, Richard. «Second Language Acquisition and Foreign Language Teaching: Spanish Language Programs at a University on the U.S.-Mexican Border». *Bilingualism and Languages in Contact.* Ed. Florece Barkin, *et al.* New York, Teachers College, 1982.

Valdés, Guadalupe. «Code-Switching and the Classroom Teacher». *Languate in Education: Theory and Practice 4.* Arlington, VA, CAL, May 1978.

Valdés, Guadalupe; Anthony Lozano, and Rodolfo García-Moya, eds. *Teaching Spanish to the Hispanic Bilingual Student in the United States.* New York, Teachers College, Columbia University, 1981.

Orlando Rodríguez

Posibilidades de cooperación intelectual

Posibilidades de cooperación intelectual

En esta conferencia se propone como uno de los temas la posibilidad de cooperación intelectual entre profesores universitarios hispanos en los Estados Unidos de América (EE.UU.) y España. Es indudable que existe mucho entusiasmo entre los dos grupos para forjar tal cooperación. Nos atrae la idea de que, al compartir tradiciones culturales y disciplinas profesionales, podamos trabajar juntos en asuntos de importancia para los hispanos de las dos sociedades. Pero la idea no puede realizarse solamente basándola en nuestra compenetración. Tal cooperación debe tener objetivos de beneficio social e intelectual para los dos pueblos hispanos. Como cualquier proyecto de investigación, proyectos conjuntos de investigación tendrían que señalar objetivos y proponer medios para realizarlos.

Para comenzar la tarea de identificar proyectos conjuntos, se apuntan aquí algunas reflexiones sobre las funciones de la investigación social en la población hispana de los EE.UU. y sobre el ambiente sociopolítico en el que nosotros, los investigadores hispanos en EE.UU., desarrollamos nuestras investigaciones. Basadas en esas reflexiones, se ofrecen algunas ideas sobre cómo se podrían desarrollar proyectos de investigaciones entre profesores hispanos de los dos países. Debe advertirse que se enfoca exclusivamente en la investigación sobre hispanos en Norteamérica. Por falta de conocimiento no se trata aquí sobre las funciones y ambiente de la investigación social en España. Por lo tanto, estas reflexiones son más pertinentes a las posibilidades de cooperación en investigaciones sobre las poblaciones hispanas en los EE.UU. que a investigaciones sobre la población española. Hay que subrayar que son deseables los dos tipos de investigaciones conjuntas y en la conclusión de estos apuntes, se proponen ejemplos de los dos tipos. Por falta de conocimiento no se trata el tema de cooperación en las artes o humanidades, disciplina de igual importancia para los dos pueblos.

La investigación social en la población hispana de los EE.UU. se define por trabajos en los distintos campos de las ciencias sociales cuyos objetivos son los de adquirir conocimientos sobre la vida social y psicológica de los hispanos que residen en los EE.UU. Debido a la posición política y económica del hispano y a la función de las ciencias sociales en ese país, los temas mejor investigados son los que se relacionan con los problemas sociales del hispano. Este enfoque en los problemas sociales por parte de los investigadores ha mejorado en forma muy modesta la situación de los hispanos en los EE.UU. y, al mismo tiempo ha brindado a la clase dominante la solución de algunos problemas políticos, sobre todo el problema de «qué hacer con los hispanos».

La investigación sobre la población hispana en los EE.UU. se distingue por los siguientes rasgos: La realizan catedráticos de origen hispano o norteamericano que quieren servir al pueblo hispano o quieren investigar problemas científicos para cuya solución es óptimo utilizar hispanos como sujetos. La mayoría de las investigaciones tienen como objetivo la adquisición de conocimientos que pudieran ayudar a solucionar los problemas de comportamiento de la clase baja (por ejemplo, el alcoholismo, el uso de drogas, la delincuencia), o aquellos problemas que sufren con más frecuencia las clases bajas —el desempleo, la falta de ingresos, las enfermedades, etc.— Otro tipo de investigación, más difícil de costear que las investigaciones que se concentran en problemas de comportamiento, tiene que ver con el impacto de la sociedad norteamericana en la vida del hispano y en su identidad como hispano. Ejemplos de éstas son los estudios sobre la aculturación del hispano, la retención de su idioma original, y el proceso de inmigración y asentamiento. Estos factores tienen importancia en las investigaciones sobre problemas de comportamiento del hispano, porque se conceptualizan como variables que repercuten sobre el comportamiento. En cuanto al impacto de la sociedad norteamericana sobre la vida hispana, las investigaciones aún más difíciles de costear son aquellas en que se enfocan sobre la discriminación social y económica. Por lo cual es más fácil conseguir fondos para una investigación sobre el alcoholismo entre los braceros que un estudio sobre la discriminación económica contra los braceros.

El estado actual de la investigación sobre poblaciones hispanas se debe por una parte al desarrollo de la conciencia política de los hispanos en EE.UU. y la consecuente presión política que han comenzado a ejercer, y por otra parte, a las respuestas dadas por la clase dominante norteamericana, cuando se enfrenta a las presiones de los de abajo. Siguiendo el ejemplo de los negros norteamericanos durante las luchas por sus derechos civiles en las décadas de los 50 y 60, los grupos hispanos están reclamando reformas en las distintas instituciones de la sociedad. En respuesta, el ala liberal de los grupos dominantes ha reconocido que el gobierno tiene el deber de proveer soluciones a los problemas de los hispanos, por supuesto dentro del marco político establecido. En este esquema, la investigación desempeña un papel auxiliar en el proceso de negociaciones políticas: Indica qué problemas existen, y sugiere las formas de solucionarlos, y en caso de poner en práctica cierta política, la investigación evalúa la eficacia de dicha política.

Debido a este esquema político, la investigación sobre las poblaciones hispanas en los EE.UU. sigue la pauta establecida para las ciencias sociales. Aunque la mayoría de los fondos disponibles para la investigación son del gobierno, muy pocos investigadores son empleados estatales. La mayoría enseñan en universidades o trabajan para organizaciones particulares haciendo investigaciones a corto plazo por medio de subvenciones otorgadas por organismos gubernamentales. Las subvenciones, por supuesto, tienden a reflejar la misión del organismo —salud, educación, trabajo, justicia, etc.— Un solo organismo gubernamental (National Science Foundation) y varias fundaciones se dedican a fomentar el conocimiento básico, y subvencionan investigaciones de acuerdo con los esquemas de clasificación cienfífico-social. Además del gobierno, fundaciones filantrópicas como la Ford y la Rockefeller también costean investigaciones, y éstas también tienden a enfocarse en problemas sociales.

En este marco político, los temas de investigación se determinan en parte por el proceso de negociación entre los representantes del grupo interesado y los funcionarios y políticos. Existe un acuerdo común sobre los temas que deben ser investigados; sin embargo en el proceso de negociación a veces surge un acuerdo sobre nuevos problemas del momento para los cuales se determinan prioridades de subvención. Por ejemplo, al SIDA se le ha dado prioridad este año, mientras dos años atrás el problema del momento era el embarazo de las adolescentes. En este proceso, la función de los centros de investigación es la de proponer investigaciones sobre tal o cual problema. Los investigadores ejercen dos tipos de poder. En primer lugar, muchos de los problemas se definen por medio del resultado de la investigación. Por ejemplo, los fondos otorgados para la educación bilingüe se basaron en parte en las investigaciones que indicaban que los niños hispanos no alcanzaban el mismo nivel educacional que los niños de origen anglosajón. En segundo lugar, la comunidad científica ejerce cierto control sobre qué proyectos de investigación deben ser aprobados. Los proyectos tienen que ser aprobados por un comité anónimo de científicos. Finalmente es la política del organismo la que decide subvencionar o no un proyecto de investigación aprobado por un comité, pero ningún proyecto desaprobado por el comité es subvencionado por el organismo.

El resultado ha sido el desarrollo desigual de la investigación. Se conoce bastante de algunos aspectos de la vida hispana en los EE.UU pero muy poco de otros aspectos. Por ejemplo, tenemos más información sobre los problemas de salud mental de los hispanos que sobre cómo los inmigrantes hispanos se asientan en comunidades. Por consecuencia, las investigaciones han contribuido a crear programas especiales de salud mental para los hispanos, pero no, por ejemplo, a influir la política sobre la nueva ley relacionada con los indocumentados. En resumen, los temas de la investigación sobre los hispanos reflejan la situación del hispano en los EE.UU: a medida que los hispanos experimentan problemas de «choque cultural» y a medida que adquieren más poder en la sociedad norteamericana, la investigación hispana irá cobrando importancia.

Teniendo en cuenta el marco político de la investigación social en EE.UU. (y por supuesto el marco político de España que ha sido forzosamente omitido en estos apuntes), ¿cuáles son las perspectivas para proyectos conjuntos de investigación? Sugiero que el punto de partida sería la deliberación sobre problemas que tenemos en común los hispanos de las dos sociedades. De tal deliberación, indudablemente, surgirían ideas para investigaciones conjuntas de profesores hispanos de los dos países. En los dos países existen cuadros reducidos pero bien cualificados de investigadores hispanos que pueden dirigirse al estudio conjunto de problemas comunes tales como la salud mental, la delincuencia, o el fracaso escolar. Investigaciones conjuntas serían útiles a las dos sociedades porque de las experiencias propias de cada grupo surgirían nuevas perspectivas que pueden ayudar a comprender las situaciones de los dos pueblos. Tómese como ejemplo el problema de la delincuencia, que ha adquirido bastante importancia en España en los últimos años. En los EE.UU. el problema de la delincuencia en poblaciones hispanas tiene ya una larga historia. Se conoce bastante sobre sus causas y los medios adecuados para estudiarla. Por medio del conocimiento que se ha adquirido, profesores hispanos de EE.UU. podrían contribuir a investigaciones sobre la delincuencia en España. Indudablemente se pondrían mencionar ejemplos de investigaciones que pueden realizarse en los EE.UU. para las cuales los profesores españoles aportarían valiosos esquemas teóricos y métodos de investigación.

Es posible y quizás conveniente, que otras formas de cooperación académica precedieran a proyectos conjuntos de investigación. Se podría comenzar el proceso por medio de convocatorias a reuniones entre estudiosos de los dos países con pericia en determinados temas. En esas convocatorias podrían adentrarse en los pormenores de determinados problemas comunes a las dos sociedades y proponer nuevas perspectivas de estudio. Otra forma de cooperación consistiría en intercambios de expertos hispanos que pudieran contribuir en las investigaciones sobre hispanos en cada país: incorporar estudiosos españoles en centros o equipos de investigaciones sobre hispanos en los EE.UU. y profesores hispanos de los EE.UU. en centros de investigación españoles.

De esta reunión han surgido muchas ideas sobre cómo estrechar los vínculos culturales e intelectuales entre nuestros pueblos. La más mínima reflexión sobre nuestras deliberaciones sugiere muchas otras posibilidades de cooperación entre los investigadores hispanos de los dos países. Es importante proceder al próximo paso de concretar estas ideas por medio de proyectos conjuntos que sean de utilidad para nuestras sociedades.

Miguel Siguán

Educación bilingüe

Educación bilingüe

Entré en contacto con los medios hispanos en los EE.UU. por primera vez hace unos ochos años, cuando la NABE (National Asociation of Bilingual Education) me invitó a intervenir en su reunión anual en Chicago. Allí me encontré con unos cuatro mil educadores bilingües, de los cuales el 80 por 100, al menos, eran hispánicos, quedé profundamente impresionado y procuré mantener el contacto con ellos cada vez que fui a los EE.UU. y cuando escribí el libro sobre «Educación y Bilingüismo» para la UNESCO tuve muy presente las cosas que allí había visto.

Para comentarlo muy brevemente, empezaría recordando lo que aquí ya se ha dicho: que, por un lado, es un problema de identidad cultural, que hay unas personas que se creen con una cultura, con rasgos más o menos propios, distintos de los de la cultura establecida y dominante y que se discute si se puede o no crear una síntesis bicultural y por otra parte recordar que no es sólo un problema de diferencias culturales, que es un problema también social y político, de dominio y de dependencia, que en cierta medida se puede explicar, incluso en términos marxistas. Los dos aspectos están estrechamente relacionados, se trata de una cultura distinta, y de una cultura en situación de inferioridad, aunque las relaciones entre estos dos aspectos son muy complejas. Así, la lengua está claramente relacionada con la cultura pero una misma lengua, la lengua española, en ciertos lugares puede estar en situación de lengua dominante y en otros lugares puede estar en situación de lengua oprimida. Aquí conviene recordar que estos problemas en Europa son muy frecuentes y conocidos. Dentro de cuatro días lo serán también en la URSS, porque también es una sociedad pluricultural y plurilingüística. Pero en la Europa que intentamos construir, estos problemas están cada día más vivos en el doble sentido de diferencias culturales y sociales. En las escuelas de Londres las diferencias de lengua y de cultura de los alumnos son tan grandes como en Chicago, quiero decir que un 25 por 100 de los niños de algunas escuelas de Londres son inmigrantes, de otras culturas y otras razas, por no hablar de los turcos en Alemania, etc. En España en este momentos tenemos un pluralismo cultural y lingüístico con una base muy antigua pero que a poco que el desarrollo aumente, a poco que haya un desequilibrio económico fuerte entre nuestro país y el norte de Africa, está claro que seremos un país de inmigrantes.

Es el gran problema de nuestro tiempo, estamos construyendo una sociedad cada vez más parecida, más tecnificada, más urbana, etc. y quizá por compensación, las diferencias étnicas están tomando cada vez mayor importancia y la necesidad de mantener los signos de identidad como reacción a este uniformismo es una necesidad en estos momentos creo tan importante en EE.UU. como en Europa.

En la situación de los hispanos lo más revelador es justamente su situación educativa, tanto en el aspecto social, porque en esta sociedad se supone que la gente progresa socialmente a base de estudiar y de poder ir a la Universidad, y que el que no logra acceder a una formación académica queda al margen, como en el aspecto cultural, la culturación o aculturación, el adquirir otra lengua, etc., todo esto se hace en la escuela, de manera que de todas las consideraciones que se pueden hacer, sobre la situación de los hispanos, las más significativas son las que se refieren a la educación.

Tradicionalmente el hispano se encontraba con que la escuela era en lengua inglesa y que en esta escuela fracasaba, una primera respuesta a esta situación ha sido decir: —vamos a cambiarlo. Curiosamente el empuje no vino de los hispanos sino que creo que era una familia coreana la que planteó el recurso ante el Tribunal Supremo, y aquella célebre resolución sobre la LAU, que allí no quiere decir Ley de Autonomía Universitaria, como para nosotros sino este célebre recurso, desencadenó una especie de «boom» de educación bilingüe. Para los españoles, conviene recordar cuando hablamos de educación, que el sistema educativo norteamericano es totalmente distinto al nuestro. No hay allí un Ministerio que diga: Desde ahora se van a hacer tantas horas de español y tantas horas de inglés, sino que la cosa funciona a base de poderes locales, de ayudas externas, etc. En todo caso, en aquel «boom» de educación bilingüe con el mismo nombre se ofrecían cosas totalmente diversas. Una cosa es una educación bilingüe de transición. Si a un niño que en su casa habla en español al llegar a la escuela sólo se le habla inglés naturalmente sufrirá un «shock», naturalmente no logrará aprender. Pero la escuela puede acogerlo en español, y en español enseñarle.

Finalmente la educación bilingüe bicultural implica un proyecto colectivo y mucho más ambicioso y mucho más difícil de formular que deberíamos calificar de pluriculturalismo. Aunque la verdad es que si aquí en España se pregunta cuál es el proyecto político que hay detrás de la enseñanza bilingüe en Cataluña o en el País Vasco se recibirán respuestas muy diversas según los interlocutores.

Claro que a la mayoría de los hispanos estas preguntas sobre el objetivo último de la educación bilingüe no les interesa demasiado. Lo que les interesa es que sus hijos aprovechen su estancia en la escuela, terminen bien preparados y si es posible en condiciones de encontrar un buen trabajo o de ingresar en una Universidad. ¿Está logrando la educación bilingüe estos objetivos? Esta es la pregunta importante.

La educación bilingüe partía de la comprobación de que los niños de lengua familiar española educados en la escuela en lengua inglesa no sólo consiguen en la escuela resultados escolares muy pobres sino que no llegan a dominar ni una lengua ni la otra. La educación bilingüe en cambio debe permitir a los alumnos al mismo tiempo mejorar su español y adquirir un inglés correcto. Sin embargo en la práctica en muchos casos no ocurre así sino que se produce un cierto efecto de balancín de tal modo que los que aprenden más inglés son los que mantienen menos el español y a la inversa.

Este hecho tiene motivos sociales. Hay estudios que muestran que en Miami, donde predominan los hijos de inmigrantes cubanos de nivel sociocultural medio con predominio de profesionales, este hecho no se produce y que los mejores alunos en la clase de inglés son también los mejores alumnos en la clase de español. Para ellos no sólo las dos lenguas son importantes y prestigiosas sino que las dos se refuerzan mutuamente, el español que hablan en su casa es comparable con el inglés que aprenden en la escuela. Lo contrario ocurre en el caso de la mayoría de los alumnos hispanos. El español que hablan en su casa es muy pobre y no ofrece una base suficiente para facilitar el aprendizaje del inglés y a la inversa, los progresos que hacen en inglés no repercuten sobre el español que hablan en casa para hacerlo progresar.

Como es bien sabido esta distancia entre lengua familiar pobre y lengua escolar se da incluso en poblaciones monolingües de bajo nivel cultural y explica muchos fracasos escolares.

No pretendo decir con esto que la educación bilingüe en el caso de los hispanos fracase, lo que sería absurdo, sino recordar que por el bajo nivel sociocultural de sus alumnos resulta más limitada en sus resultados y por tanto requiere más atención pedagógica que una educación bilingüe aplicada a alumnos de medios más cultivados en los que las prácticas lingüísticas del hogar y las de la escuela se apoyan mutuamente.

Claro que incluso siendo limitados sus resultados la educación bilingüe de los hispanos es preferible a su no existencia y lo que hay que procurar es mejorarla teniendo en cuenta precisamente la raíz de sus dificultades sin caer en ilusiones utópicas pues hace tiempo que sabemos que la escuela puede aliviar las injusticias y las contradicciones sociales pero no eliminarlas.

Y no olvidemos que el movimiento a favor de la educación bilingüe ha tenido ya varias consecuencias positivas. La primera es que su existencia ya es prácticamente irreversible. Como es sabido la administración Reagan intentó eliminarla y redujo los fondos federales y sin embargo se ha mantenido y, si no ha aumentado, prácticamente tampoco ha disminuido.

La segunda consecuencia importante ha sido la entrada en la Universidad norteamericana de la preocupación por la educación bilingüe. La entrada no ha ocurrido, como alguien podía haber pensado a través de los departamentos de español. Entre el mundo de los hispanos y los departamentos universitarios de español que explican los refinamientos de la crítica literaria a anglosajones educados y cultos no hay apenas relación. Ha entrado por los Departamentos de Educación, lo que aquí llamaríamos Escuelas de Magisterio, y debido a la necesidad de preparar maestros para la enseñanza bilingüe la mayoría de los cuales son hispanos. Cuando hace ocho años hice mi primer viaje esta entrada apenas si se había iniciado en algunas Universidades de segundo orden mientras que hoy hay programas para educadores bilingües incluso en Columbia o en Stanfort, lo que hace unos años habría sido impensable.

Y ahora para terminar, ¿qué se puede hacer? Hace unos años parecía que el gobierno español y su administración no se habían enterado de la existencia de los hispanos. Y aunque se hubiesen enterado quizás tampoco hubiese influido mucho. Hace unos años lo que se llevaba era una retórica imperial y patriótica escasamente eficaz. Hoy las cosas han cambiado mucho pero no se trata de cambiar la retórica de derechas por la retórica de izquierdas sino de sustituir la retórica por el trabajo serio y la eficacia. Suponiendo que se vaya en esa dirección yo propondría tres cosas:

Primera, contribuir al desarrollo de la educación bilingüe. No estoy seguro de que mandar maestros a las escuelas bilingües sea la mejor manera de hacerlo, sospecho que el precio debe ser muy alto respecto a los resultados que pueden conseguirse. Más interesante me parece mandar colaboradores a las Escuelas de Educación universitarias que preparan profesorado bilingüe. Estos colaboradores podrían ser profesores de lengua española por supuesto, pero también profesores de pedagogia, de psicopedagogia, de educación bilingüe o incluso de pedagogia de distintas materias. Habría que empezar por establecer un catálogo de las Escuelas de Educación más interesadas por la educación bilingüe y negociar con ellas contratos de colaboración. El efecto multiplicador de estos colaboradores sería muy grande, mucho mayor que en una escuela de primera o segunda enseñanza.

Segunda, iniciar y patrocinar investigaciones conjuntas que podrían referirse a diferentes aspectos de la situación de los hispanos pero aquí debemos destacar el interés por hacer investigaciones conjuntas sobre la misma educación bilingüe. Hasta ahora los mejores estudios sobre bilingüismo y educación bilingüe se han hecho en el Canadá pero en el futuro podrían hacerse iguales o mejores con una colaboración hispano-norteamericana.

Una tercera, menos directamente universitaria se refiere a los textos escolares. Los que existen actualmente son insuficientes y tienen un nivel más bien bajo. Fomentar la producción de textos de calidad no debería ser difícil. Aunque hay una dificultad no fácil de salvar producida por las diferencias en el vocabulario entre los distintos grupos lingüísticos: puertorriqueños, chicanos, que son muy fuertes, sobre todo a nivel popular.

El prestigio de la lengua pesa, evidentemente, y es que en la comunidad cubana, la lengua española tiene un gran prestigio porque va unida a unas situaciones satisfactorias, y en muchos ambientes hispánicos esto no es así; en niveles de inmigrantes, puertorriqueños viviendo en el Bronx, el hablar español no tiene un prestigio social. Y esto la educación bilingüe, por sí misma, no puede cambiarlo.

Maida Watson Espener

Teatro, mujeres hispanas e identidad

Teatro, mujeres hispanas e identidad

Al teatro hispano en los EE.UU. se le ha clasificado generalmente por las características singulares de dos de sus propias corrientes internas: la méxico-norteamericana o el teatro chicano y la puertorriqueña de Nueva York o el teatro de «nuyorriqueño». Sin embargo en los últimos diez años, un tercer grupo étnico, el de los cubanos exiliados en los EE.UU., hizo su debut, añadiendo al renacimiento del teatro hispano de los EE.UU. sus muy propias y particulares creaciones. Tres dramaturgas, Dolores Prida, Uva Clavijo y Ana María Simó, se destacan no sólo dentro del contexto de este subgrupo, sino también dentro del entorno dramático universal.

Las obras de estas tres dramaturgas utilizan una gran variedad de técnicas teatrales, desde las del teatro realista musical hasta el teatro no realista del absurdo. Escritas en inglés, en español y en varios niveles de bilingüismo, todas ellas comparten un mismo tema común, la preocupación por la identidad, ya sea la identidad étnica, o la identidad sexual, es decir la búsqueda por una respuesta a las interrogantes: ¿Qué quiere decir ser mujer? y sobre todo ¿Qué quiere decir ser hispana?

El teatro cubano del exilio, en contraste con el «nuyorriqueño» o el chicano, no se restringe a su propio grupo étnico sino que por el contrario es altamente individualista, no es el producto de un movimiento de grupo, como el de la huelga de los trabajadores agrarios de Delano del teatro chicano o de la creación colectiva como es el caso del teatro de grupo de los «nuyorriqueños». La coincidencia en los temas se debe más al hecho de que las dramaturgas comparten una serie de experiencias similares, como la partida de la Cuba castrista en el año 1959 por ejemplo, y no a que formen parte de una misma escuela literaria o que sigan las mismas tendencias políticas o ideológicas.

Sin embargo, siempre dentro del contexto del teatro cubano en el exilio, podemos dividir esquemáticamente su producción dramática en tres áreas generacionales: la de la generación de mayor edad, la cual llegó a los EE.UU. en los años sesenta, con una serie de patrones culturales ya muy definidos, y que vive en la actualidad aislada del mundo de habla predominantemente inglesa; la de la generación cubano-norteamericana cuyos integrantes se desenvuelven por un lado en un ambiente cultural y lingüístico hispano y por el otro en el ámbito literario norteamericano de lengua inglesa; y finalmente la tercera que aúna tanto a los llegados por el Mariel como a los últimos prisioneros políticos liberados, quienes, unos y otros, se encuentran tan aislados del mundo cultural de habla inglesa como la generación de mayor edad pero que además han vivido sus últimos años en su propio limbo sociocultural dentro de la Cuba castrista (1).

Dolores Prida, Uva Clavijo y Ana María Simó, junto con muchos otros como Manuel Martín, Randy Barceló y Omar Torres, forman parte de un mismo medio teatral cubano-norteamericano, el de esta especie híbrida que en estos mismos momentos está encontrando el eco de su profunda voz. Para ellos es lo mismo hablar en inglés que en español, se entrenaron bajo las técnicas teatrales norteamericanas, pero se mantienen sensiblemente conscientes de los patrones culturales y del sistema de valores del grupo cubano. Las contradicciones que sufren en sus vidas privadas y profesionales y que se encuentran representadas en las características biculturales y bilingües de sus obras, son el resultado de encontrarse a horcajadas entre dos culturas.

¿Cómo son las mujeres reflejadas en las obras de Prida, Clavijo y Simó? De acuerdo con los más recientes estudios, las mujeres cubanas poseen de entre todas las mujeres hispanas los más altos niveles de educación y de ingresos, pero también son substancialmente de más edad y tienen la más alta incidencia de divorcios en todos los EE.UU. Pertenecen a ese pequeño grupo elite de mujeres que ganan más de 50.000 dólares al año, en una proporción tres veces superior a cualquier otro grupo. También tienen, comparadas con cualquier otro grupo de mujeres, el menor promedio de hijos, tal vez como consecuencia de su mayor edad y de la alta incidencia de divorcios (2).

En su mayoría los personajes femeninos representados en estas producciones dramáticas reflejan las estadísticas. Tienden a ser mujeres educadas de clase media, están solas y no tienen hijos. Sobre todo, se encuentran consumidas por el problema de identidad, tanto en su aspecto cultural como cubanas y norteamericanas a un mismo tiempo, como en su aspecto sexual, su situación y su identificación como mujeres. Estas inquietudes bifaciales se desarrollan más en algunos personajes que en otros pero emergen en todos ellos, desde Elsa, el personaje femenino de clase alta de la obra *Exiliados* de Simó, hasta el personaje simbólico abstracto de Ella-She de la obra de Prida *Coser y Cantar*. Todos estos personajes se encuentran a la búsqueda de respuestas y de sus propios rostros.

Dolores Prida utiliza una amplia gama de técnicas que le permiten expresar la intensidad de su preocupación feminista, enfocada ésta principalmente hacia la difícil situación de la mujer hispana, quien se encuentra en un mundo prejuicioso, en el caso que le corresponde a ella por doble partida. En dos de sus obras, *Coser y Cantar* y *Beautiful Señoritas* utiliza las técnicas del teatro no realista para explorar los varios estereotipos que la mujer hispana tiene que sufrir y los conflictos que debe encontrar en las dos culturas en las que se desenvuelve a un mismo tiempo, la hispana y la anglosajona.

(1) Véase mi artículo, «Ethnicity and the Hipanic American Stage: The Cuban Experience», *Hispanic Theatre in the United States,* edited by Nicolás Kanellos, Arte Público Press, Houston, 1984, pp. 34-44.

(2) Cathy Lynn Grossman, «Cuban Women: Changing Their Life Style in Exile», *The Miami Herald,* Tuesday, March 11, 1986, section B, pp. 1 and 2.

Como es el caso de María Irene Fornés y Ana María Simó, Dolores Prida se encuentra en la posición ventajosa de la escritora con experiencia actual en el teatro. Galardonada con el codiciado premio Cintas, obtuvo además entre otras distinciones la beca Intar Playwright-in-Residence Grant (subvención Intar para dramaturgos con residencia).

La obra de Prida *Beautiful Señoritas*, que refleja influencias del teatro musical de Nueva York, es una obra musical que se desarrolla en un concurso de belleza ficticio. Los múltiples personajes de la obra recalcan en una manera brechtiana el mensaje universal de la obra: los estereotipos impuestos a la mujer latina por la sociedad. La misma actriz representa cuatro de las bellas señoritas: Carmen Miranda, Iris Chacón, Charo y María de la O. Como dice una de las mujeres en la obra cuando al machista don José le nace una niña:

«Otra mujer ha venido al mundo. En Managua, en San Juan, en una pequeña ciudad de los Andes, en el sur de Bronx. No es solamente una mujer. Se la colocará en un pedestal al mismo tiempo que se la pisoteará. Se la hará una santa y una prostituta, la coronarán como a una reina, la explotarán y la adorarán.» (3)

Y es este mismo proceso de ser a la vez pisoteada y adorada el que Prida se propone atacar por medio de la sátira.

Las raíces de la explotación de la mujer se establecen muy pronto en la vida. La reina de belleza nos describe cómo fue su madre, que la inscribió en un concurso de belleza cuando apenas tenía dos años, y cómo en su casa la solían llamar la reinecita (4). Las fantasías llenaban la cabeza de su madre, provenían de la lectura de revistas en español donde «toda la gente es linda y feliz» (5) y por lo tanto ésta, la madre, se propuso moldear la vida de su hija a imitación de estas fantasías.

La reina de belleza nos cuenta que posee, entre otros títulos, dos reinados, el de «Los Hijos Ausentes» y el «Texas Enchilada» (Enchilada Texana), y que, en la actualidad ostenta el título de «Miss Banana Republic» (Señorita República Bananera). Esta lista de concursos irrisorios en los que ha competido, culminada con el ridículo título de Señorita República Bananera, resalta la futilidad de todos sus títulos y satiriza la obsesión del mundo hispano por las «reinas».

El maestro de ceremonias del concurso de belleza también expresa las imposibles demandas impuestas sobre la mujer latina, él nos dice:

«Las mujeres latinas son las más bellas, las más apasionadas, las más virtuosas, las mejores amas de casa y las mejores cocineras. Todas ellas saben como bailar la salsa y el hustler, el mambo y el guaguancó. Y siempre están dispuestas a hacer el amor. ¡Qué tesoros!» (6)

(3) Dolores Prida, *Beautiful Señoritas*, texto inédito.

(4) Prida, *ibíd.*, p. 6.

(5) Prida, *ibíd.*, p. 6.

(6) Prida, *ibíd.*, p. 8.

Cada una de las tres participantes ejemplifica un satirizado estereotipo de uno de los grupos hispanos en los Estados Unidos. En un estilo reminiscente del dramaturgo chicano Luis Valdez, el maestro de ceremonias nos presenta a los personajes, quienes son como muñecas de gestos mecánicos y sonrisa perpetua. La participante cubana es Miss Pequeña Habana, Fina de la Garza del Vedado y Miramar (estos dos últimos nombres son los de dos barrios elegantes de la Cuba precastrista), a quien se presenta como integrante de una de las mejores familias de la Cuba de ayer (7). La participante méxico-norteamericana llamada Miss Chile Tamal, se encuentra perseguida por «la migra», los servicios de inmigración de los EE.UU., y por último la participante del área del Caribe, Mis Conchita Banana, obvio juego de palabras basado en el nombre Chiquita Banana de la United Fruit Company, se lamenta de que a ella no se le permite ser una persona, que solamente fue creada para ser fotografiada.

Ella es la mujer latina inventada por la industria turística, la que siempre tiene que verse feliz, quien nos dice:

«Se me inventó para una fotografía. A veces desearía ser una persona, existir por mí y para mí misma, parar de bailar, parar de sonreír. Creo que algún día querré llorar.» (8)

Uno de los personajes de *Beautiful Señoritas* nos resume la imagen de la búsqueda de la propia identidad, cuando dice:

«En las canciones me dieron el cuerpo de un sirena, el de una palmera, el de una guitarra de cadera ancha. En las películas me veo a mí misma como una prostituta, una ninfomaníaca, o como criada estúpida o como una bailarina de tercera categoría. Me busco a mí misma pero no puedo encontrarme. Sólo encuentro las ideas que sobre mí tienen otros.» (9)

La solución para la mujer, de acuerdo con la autora, es el encontrar su propia identidad a través de otras mujeres y no en los estereotipos que los hombres han creado sobre ella. Prida nos dice, «se miran las unas a las otras como imágenes en un espejo. Se descubren a sí mismas en las otras. La muchacha ya es una de ellas» (10).

Sólo así podrá la mujer en verdad descubrirse a sí misma, será capaz de liberar a la persona real que habita en ella, y de librarse de las inhibiciones y estereotipos que se le han impuesto, los cuales destruyen su propia expresión.

En otra obra, *Coser y Cantar*, Prida continúa explorando la búsqueda de la identidad femenina, pero esta vez añadiéndole el análisis sobre la identidad étnica y examinando con diligencia las experiencias de la mujer hispana en los EE.UU.

En esta obra Prida utiliza como vehículo de comunicación a un personaje que posee dos *alter ego*, el de la hispana tradicional Ella, y el de la americanizada liberada e independiente She, los

(7) Prida, *ibíd.*, p. 9.

(8) Prida, *ibíd.*, p. 11.

(9) Prida, *ibíd.*, p. 5.

(10) Prida, *ibíd.*, p. 13.

cuales no sólo se yuxtaponen el uno con el otro, sino también con el mundo exterior. De una manera novedosa, inminentemente teatral, usa el diálogo bilingüe como instrumento teatral para reflejar así el conflicto entre los dos sistemas de valores que ambas culturas preconizan. Por ejemplo, cuando She hace una lista de cosas que debe hacer escribe entre ellas «hacer algo por El Salvador» manifestando un liberal interés hacia la política. Ella repite después en español «Salvar El Salvador» y entonces añade «ir a Casa Moneo por chorizos mexicanos» (11). El efecto producido por la repetición en español de Ella de las palabras de She, y la aliteración de salvar El Salvador, nos hacen reír, y más aún nos reímos cuando Ella agrega «el comprar chorizos» a la lista de planes entre los importantes asuntos políticos.

Prida lidia en esta obra con temas trascendentales que traspasan lo meramente hispano y alcanzan el plano de lo universal. Su personaje cubano-norteamericano con sus *alter ego* pudiera también representar a cualquier mujer de otra sociedad que luche para que su voz sea oída. Los dos *alter ego* de Prida son elementos combatientes de la misma mente y dos facetas de una misma mujer incapaz de comunicarse con otras mujeres.

A lo largo de toda la obra se perfila una muy sutil relación entre el macrocosmos del mundo exterior y el microcosmos específico del lugar donde transcurre la acción, la alcoba de una mujer. Las sirenas y los disparos son fuerzas externas que quebrantan el orden particular que rige el pequeño mundo interno habitado por los personajes de la obra. La cacofonía producida por los disparos y las sirenas es repetición, contrapunto y eco de las luchas que tienen lugar en el pequeño mundo del escenario. Los personajes sufren una vaga ansiedad, un temor, a que las fuerzas externas invadan la habitación y maten a sus habitantes. Al final en la última escena este temor se eleva a un crescendo. She y Ella gritan de puro miedo.

She.—Otra vez están disparando

Ella.—y están cortando los árboles

She.—Los niños están jugando en el patio del colegio

Ella.—y echando la basura y los muertos al río

Ella dice «escapémonos», y busca un mapa que no puede encontrar. Con las palabras «Aquí esta» (12) el escenario se oscurece y cae el último telón. Los personajes de Prida permanecen perdidos, buscando una salida, no sólo a los confines físicos del apartamento, sino también al laberinto de su propia identidad.

La versatilidad de Dolores Prida en el uso del lenguaje no se limita a estas dos últimas obras. En *Savings* (Ahorros), una obra musical situada en un banco de préstamos y ahorros al borde del cierre, el diálogo discurre enteramente en inglés, y el de *Pantalla,* obra no realista enmarcada dentro de otra obra sobre tres actores de televisión, se desarrolla totalmente en español.

(11) Prida, *Coser y Cantar,* texto inédito, p. 3.

(12) *Ibíd.,* p. 27.

El banco de la obra *Ahorros* se encuentra en un barrio hispano de Nueva York, en el cual se está elevando el nivel social de los vecinos, y por lo tanto los alquileres están subiendo, obligando a los vecinos originales a mudarse fuera del barrio, y al banco, un pequeño negocio de familia, a cerrar. Las alusiones de Prida a la cultura hispana en esta obra se limitan a dos personajes, la señora Domínguez y la señora Cabrera, quienes representan a los grupos puertorriqueño y cubano respectivamente. En una doble letanía, rogando por un control sobre el alza de los alquileres, estos dos personajes invocan, en yuxtaposición, sendas vírgenes nacionales, la Virgen del Carmen y la Virgen del Cobre. La señora Domínguez es la encargada de una botánica, tienda en la que se venden los productos requeridos para los ritos ocultos, y a quien alguien ha informado de que dicha botánica desprestigia al vecindario. Toda la gama de diversidad étnica neyorquina está representada en esta obra, en la cual se incluye al director del banco, un italiano que tiene un idilio con una pianista judía, sólo porque ésta se encuentra convenientemente ubicada cerca de su oficina. La obra no posee la calidad de otras obras de Prida, pero es interesante, pues ejemplifica lo que esta dramaturga puede hacer con una comedia musical de corte tradicional.

Pantallas, la otra obra monolingüe de Prida ya mencionada, ésta totalmente escrita en español, transcurre en un país imaginario de Iberoamérica que se encuentra al borde de una revolución. La obra aborda el problema de la realidad frente a la ilusión, reflejado en cómo los actores continúan viviendo sus papeles, incluso después de terminada la obra. Otra vez, como en *Coser y Cantar,* los personajes se encuentran encerrados en un espacio interior y reciben sólo mensajes indirectos del mundo exterior. Para intensificar la sensación de aislamiento Prida usa técnicas del metateatro. Los actores interpretan personajes provenientes de series televisivas, en las que han actuado, y de obras famosas, como *Don Juan Tenorio* o *Julio César.* Los actores entran y salen de sus papeles recordándonos, de una manera brechtiana, que estamos presenciando simplemente una obra y que no estamos contemplado la realidad.

Los tres personajes principales son: una ya madura diva de telenovelas, su marido, actor de 27 años, y su amante, también un joven actor de 22 años. Todos ellos se encuentran tan absorbidos por sus propias vidas, tanto dentro como fuera del escenario, que no pueden prestar atención a nada que suceda más allá de su inmediato. El espectador puede presenciar, como únicos indicios de que algo está sucediendo en el mundo exterior de la obra, los fallos de electricidad y la falta de agua, indicadores tradicionales de disturbios políticos. Incluso cuando el mundo parece haber sido destruido por una explosión nuclear, el espectador se queda en la duda, no sabiendo si clasificar esta apariencia como una realidad o como una ilusión. La única indicación de cambio que despliegan los actores es que repentinamente empiezan a utilizar máscaras de gas, y que Roberto, el marido de la diva, le regala a ésta por su aniversario un plumero, de esos que se usan para quitar el polvo, como si fuera una flor.

La ya madurita beldad, Elena, y su marido, Roberto, se conocieron cuando actuaban en una conocida telenovela, titulada *El vals de la inválida.* Su joven amante, cuando era niño, solía ver esa misma telenovela, y de allí que decidiera convertirse en actor. Así, esta telenovela, de la cual se recrean escenas durante la obra, provee el centro estructural de sus vidas, y realza el hecho de que los personajes sigan viviendo una vida integrada por la fantasía y la ficción, aun cuando no estén interpretando ningún papel.

La segunda dramaturga, Ana María Simó, en su obra *Exiliados* no sólo explora la identidad de la mujer como tal, sino que también examina el desarrollo de los elementos étnicos cubanos. En los *Exiliados* Simó utiliza una técnica similar a la de Dolores Prida en *Coser y Cantar,* dos actrices representan un mismo personaje, reflejando dos partes diferentes de una misma personalidad. Elsa y Olga son dos caras de una misma mujer que vivió la época de la revolución castrista, pero debido a la opresión tuvo que abandonar la isla. El antiguo profesor de teatro de Elsa la describe como «vaga, arrogante pero brillante», y a Olga como a una pianista interesante, y una egomaniática que destruyó muchas vidas. Una niña malcriada de buena familia (13). Cuando Olga recala en París, Elsa entabla una complicada correspondencia con ella. Elsa inicia la búsqueda de su propia identidad intentando entender a Olga.

Simó usa la técnica de nunca mostrar a Olga y a Elsa juntas en el escenario. De hecho, su antiguo profesor de teatro llega a insinuar que ellas nunca se han conocido. A Olga se la describe varias veces como a una sombra, tanto en las direcciones escénicas como en la obra en sí. En las direcciones para el escenario se la describe como «Una sombra, el *alter ego* de Elsa» (14). La situación se complica más aún cuando aparecen dos nuevos personajes, llamados Ella (She) y Orla, una transexual. Ella (She) permanece durante la obra sin identificar pero parece ser un compuesto de Elsa y Olga, mientras el nombre Orla y su naturaleza transexual nos hacen recordar a Olga.

Exiliados desarrolla también un tema secundario, la búsqueda de la identidad nacional o étnica. El problema de la definición de la identidad nacional, de la determinación de los constituyentes de la «cubanidad», es una característica constante de la literatura cubana desde los inicios del siglo XIX. Debido a la proximidad geográfica con los EE.UU. y al largo período de dominación española, tanto Cuba como Puerto Rico desarrollaron el sentido de la identidad nacional mucho después y de una manera menos definida que otras naciones hispanoamericanas (15). Esta carencia de una conciencia nacional claramente definida provocó que muchas veces la identidad nacional se basara primordialmente en el ser anti algo, antiespañol a finales del siglo pasado, antinorteamericano durante este siglo. También motivó que los intelectuales cubanos buscaran sus modelos en el extranjero, ya fuera en Europa, Norteamérica o cualquier otra parte de la América hispana (16).

Una tercera escritora cubana en el exilio, la conocida poetisa Uva Clavijo, se dedica en su primera obra teatral *Con todos y para el bien de todos* a echarle un penetrante vistazo a la identidad étnica, sobre todo al microcosmos que representa la comunidad cubana en el exilio de Miami. Aquí ya vemos que la identidad étnica no se retrata en contraste con los patrones culturales dominantes anglosajones como pasa en las obras de cubanas residentes en Nueva York sino que

(13) Ana María Simó, *Exiles,* texto inédito.

(14) *Ibíd.,* p. 2.

(15) Ann Mandelbaum, *El perfil de la cultura en la obra de Alejo Carpentier,* disertación doctoral, inédita, Wayne State University, Detroit, Michigan, 1986.

(16) C.A.M. Hennessy, «The Roots of Cuban Nationalism», in *Background to Revolution,* ed. Robert Freeman Smith, Revised Edition (Huntington, Robert E. Krieger Publ. Co. 1979), p. 29 y Carlos Alberto Montaner, *Cuba: Claves para una conciencia en crisis,* 2.ª ed. (Madrid, Editorial Playor, 1982), p. 16.

se presenta como diferente de la filosofía y de los patrones de conducta de la Cuba isleña del presente a través del cambio entre las ideas de los recién llegados por el Mariel y los antiguos exiliados. La obra en dos actos nos relata la caída de un avión lleno de cubanos de Miami que viajan hacia la frontera entre Nicaragua y Honduras para llevarles ayuda a los contras y por accidente caen en una isla imaginaria llamada Cutopía que representa la Cuba «utópica» de la revolución castrista. El dictador de la isla acaba de morir y los habitantes de Cutopía invitan a los tripulantes del avión a ser sus nuevos líderes. Pero éstos no se pueden poner de acuerdo y tienen que regresar a Miami.

La autora utiliza la situación del forzado aterrizaje para delinear y satirizar el retrato del cubano en el exilio. Los personajes, fieles a una tradición que data desde el costumbrismo español decimonónico, llevan nombres significantes como Felipe Bocagrande, el reportero de la prensa cubana; don Pretérito Perfecto, el exiliado de 77 años que vive en el pasado; Esperanza Todavía, una marielita de 25 años; y Johny Know-it-all, el cubano de 36 años que representa el «yupy» cubano norteamericanizado.

La situación creada en el pequeño grupo aislado y perdido en una selva tropical sirve como lupa para retratar la sociedad cerrada y limitada de la Pequeña Habana, del mismo modo que hace Sartre en *Huis Clos*. Esperanza Todavía, la joven marielita de 25 años, describe esta sociedad al decir:

«Cuando yo llegué aquí, después de vivir hasta los 14 años en Cuba, me parecía que estaba viviendo el comunismo pero al revés. Allá se pasan todo el tiempo hablando mal de los norteamericanos, exaltando la revolución y si acaso uno siente alguna inquietud por conocer algo sobre los años antes de la revolución, lo único que consigue que le digan es que todo era malo. Aquí es igual pero al revés. Se pasan el día hablando mal de los comunistas, exaltándose unos a otros y a las glorias de la república.» (17).

La sociedad divisoria del exilio, llena de conflictos ideológicos y caracterizada por un individualismo arraigado es particularmente inhóspita para los jóvenes. El personaje llamado Testigo Sabiondo, que se describe a sí mismo como un personaje «puente» entre la cultura anglosajona y la cubana habla de la Cuba del exilio y dice:

«Pero en esa Cuba de todos y para el bien de todos parece como si no se incluyera a los jóvenes. Ni a los que piensan distinto a ellos.» (18)

La identidad de la mujer es un tema que también le interesa a Uva Clavijo. Y que se desarrolla por medio del contraste entre dos personajes femeninos, la señora Dolores Cruz de Perfecto, de 68 años, la esposa del exiliado don Pretérito Perfecto que representa las mujeres de la vieja generación, y la joven Esperanza Todavía, representante de las nuevas ideas sobre la identidad femenina llegadas en este caso a través de la Cuba fidelista. Esperanza se queja de las cubanas

◆

(17) Uva Clavijo, *Con todos y para el bien de todos*, texto inédito, p. 22.

(18) *Ibíd.*, p. 29.

de Miami y dice que «ni saben pensar. Son la sombra de sus maridos» y le contesta Dolores Cruz de Perfecto, «¿y qué quiere usted que haga? Es cuestión de educación. Me criaron a la antigua.» (19)

En contraste con las obras de las cubanas que residen en Nueva York, la obra de Uva Clavijo está escrita totalmente en español sin uso del bilingüismo ni el «spanglish» que utilizan las otras autoras con fines artísticos. El inglés aparece de vez en cuando en boca de sus personajes más norteamericanizados. El personaje que representa a las fuerzas norteamericanas habla un español que satiriza al del norteamericano que no domina el idioma extranjero.

En su libro *Lo cubano en la poesía* (1970), Cintio Vitier define algunos de los elementos que integran la identidad nacional cubana. Entre ellos destaca «arcaísmo, ingravidez, lejanía» (20). Lejanía o nostalgia, el gusto por el recuerdo, es uno de los temas más populares del teatro cubano del exilio. Ana María Simó en *Exiliados* desarrolla este tema mediante la reacción de uno de sus personajes hacia el exilio de la Cuba castrista. Otras actrices describen a Elsa, el personaje principal, como alguien que sufre, porque proviene de una isla a la cual no puede volver, porque ya no existe (21). Su profesor de teatro la describe como alguien que sufre «la esquizofrenia del exilio» (22). Todos ellos creen que Elsa se exilió, únicamente, para mantener viva a Olga. Olga es la faceta artística y libre de Elsa, que no pudiera haber sobrevivido el mundo controlado y regimentado de la era posrevolucionaria.

El proceso del exilio se describe como el «día en que se cayó el cielo» (23), y todos los personajes hablan constantemente sobre el recuerdo y la memoria. Elsa dice «Quiero permanecer en la Isla y olvidar. Salir y olvidar» (24). Pero otro personaje, Anna, le dice «aprende a recordar» (25). Paule y Elsa cantan una canción en la cual Paule dice «No hay otro mar fuera del oscuro de nuestra memoria» (26). Orla canta a Elsa «El exilio de Elsa es un lujo, su marca de nacimiento y su derecho un dolor» (27). Y dice al final de la escena, cuando Elsa está exiliada en Miami, «La memoria es un arte». Ana le contesta «Un arte inútil salvo para nosotros los exiliados» (28). Mientras hablan, la radio describe los levantamientos de los cubanos exiliados durante «la flotilla del Mariel», indicando que nada se ha terminado, que todo es un ciclo, y que el exilio se inicia de nuevo en otros exiliados.

(19) *Ibíd.*, p. 29.

(20) Mandelbaum, p. 8.

(21) Simó, *Exiles*, p. 18.

(22) *Ibíd.*, p. 28.

(23) *Ibíd.*, p. 39.

(24) *Ibíd.*, p. 40.

(25) *Ibíd.*, p. 41.

(26) *Ibíd.*, p. 48.

(27) *Ibíd.*, p. 49.

(28) *Ibíd.*, p. 50.

Las obras de estas dramaturgas cubano-norteamericanas abarcan una amplia variedad de estilos y técnicas. El teatro musical es muy popular, tal vez por la proximidad de las autoras al mundo teatral de Nueva York. Dolores Prida y Ana María Simó utilizan la técnica de personajes dobles caracterizando una única persona para ilustrar la doble naturaleza de la mujer. A pesar de que algunas obras están escritas enteramente en inglés y otras en español, la mayoría de los autores utilizan la naturaleza bilingüe de la vida cubano-norteamericana para crear una profundidad artística y para demostrar la complejidad de los temas. Los personajes irrumpen en español cuando describen cosas que poseen una importante carga emocional para ellos. Las personas mayores sólo hablan en español, agregando así una nota de realismo a las obras. Muchas veces las mismas líneas se repiten en español o en inglés, añadiendo de ese modo una perspectiva diferente a lo ya dicho, o como en el caso de Dolores Prida, para dar un toque satírico.

Estas autoras experimentan no sólo con muchas de las técnicas modernas sino que también tocan temas prohibidos en el teatro de otras épocas. El tema de la identidad femenina se explica tanto a través del vehículo tradicional de las relaciones heterosexuales, como de las interrelaciones lesbianas. Prida no sólo satiriza a los hombres machistas en *Beautiful Señoritas* si no que además se mofa de todo ese núcleo de mujeres superficiales, influidas por el estilo de vida que aparece en las revistas femeninas, que permite sobrevivir al machismo. La identidad nacional se convierte en étnica cuando las escritoras exiliadas luchan por entender qué significa la cubanidad, al tiempo que lidian con el trauma del exilio. El proceso del exilio que fue tan sólo una dolorosa existencia en los primeros años del teatro cubano en el exilio se ha transformado en las obras de estas tres mujeres cubano-norteamericanas en un sendero hacia la autoexploración y el descubrimiento de su propia identidad.

Carlos M. Alvarez

La comunidad cubano-norteamericana del sur de la Florida: algunas reflexiones

La comunidad cubano-norteamericana del sur de la Florida: algunas reflexiones

El propósito de este trabajo es el de compartir algunas reflexiones acerca de la evolución y el futuro de la comunidad cubano-norteamericana del sur de la Florida en Estados Unidos. Estas reflexiones están basadas en las experiencias que, como observador participante, ha tenido el autor en medio de dicha comunidad a lo largo de catorce años.

Al comienzo del trabajo, el autor describirá la percepción que mantenía, hace apenas una década, sobre la comunidad cubano-norteamericana residente en el condado de Dade. A continuación, compartirá algunas ideas emanadas de un proceso reciente de autoreflexión, a través del cual cuestiona la validez de algunas de las premisas sostenidas anteriormente e identifica elementos contextuales, no tomados en consideración en la década de los años 70, los cuales parecen haber influido significativamente en el desarrollo socioeconómico, político y cultural del grupo cubano-norteamericano.

Comencemos por admitir que, de habérsele pedido al autor hace solamente una década, que describiese su percepción sobre la evolución y el futuro sociocultural de los cubano-norteamericanos del sur de la Florida, ciertamente hubiese resaltado la rapidez y relativa facilidad con la que el cubano-norteamericano iba dejando atrás su identidad de exiliado político e iba asimilándose a la sociedad norteamericana. Hubiese sostenido que, al igual que otros grupos que inmigraron a los Estados Unidos en el pasado, los cubanos atravesarían por un proceso de asimilación que tendría como destino final su inclusión en el «melting pot» norteamericano. Es más, hubiese predicho que en un período relativamente corto de tiempo, el grupo de origen cubano se habría fundido totalmente en la cultura nacional estadounidense.

Hubiese hecho la predicción de que en el caso de los cubanos el proceso de asimilación sería acelerado basándose primordialmente en las características o perfil sociocultural del grupo, el cual contaba con una alta sobrerepresentación de sectores empresariales, profesionales y técnicos, los cuales parecían tener una notable afinidad con la idiosincrasia y valores del «mainstream» norteamericano. La presencia de algunos elementos contextuales tales como la receptividad politicoeconómica con la que dicho grupo exiliado fue recibido por las autoridades gubernamentales de Estados Unidos durante la década de los años 60 se hubiese tomado también en consideración para predecir la rápida asimilación cultural de éste.

Una década más tarde, al analizar la evolución y las características culturales aún presentes en el grupo cubano-norteamericano, el autor cuestiona la validez de algunas de las premisas que fundamentaron su percepción inicial. En primer lugar, el proceso de acomodación de los cubano-norteamericanos a la nueva sociedad no parece estar siguiendo un ritmo acelerado de asimilación o, al menos como se hubiese previsto desde un marco de referencia asimilativo. Aunque el proceso de aculturación o de transformación cultural de los miembros del grupo ha seguido su curso, repercutiendo como es de esperarse de una manera significativa en las nuevas generaciones, los perfiles psicosociales que han ido surgiendo como producto de dicho proceso han sido caracterizados en términos de síntesis cultural y no como una simple incorporación unidimensional de características adoptadas del entorno, a expensas o abandono de aquellas asociadas con la cultura de origen (Szapocznik, Kurtines & Fernández, 1980). Más aún, si tenemos en consideración la evolución de la identidad social del grupo cubano-norteamericano llegamos a la conclusión de que aun cuando su identificación como exilio político se ha ido desvaneciendo, una nueva identidad basada en las raíces étnicas del grupo (como cubano-norteamericano o en ciertos contextos como hispano) parece estar suplantando la anterior. Este tipo de identidad quizás más actualizada en relación a la realidad presente del grupo se ha visto fortalecida no solo por representar ésta un medio de identificación psicosocial sino, como arguye Anthony Maingot (1983), por haberse convertido además en un importante mecanismo estratégico en la lucha por la superación social de los miembros del grupo.

Las manifestaciones culturales surgidas en medio de la comunidad cubano-norteamericana del sur de la Florida han llevado al autor de este trabajo a cuestionarse algunas de las premisas básicas de la perspectiva asimilacionista desde la cual partía hace una década para analizar el caso cubano. El primer cuestionamiento está relacionado con la linealidad inherente en la visión asimilacionista, la cual lleva a asumir que todos los grupos inmigrantes a Estados Unidos siguen una trayectoria acomodativa común. Al asumir la linealidad del proceso evolutivo de los grupos inmigrantes se pierden de vista los diferentes contextos históricos y geográficos en medio de los cuales se han insertado los diferentes grupos migratorios. Es decir, los patrones evolutivos de los grupos migratorios que han llegado a tierras norteamericanas durante la segunda mitad del siglo XX, como el cubano, se han encontrado con contextos culturales, socioeconómicos y políticos que se diferencian significativamente de aquellos existentes a la llegada de los principales grupos de inmigrantes europeos del siglo pasado.

La homogeneidad de contextos a los cuales se incorporan los grupos inmigrantes, tradicionalmente asumida desde una perspectiva asimilacionista, ha sido cuestionada por Alejandro Portes y sus colegas (Portes, 1981; Portes & Bach, 1985) los cuales han documentado mediante estudios con grupos méxico-norteamericanos y cubano-norteamericanos cómo el tipo de mercado de trabajo al cual se incorporan los inmigrantes ha influido de una manera significativa en la evolución diferenciada de los diferentes grupos. De acuerdo con Portes y sus colegas, las proyecciones sobre la evolución de un grupo inmigrante deberán basarse no tanto en el perfil cultural o socioeconómico de sus miembros sino, más bien, en el tipo de acomodación colectiva que éstos hacen al mercado de trabajo del país. Es decir, al hacer predicciones sobre la evolución del grupo cubano habrá que tener en cuenta la realidad contextual del enclave socioeconómico creado por éstos en el sur de la Florida. Este enclave, entre otras cosas, parece haber provisto la infraestructura socioeconómica que ha permitido que muchas expresiones culturales y lingüísticas de origen latinoamericano persistan y tomen raíces profundas en medio de dicha comunidad.

Portes & Bach (1985) han descrito cómo contextualmente el enclave socioeconómico y político creado por el grupo cubano-norteamericano en el sur de la Florida ha facilitado mediante mecanismos de solidaridad étnica el desarrollo de un nivel altamente significativo de pequeños negocios y autoempleo; el alcance de una creciente diversificación de mercados internos fuertemente ligados a preferencias étnicas; la consolidación y desarrollo de una creciente influencia en la dinámica económica y política de la región; y la creación de una amplia gama de instituciones sociales, religiosas, artísticas y educacionales que refuerzan características culturales cubanas. En otras palabras, el enclave ha reforzado la percepción muy generalizada entre los cubano-norteamericanos que atribuye gran importancia al papel desempeñado por los mecanismos de solidaridad o identificación étnica en la promoción del desarrollo socioeconómico y político del grupo.

Otro de los elementos contextuales que ha sido resaltado recientemente, debido a su importancia en determinar el desarrollo socioeconómico del cubano-norteamericano en el sur de la Florida, ha sido el de la organización familiar desplegada por éstos (Pérez, 1986). De acuerdo con Lisandro Pérez, el fenómeno del éxito relativo alcanzado por los cubano-norteamericanos en la esfera socioeconómica no puede entenderse a no que ser que se tome en consideración la organización económica de la familia cubana, la cual ha facilitado una creciente movilidad social de naturaleza ascendente entre sus miembros. Pérez (1986) identifica factores estructurales de la familia cubana tales como la existencia de un número comparativamente desproporcionado de miembros incorporados a la fuerza laboral; una alta tasa de empleo entre las mujeres de la familia; una marcada tendencia a contar con la presencia de la generación anciana en los predios hogareños, los cuales contribuyen también de una manera directa o indirecta al bienestar socioeconómico del grupo familiar; un grado bajo de fertilidad; y un alto nivel de participación escolar. Este factor contextual asociado con la estructura u organización familiar, aunque presente ya hace una década parece haber alcanzado mayor consolidación en los últimos años.

Un error implícito al análisis hecho en la década de los años 70 fue el creer que las relaciones de los cubano-norteamericanos con la comunidad anglosajona seguirían manteniéndose, al igual que en la década de los 60, dentro de un marco de cordialidad y subordinación de los primeros hacia los segundos. Dicha dinámica, sin embargo, se alteró significativamente a principios de la década de los 80 con la llegada de un número muy elevado de cubanos que abandonaron Cuba en el éxodo del Mariel y a raíz de un plebiscito conocido como «antibilingüe» llevado a cabo en el condado de Dade, que recibió un fuerte apoyo dentro de la comunidad anglosajona y un rechazo masivo por parte de los cubano-norteamericanos. Desde los inicios de la década de 1980, la polarización entre las dos comunidades se ha agudizado y la opinión muy generalizada entre los cubanos sobre la existencia de una gran receptividad por parte de la comunidad hacia ellos se transformó radicalmente. Desde entonces, la historia de las relaciones étnicas entre los dos grupos se ha caracterizado por dificultades de intercomunicación y por frecuentes episodios de enfrentamiento entre ambos, a través de los medios de prensa escrita y radiofónica existentes en la comunidad. Es decir, las relaciones iniciales matizadas por la cordialidad y subordinación se han tornado en unas relaciones caracterizadas por la polarización y lucha abierta por el poder socioeconómico y político del área.

Entre los factores no tenidos en cuenta hace una década, cuando el autor predecía la rápida asimilación del grupo cubano-norteamericano, está la persistencia de una estrecha interdependencia entre esta comunidad y su país de origen. Incluso cuando ciertas manifestaciones de militancia política y expectativas de retorno masivo a la isla han ido disipándose con los años, ha perdurado, al menos entre un sector significativo de su población, una tendencia a recalcar o incluir la problemática cubana tanto en sus cuestiones locales como en las internacionales o regionales. De la primera, encontramos pruebas al observar la frecuencia con la que aparecen referencias a la problemática cubana en las campañas políticas relacionadas con puestos públicos que oscilan desde concejalías municipales hasta posiciones en la Cámara Estatal de Representantes. En relación a la segunda, encontramos que ha surgido en los últimos años un movimiento cubano-norteamericano de cabildeo que ha mostrado su efectividad en Washington en temas relacionados con la política exterior estadounidense hacia Cuba. Al cabildeo cubano-norteamericano se le atribuyen victorias legislativas nacionales tales como la salida al aire de Radio Martí (emisora de radio creada dentro de la estructura de la Voz de los Estados Unidos de América cuya programación está dirigida exclusivamente a la isla).

La intensidad con la que la temática cubana ha sido incluida en los programas políticos cubano-norteamericanos ha fluctuado a lo largo de tres décadas. Dichas fluctuaciones no han sido determinadas solamente por políticas originadas en Washington sino que, con frecuencia, éstas han estado en función de acontecimientos y políticas emanadas de la isla, las cuales a su vez han tenido amplia resonancia al otro lado del estrecho de la Florida. Tal es el caso de las expresiones de militancia política anticastrista desatadas en Miami como consecuencia de los acontecimientos relacionados con la entrada masiva de 10.000 cubanos en la Embajada del Perú en La Habana en el año 1980 y el subsiguiente éxodo masivo a través del puerto del Mariel que trajo a tierras de la Florida alrededor de 125.000 nuevos refugiados. En otras palabras, la comunidad cubano-norteamericana del sur de la Florida se ha mantenido a lo largo de los años altamente sensible a los acontecimientos que han tenido lugar en medio del proceso revolucionario cubano y a los hechos relacionados con la política exterior de Estados Unidos hacia Cuba. Aunque indudablemente, la comunidad cubano-norteamericana ha experimentado un cambio en sus prioridades en lo que que respecta a lo social, lo político y lo económico, ya que comienzan a predominar objetivos de carácter interno, ésta mantiene aún fuertes lazos de interdependencia con el país de origen, los cuales son reforzados periódicamente por migraciones provenientes de la isla y por acontecimientos relacionados con la política exterior norteamericana hacia Cuba y a la dinámica del proceso castrista.

Al factor de interdependencia con el país de origen se puede añadir otro factor contextual de gran relevancia para el desarrollo de la comunidad cubano-norteamericana, es decir, la creciente interrelación económica establecida en gran parte por éstos con los países de la zona del Caribe e Iberoamérica. Antonio Jorge y Raúl Moncarz (1987) señalan cómo la economía de Miami, que se había mantenido relativamente subdesarrollada en las décadas anteriores a 1960, adoptó una poderosa dimensión internacional, especialmente en los sectores de la banca y el comercio, después de la llegada de los cubanos al sur de la Florida. Jorge & Moncarz (1980, p. 40) citan datos que muestran cómo un 80 por 100 de las exportaciones del sur de la Florida en 1979 iban destinadas a países latinoamericanos y cómo, a pesar de la recesión sufrida por dichos países en los años 1980 (que impactó negativamente el sector extranjero de la economía local miamense), hacia el año 1984 ya la región había regresado a niveles de exportación similares a aquellos existentes antes de dicha crisis. En otras palabras, la interdependencia económica establecida entre el enclave cubano-norteamericano y los países de Iberoamérica y el Caribe debe ser tomada en cuenta como factor contextual que refuerza la continuidad de una fuerte identificación de dicha población con todo lo que represente expresiones sociales y culturales de naturaleza latinoamericana y caribeña.

Desde una perspectiva política, la llegada frecuente de un número alto de refugiados nicaragüenses, haitianos y de otros países de la cuenca del Caribe ha ligado estrechamente el acontecer de la comunidad con problemáticas que van más allá de sus fronteras locales y nacionales. La comunidad del sur de la Florida se ve afectada constantemente por los problemas tanto económicos como políticos por los que atraviesan los países de la zona. Algunos países de la cuenca, a su vez, se han convertido en canteras importantes de las que se nutren de nuevos ciudadanos los condados de Dade y Broward. Este factor, de naturaleza geopolítica, refuerza significativamente la incidencia de matices transnacionales en las relaciones étnicas ya que éstas se encuentran profundamente ligadas en su desarrollo y desenvolvimiento al acontecer cotidiano de los países de la zona. Este último factor parece repercutir muy especialmente en la dinámica y desarrollo del grupo cubano-norteamericano en el sur de la Florida.

Una variante importante, asociada al incremento de la heterogeneidad socioeconómica de los grupos inmigrantes llegados más recientemente a la Florida (tanto de Cuba como de otros países de la cuenca del Caribe) ha sido la creciente estratificación social experimentada por las comunidades residentes en el sur de la Florida, muy en especial por la cubano-norteamericana. La visión estereotipada y altamente generalizada de una comunidad cuya composición social está primordialmente caracterizada por la sobrerepresentatividad de las capas más pudientes de la sociedad cubana está muy lejos de ser cierta. Estudios recientes nos muestran que el grupo cubano-norteamericano residente en el sur de la Florida ha incrementado significativamente su heterogeneidad social (Díaz-Briqueta & Pérez, 1981).

Es decir, la creciente estratificación social dentro del grupo cubano-norteamericano ha originado una dinámica comunitaria que no puede caracterizarse mediante esquemas que resaltan la homogeneidad y el equilibrio entre las clases sociales. El enclave cubano-norteamericano está en la actualidad compuesto por una gran variedad de intereses sociales y económicos que fluctúan desde grupos de interés que manejan inversiones multimillonarias en el sur de la Florida y en países de la cuenca; grupos de interés representados por una clase extensa de pequeños empresarios los cuales han sido mayormente responsables de la creación y mantenimiento del enclave económico cubano-norteamericano; grupos de interés de carácter profesional representados por una vasta gama de asociaciones que agrupan a los médicos, abogados, contadores, etc. de origen cubano; hasta los intereses de una masa creciente de trabajadores manuales, cuyas filas se nutren con frecuencia de las nuevas inmigraciones. Los intereses mencionados, aunque unificados por una pujante identidad cubano-norteamericana y el deseo de preservar sus raíces, comienzan a mostrar matices de clase que se hacen cada vez más diferenciados en lo que respecta a manifestaciones sociales y al respaldo a diferentes personalidades y causas políticas de carácter interno. Se puede predecir que la estratificación social de la comunidad cubano-norteamericana continuará profundizándose, no solamente debido a factores relacionados con la dinámica interna del enclave, sino al hecho de ser frecuentemente reforzadas por nuevas inmigraciones procedentes de Cuba y de otros países de la zona. Una mayor diversificación socioeconómica del grupo cubano-norteamericano dificultará cada día más los análisis totalizadores sobre éste, ya que éstos están basados implícitamente en premisas de homogeneidad que no responden a la compleja realidad social presente en el sur de la Florida.

Finalmente, en cuanto al carácter transnacional de lo étnico en el sur de la Florida, puede señalarse que éste parece enraizarse en los precisos momentos en que el transnacionalismo cobra alta vigencia internacional. Como documenta el politólogo John Stack (1981), el mundo contemporáneo se ha caracterizado por el incremento de la influencia ejercida por fuerzas cuyas bases de poder sobrepasan las fronteras nacionales (corporaciones multinacionales, grupos étnicos y/o religiosos, grupos ambientalistas, movimientos pro derechos humanos, etc.). El fortalecimiento de la identificación social de grupos transnacionales tales como los étnicos y la importancia adquirida por éstos dentro de un marco nacional proviene en gran parte de la capacidad movilizadora de éstos, al alcanzar respaldo internacional para sus causas nacionales por medio de aquellos con los cuales comparten una identidad cultural o trayectoria histórica en común. De los estudios de Stack pudiera inferirse el potencial estratégico transnacional que pudieran alcanzar grupos nacionales como el cubano-norteamericano, de llegar a definir éstos sus raíces étnicas de una forma amplia, de tal forma que les permita establecer una identidad en común con otros grupos que comparten un origen de cultura hispánica. Es en función de esta variante que la relación con España pudiera convertirse en factor de suma relevancia, por el potencial de beneficio que tiene tanto para el pueblo hispano de Estados Unidos como para el español el establecimiento de una identidad transnacional basada en las raíces históricas y culturales que ambas comparten.

Resumiendo lo anteriormente expuesto, puede decirse que las predicciones asimilacionistas que apenas una década se hacían en cuanto al grupo cubano-norteamericano deben ser cuidadosamente revisadas. Aunque en ningún momento puede negarse el impacto profundo de la aculturación, especialmente entre las nuevas generaciones nacidas en Estados Unidos, hay que aceptar que las antiguas premisas basadas en una concepción lineal y ahistórica de la evolución étnica son particularmente deficientes cuando se usan para analizar el caso cubano-norteamericano. Debe reconocerse que factores estructurales e históricos muy particulares, al igual que características socioeconómicas y culturales de sectores importantes del grupo, se han conjugado en el caso de los cubano-norteamericanos para producir una evolución que hubiese sido muy difícil predecir hace apenas una década desde una perspectiva asimilacionista. Algunas personalidades importantes que conviven en el sur de la Florida con los cubano-norteamericanos, incluyendo miembros de grupos de poder anglosajón, tales como el señor James K. Batten, presidente de la cadena de periódicos Knight Rider, propietarios de *The Miami Herald* y el *Nuevo Herald* (periódicos más importantes de Miami), han comenzado a admitir sus errores en predicciones hechas hace apenas unos años. Hace aproximadamente doce años que el periódico *The Miami Herald* inició la publicación de un suplemento en español llamado el *El Miami Herald* para los lectores de habla castellana. De acuerdo con Batten, en aquellos momentos los propietarios del periódico pensaron que eventualmente los hispanos aprenderían inglés y que el suplemento desaparecía. Sin embargo, doce años más tarde Batten expresa: «Nos equivocamos... El movimiento de los hispanos en el sur de Florida obviamente no ha terminado y por lo que se ve, no terminará en el futuro cercano» *(El Nuevo Herald,* 1988, p. 3B). Quizás sea la apreciación del señor Batten la que resuma con una mayor brevedad la conclusión a la cual ha llegado este autor después de reflexionar y experimentar muy de cerca la evolución de la comunidad cubano-norteamericana del sur de la Florida durante la última década.

Referencias

Díaz-Briquets, S. & Pérez, L. «Cuba: The Demography of Revolution». *Population Reference Bureau (Population Bulletin Series),* 1981, 36 (1), pp. 1-41.

Jorge A. & Moncarz, R. *The Political Economy of Cubans in South Florida* (A Cuban Studies Project Monograph). Coral Gables, University of Miami, Institute of Inter-American Studies, 1987.

Maingot, A. «Relative Power and Strategic Ethnicity in Miami». In R. Samuda & S. Woods (eds.), *Perspectives in Immigrant Education.* Lankan, University Press of America, 1983, pp. 36-48.

El Nuevo Herald, 5 de febrero de 1988, p. 3B.

Pérez, L. «Immigrant Economic Adjustment and Family Organization: The Cuban Success Story Reexamined». *International Migration Review,* 1986, 20 (1), pp. 4-20.

Portes, A. «Modes of Structural Incorporation and Present Theories of Labor Migration», in M.M. Kritz, C.B. Keely & S.M. Tomasi (eds.), *Global Trends in Migration: Theory and Research in International Population Movements.* New York, The Center for Migration Studies, 1981, pp. 279-297.

Portes, A. & Bach, R.L. *Latin Journey: Cuban and Mexican Immigrants in the United States.* Berkeley, University of California Press, 1985.

Szapocznik, J.; Kurtines, W.M. & Fernández, T. «Bicultural Involvement and Adjustment in Hispanic-Americanm Youths». *International Journal of Intercultural Relations,* 1980, 4, pp. 353-365.

Stack, J. (ed.). *Ethnic Identities in a Transnational World.* Westport, Greenwood Press, 1981.

Lisandro Pérez

Adaptación económica del inmigrante y organización familiar: revisión del éxito cubano

Adaptación económica del inmigrante y organización familiar: revisión del éxito cubano

La adaptación económica ha constituido una preocupación primordial en la mayor parte de la literatura sobre la emigración cubana posrevolucionaria hacia los EE.UU. El grupo cubano es frecuentemente considerado como el prototipo moderno del inmigrante con éxito económico, ejemplo de que el sueño americano de movilidad vertical ascendente y prosperidad económica continúa vivo y existente sobre los inmigrantes de hoy.

Tal perspectiva, en efecto, se apoya en alguna base. Las investigaciones realizadas tienden a verificar el relativo éxito de los cubanos, especialmente si se les compara con otros grupos hispanos en EE.UU. Aunque los medios populares han basado este éxito en casos atípicos de subidas vertiginosas individuales, las ciencias sociales han utilizado datos más representativos (Tabla 1). Estas cifras indican que por ingresos familiares, los cubanos muestran un nivel superior al de la población de origen hispano, nivel que se encuentra sólo ligeramente por debajo del correspondiente a la población total de EE.UU. Existe, por lo tanto, una mayor diferencia entre la población de origen hispano y los cubanos que entre éstos y la población total de EE.UU., a pesar del hecho de que la población cubana de los EE.UU. esté compuesta por inmigrantes: tres cuartas partes de las 803.226 personas de origen cubano que se encontraban en EE.UU. en 1980 había nacido en Cuba.

Factores determinantes de la adaptación económica

Portes y Bach (1980, 317) han referido que las distintas perspectivas en el estudio de los factores determinantes de ingresos entre las poblaciones inmigrantes pueden dividirse de acuerdo con el énfasis puesto bien en características individuales o bien en condiciones estructurales más amplias. La teoría del capital humano, los modelos para lograr un «status» y el poder ocupacional son perspectivas a nivel individual. La teoría del doble mercado, por otra parte, se funda en un enfoque más bien estructural. Las fuentes de cada una de estas dos perspectivas diferentes no serán revisadas aquí, puesto que esto ya ha sido llevado a cabo por Portes y Bach (1980, 317-20). El presente ensayo se limita, por consiguiente, a la manera en que esas perspectivas teóricas han sido aplicadas en el estudio de los inmigrantes cubanos.

Planteamiento del nivel individual

La literatura sobre la adaptación económica de los cubanos en los EE.UU. ha favorecido tradicionalmente las explicaciones en torno al nivel individual. Percibimos en el fondo de este énfasis el hecho de que la emigración cubana posrevolucionaria, al originarse como consecuencia de un proceso de transformación socialista, ha sido selectiva dentro de los altos sectores socioeconómicos de la sociedad cubana. Consecuentemente, se arguye, la inmigración de ese país desde 1959 ha estado desproporcionadamente compuesta por personas en posesión de destrezas, aspiraciones y experiencia que le han provisto de una relativa ventaja sobre la mayoría de otros grupos de inmigrantes en EE.UU. en su proceso de adaptación económica.

Diversos estudiosos han reflejado este hecho al enfatizar aquellas variantes que podrían relacionarse con una adaptación económica individual y la movilidad vertical ascendente. Rogg (1974), por ejemplo, centra su análisis de la adaptación económica de una muestra de cubanos residentes en el oeste de Nueva York y Nueva Jersey, en el nivel socioeconómico disfrutado en Cuba, edad, ocupación del padre, satisfacción con su empleo en EE.UU. y la posibilidad de transferir destrezas. En un estudio posterior, Rogg y Cooney (1980) discuten las características económicas a través de un análisis de la movilidad ocupacional a partir del momento de llegada.

Borjas (1982) basando explícitamente su análisis en la teoría del capital humano, arguye que la imposibilidad de vuelta ha provisto a los cubanos de un incentivo para adaptarse al mercado de trabajo de los EE.UU., invirtiendo mucho en la adquisición de «destrezas de mercado», especialmente a nivel educacional. Newman (1978) acentúa la importancia de la naturaleza política de esta emigración al determinar su selectividad socioeconómica, selectividad que ha redundado en una población inmigrante con una relativa ventaja sobre otros grupos hispánicos en el proceso de adaptación económica. Portes (1969) en su primera investigación efectuada entre familias de refugiados cubanos en Milwakee, expone que las características educacionales y ocupacionales de los refugiados junto a una «ética de clase media» muy similar a la de los sectores dominantes de la sociedad anfitriona, hicieron posible el «exilio dorado» de los cubanos en EE.UU.

Hacia finales de los 60 y principios de los 70, sin embargo, ese «exilio dorado» ya decaía. Los nuevos llegados no parecían ser, como los primeros inmigrantes cubanos, seleccionados de las elites cubanas. Progresivamente, el flujo inmigratorio de Cuba fue aproximándose al perfil socio-demográfico de la población isleña. En varios sentidos, el embarque de Mariel en 1980 representa la culminación de aquella tendencia. Pero, a pesar de los aumentos progresivos en la proporción de inmigrantes cubanos que no poseían las mismas características que supuestamente dieron a los primeros exiliados una ventaja en su adaptación económica, la población en EE.UU., como puede verse en la Tabla 1, evidentemente ha mantenido —sin embargo— su nivel económico en relación con el resto de la población hispana. El enfoque del «nivel individual», por lo tanto, basado como estaba en la selectividad socioeconómica de la emigración, fue progresivamente convirtiéndose en poco sostenible como única explicación del éxito de esta adaptación económica.

El enclave: un enfoque estructural

Los trabajos recientes de Portes y colaboradores representan la primera reformulación de la estructura tradicionalmente utilizada para explicar el relativo éxito económico de los cubanos. En un análisis comparativo de inmigrantes cubanos y mexicanos, Portes, McLeod y Parker (1978) examinaron los factores de ingresos, educación y aspiraciones ocupacionales. Mientras que este estudio está claramente ubicado dentro del enfoque tradicional del «nivel individual», los autores, al explicar algunos de sus hallazgos, introducen la noción del entorno cubano en el sur de Florida, como un factor importante para comprender la creación de aspiraciones de movilidad social en el grupo.

El papel del enclave en la adaptación económica del inmigrante es explorado más tarde por Portes y Bach (1980) cuando de nuevo comparan a los cubanos con los mexicanos, esta vez en un intento por predecir los posibles ingresos de los inmigrantes. Usando variables independientes sugeridas por las distintas aproximaciones teóricas a la desigualdad de ingresos, encontraron que los mayores pronósticos de ingresos fueron suministrados por la perspectiva estructural que acentúa las características del sector de la economía en la cual los inmigrantes son empleados. Por otra parte, los enfoques de «nivel individual», basados bien en las características aportadas por los inmigrantes o bien en las destrezas adquiridas en los EE.UU. tienen poco efecto sobre los ingresos.

Estos hallazgos, por lo tanto, aportaron pruebas sobre la importancia del enfoque estructural al explicar la adaptación económica de los inmigrantes. Pero aún más significativo es el argumento de Portes y Bach (1980, 335-6) en torno a que las diferencias interétnicas sólo podrían interpretarse como resultado de la importancia que el enclave étnico tiene entre los cubanos. Este enclave aleja al inmigrante de los procesos usuales del mercado de trabajo fragmentado. En contraste con los inmigrantes mexicanos que deben incorporarse al mercado de trabajo abierto en sectores periféricos de la economía a través de todo el país, los inmigrantes cubanos recientes se incorporan al mercado de trabajo estadounidense mayoritariamente por medio del gran número de negocios establecidos en Miami cuyos dueños o directivos son miembros de su propio grupo que llegaron antes. Mientras la compensación puede no ser mayor en el enclave, los lazos étnicos ofrecen una serie de apoyos informales que facilitan el aprendizaje de nuevas destrezas y el proceso general de adaptación económica difuminando así las diferencias existentes entre el mercado de trabajo primario y el secundario. Dado que la inmigración cubana de los 70 no se diferenciaba demasiado de las migraciones de trabajadores de otros países, las implicaciones positivas del enclave en la adaptación económica son propuestas como el factor que ha mantenido la posición socioeconómica cubana relativamente alto en comparación con muchos otros grupos de inmigrantes (Portes, 1981, 290-295; Portes, 1982, 106-109).

Una parte considerable de los trabajos posteriores de Portes y colaboradores en el campo de la adaptación económica de los inmigrantes ha tendido a concentrarse en el análisis de la naturaleza, dinámica e implicaciones del enclave cubano en Miami (Wilson & Portes, 1980; Wilson & Martin, 1982). En una monografía reciente, Portes y Bach (1985) presentan un amplio análisis que reafirma la importancia del enclave para entender el proceso de adaptación económica entre los cubanos.

El enclave de Florida también ha sido objeto de dos trabajos por los economistas Jorge y Moncarz (1981 y 1982). Mientras documentan en detalle la naturaleza, extensión y crecimiento del empresariado cubano y el mercado hispano en Miami, arguyen que las oportunidades de empleo en el enclave son relativamente limitadas (Jorge & Moncarz, 1981, 36-38).

En resumen, puede decirse que las explicaciones existentes para el relativo éxito de los cubanos en la adaptación económica podrían dividirse en dos enfoques básicos. Por una parte, las explicaciones en torno al nivel individual, en las que el énfasis se basa fundamentalmente en la selectividad socioeconómica de la emigración de Cuba y que son, por lo tanto, especialmente aplicables para comprender la adaptación en las primeras oleadas de refugiados. Por otra parte, existen explicaciones en torno al nivel de la comunidad que son de naturaleza estructural e inspiradas por la teoría del doble mercado en la cual el énfasis recae sobre el papel que desempeña el enclave étnico establecido para facilitar la adaptación de inmigrantes cubanos más recientes.

Organización familiar y adaptación económica

Este artículo propone una explicación a la adaptación económica del inmigrante basándose en un enfoque familiar. Los datos analizados y presentados aquí demuestran que el relativo éxito económico de los cubanos en EE.UU. no puede entenderse del todo sin considerar la organización económica de la familia cubana, organización que facilita la movilidad vertical ascendente. El enfoque sugerido no se presenta como una visión en conflicto o como alternativa a las perspectivas imperantes. Más bien, se trata de una explicación intermedia que vincula el individuo y la comunidad; elaborando y complementando, por consiguiente, las dos escuelas de pensamiento existentes en un esfuerzo por alcanzar una mayor amplitud en nuestra comprensión de la adaptación económica del inmigrante.

La atención sobre la familia es sugerida en gran medida por la creciente literatura que demuestra la importancia del análisis del aspecto familiar para entender una amplia gama de fenómenos sociales, incluyendo la selectividad socioeconómica de la emigración, la participación laboral femenina y la adaptación del inmigrante. Entre los ejemplos de esta literatura se incluyen: el análisis de la organización familiar y el trabajo remunerado entre mujeres inmigrantes italianas de primera generación realizado por Maclaughlin (1973), el trabajo de Tienda (1980) sobre la relación entre los lazos familiares y la asimilación estructural de inmigrantes mejicanos y la asimilación estructural de inmigrantes mejicanos, el estudio de Pessar (1982) en torno al papel de las distintas estrategias económicas familiares en la determinación de la selectividad de la emigración de la República Dominicana a los EE.UU., el análisis de Bose (1984) vinculando la composición y recursos familiares al empleo femenino estadounidense en 1900, y la revisión hecha por Schmink (1984) de la contribución a la investigación sociológica centrada en las estrategias económicas familiares.

Una razón por la cual la literatura existente sobre la adaptación económica cubana carece de una perspectiva familiar es que literalmente la inmensa mayoría de los sondeos llevados a cabo en la comunidad cubana durante las últimas dos décadas han entrevistado únicamente a hombres o «cabezas de familia» (Portes, 1982; Rogg, 1974; Rogg & Cooney, 1980; Díaz, 1981). Incluso cuando la información sobre la familia sea obtenida del entrevistado, los resultados son generalmente analizados utilizando al individuo como unidad o centro de análisis. Por tanto, las fuentes de información sobre la población cubana en EE.UU. están compuestas casi exclusivamente por adultos cabezas de familia masculinos. Esto, por supuesto, está de acuerdo con la primacía tradicional, señalada anteriormente, del enfoque que relaciona la adaptación económica a las características individuales de los inmigrantes. La ironía del énfasis en este enfoque consiste en que la mayor parte de los factores indicativos de adaptación económica, tales como los que muestra la Tabla 1, se basa en datos sobre las familias.

Tabla 1

Ingresos de familias cubanas, de origen hispano y estadounidenses, 1979

	Cubanos	Hispanos	EE.UU.
Ingreso familiar medio	$ 18.245	$ 14.712	$ 19.917
Porcentaje de familias por debajo del nivel de pobreza	11,7	21,3	9,6
Porcentaje de familias por encima del nivel de pobreza	83,8	71,7	86,6
Porcentaje de familias con ingresos anuales de $ 50.000 en adelante	5,2	2,3	5,6

Fuente: Oficina del Censo de los EE.UU. (1983b, 167-8).

Datos

Los resultados del Censo poblacional estadounidense de 1980 ofrecen oportunidades sin precedentes para el estudio de la población de origen cubano. La ubicación del grupo de origen hispano en la forma corta («short form») universal mejoró en gran medida la cobertura de la población hispana en EE.UU. e hizo posible igualmente una mayor amplitud en la clasificación de los resultados. Consecuentemente, en la actualidad se dispone de una información muy detallada en un número de variables que anteriormente no habían sido examinadas con detenimiento, al menos en lo que concierne a la población de origen cubano. Ante todo, entre esas variables, se encuentran aquellas relacionadas con las características familiares.

En tanto que los datos del Censo utilizados son añadidos, resultan apropiados para el análisis de las características familiares y adecuados para establecer la tesis aquí propuesta. Los datos demuestran claramente el papel que desempeñan los factores relacionados con la familia en la adaptación económica de los cubanos en EE.UU.

Análisis

La importancia del enfoque familiar es evidente en los datos presentados en la Tabla 2. Estos corresponden a cifras de ingresos por individuos y no por familias. Queda claro que el nivel de los cubanos en relación con las otras poblaciones ha variado de lo que observamos en la Tabla 1. Allí el ingreso de los cubanos se encontraba más próximo al de la totalidad de las familias estadounidenses que al de las familias de origen hispano. En la Tabla 2, sin embargo, es obvio que existe una diferencia mayor entre los ingresos de los individuos de origen cubano y las cifras correspondientes a los estadounidenses que entre los primeros y los ingresos de personas de origen hispano. Es decir, cuando se examinan los datos sobre los ingresos individuales los cubanos pierden gran parte de la diferencia sobre los demás hispanos que fue observada al clasificar los ingresos familiares.

Tabla 2

Ingresos de individuos de 15 años en adelante en cubanos, hispanos y el total de la población de EE.UU., por sexos, 1979

	Cubanos	Hispanos	EE.UU.
Ingreso medio de varones de 15 años en adelante empleados a jornada completa todo el año	$ 14.168	$ 12.970	$ 17.363
Ingreso medio de mujeres de 15 años en adelante empleadas a jornada completa todo el año	$ 8.982	$ 8.923	$ 10.380

Fuente: Oficina del Censo de los EE.UU. (1983b, 167).

Esta observación sugiere que los ingresos considerablemente altos de las familias cubanas distan mucho de ser el resultado de unos ingresos relativamente altos a nivel individual. Este punto puede ser examinado más adelante con los datos sobre los ingresos familiares según el número de trabajadores por familia (Tabla 3). Centrándonos, por ejemplo, en las familias con un solo trabajador, encontramos que los ingresos medios de las familias cubanas no son mucho más altos que las cifras correspondientes a la población total de origen hispano, y está considerablemente por debajo de los ingresos atribuidos al total de las familias de EE.UU., situación muy distinta a la que se había observado en la Tabla 1. Es decir, cuando se controla a base del número de trabajadores por familia, la diferencia entre el ingreso medio de los cubanos y el de las familias estadounidenses aumenta, y el nivel de los primeros se aproxima más al ingreso medio familiar de los hispanos.

En la Tabla 4, la clave del nivel relativamente alto en los ingresos familiares cubanos es evidente: simplemente hay proporcionalmente más trabajadores por familia que en las poblaciones hispanas o estadounidenses. Esto resulta especialmente claro entre las familias con tres o más trabajadores. Comparativamente pocas familias cubanas tienen un solo trabajador. De acuerdo con esta observación tenemos el hallazgo, también derivado del Censo de los EE.UU. de 1980, de que entre las personas de 16 años en adelante, la población de origen cubano tiene un índice mayor de participación laboral en comparación con los hispanos y la población estadounidense (Oficina del Censo de los EE.UU., 1983b, 167).

Resulta evidente, por lo tanto, que las estrategias económicas familiares son decisivas en la comprensión de la adaptación económica de los cubanos en EE.UU. Es obviamente engañoso explicar los niveles de ingresos familiares comparativamente relacionados con los logros económicos individuales.

Tabla 3

Ingresos medios familiares según número de trabajadores por familia, cubanos, hispanos y población total de EE.UU., 1979

	Cubanos	Hispanos	EE.UU.
Ningún trabajador	$ 4.440	$ 4.349	$ 7.791
1 trabajador	$ 12.629	$ 11.153	$ 16.181
2 trabajadores	$ 20.732	$ 18.570	$ 23.058
3 ó más trabajadores	$ 28.620	$ 26.394	$ 31.880

Fuente: Oficina del Censo de EE.UU. (1983b, 167).

Tabla 4

**Distribución en porcentaje según el número de trabajadores por familia,
cubanos, hispanos y familias estadounidenses, 1979**

	Cubanos	Hispanos	EE.UU.
Todas las familias	100,0	100,0	100,0
Ningún trabajador	10,4	12,6	12,8
1 trabajador	28,5	35,0	33,0
2 trabajadores	42,5	38,5	41,7
3 ó más trabajadores	18,6	13,9	12,5

Fuente: Oficina del Censo de EE.UU. (1983b, 167).

No es ésta la primera vez que se ha llamado la atención sobre la importancia de la unidad familiar al intentar comprobar la adaptación económica cubana (Prohias & Casal, 1973, 63; Moncarz, 1978, 169; Ferree, 1979, 40). Sin embargo, sí es la primera vez que una sustancial recopilación de datos permite llevar a cabo la identificación de los rasgos estructurales específicos de la familia cubana que facilita su adaptación económica. Esas características interrelacionadas son las siguientes: 1) altos índices de participación laboral femenina; 2) bajo nivel de fertilidad; y 3) la importancia de la familila tri-generacional y la contribución económica de los mayores.

Participación laboral femenina

En comparación con las mujeres hispánicas y con la población femenina de EE.UU. (de 16 años en adelante), las mujeres cubanas son más dadas a contar como fuerza laboral. Esto queda claramente demostrado por las cifras de la Tabla 5. No únicamente son las mujeres más dadas a trabajar, sino que lo hacen en jornada completa y durante todo el año. Más aún, la diferencia sustancial entre los índices de participación laboral de las mujeres cubanas y de los otros dos grupos poblacionales permanece inalterada cuando se centra en mujeres casadas y en mujeres casadas con esposo e hijos pequeños.

Tabla 5

**Características seleccionadas en ingresos y fuerza laboral de cubanos, hispanos y
población total de EE.UU., 1979**

	Cubanos	Hispanos	EE.UU.
Porcentaje de todas las mujeres trabajadoras de 16 años en adelante	55,4	49,3	49,9
Porcentaje de mujeres trabajadoras de 16 años en adelante, empleadas a jornada completa durante todo el año	47,1	37,4	40,1
Porcentaje de mujeres trabajadoras de 16 años en adelante, casadas	58,9	48,3	49,2
Porcentaje de mujeres trabajadoras de 16 años en adelante, casadas, con hijos menores de 6 años	50,5	43,0	43,9
Ingresos medios de la familia nuclear con niños menores de 6 años	$ 20.334	$ 15.219	$ 19.630

Fuente: Oficina del Censo de EE.UU. (1983b, 165, 167).

La última hilera de la Tabla 5 representa una extraordinaria serie de cifras que demuestran la importancia económica de los altos índices de participación laboral de las jóvenes madres cubanas. El ingreso medio de las parejas con niños menores de seis años de edad es realmente superior en las familias cubanas que en la población total de EE.UU.

Bajo nivel de fertilidad

Aunque el bajo nivel de fertilidad en la población de origen cubano ha sido ya previamente estudiado (Gurak, 1978; Pérez & Lubin, 1976), los datos del Censo de 1980 proporcionan una nueva oportunidad para la visión amplia y comparativa del fenómeno. En la Tabla 6 se muestran las cifras correspondientes al número de niños nacidos en cada uno de los grupos poblacionales. Al margen de la cantidad de mujeres que se esté examinando, la conclusión no varía: el índice cubano es sustancialmente más bajo no sólo en relación con el de los hispanos sino también con la población total de EE.UU. El efecto, el índice de reproducción de los cubanos en EE.UU. está incluso por debajo del de la población blanca metropolitana de los EE.UU. (este último dato no aparece en la Tabla 6).

Tabla 6

**Número de niños nacidos de mujeres cubanas, hispanas y de la población
total de EE.UU., según edad de las mujeres, 1980**

Edad de las mujeres	Número de niños por cada 1.000 mujeres		
	Cubanos	Hispanos	EE.UU.
15-24	192	475	317
25-34	1.189	1.922	1.476
35-44	2.033	3.202	2.639

Fuente: Oficina del Censo de EE.UU. (1983b, 163).

La familia tri-generacional y la contribución económica de los mayores

La población de origen cubano contiene un número desproporcionadamente grande de personas mayores. En 1980, la edad media se calculaba en los 37,7 años, comparado con los 30,0 de la población estadounidense y los 23,2 de las personas de origen hispano. El porcentaje de personas con más de 65 años llegaba al 12,1, mientras la cifra para la población estadounidense era del 11,3 y únicamente del 4,9 para la población de origen hispano (Oficina del Censo de EE.UU., 1983a, 51).

Aunque atípico en una población de inmigrantes recientes, la superrepresentación de los mayores entre los cubanos tiene orígenes evidentes. La insatisfacción con la revolución socialista parece haber sido superior entre las personas de más edad. Al emitir permisos de salida, el gobierno cubano ha dado preferencia a los ancianos dependientes mientras que ha restringido la emigración, por ejemplo, a los varones en edad de prestar servicio militar.

La información obtenida del Censo de 1980 demuestra que la población mayor de origen cubano es, en comparación con el resto de la población de origen hispano (y con la población total de los EE.UU.) más dada a vivir con sus hijos, probablemente en una familia tri-generacional. Esto se evidencia en la Tabla 7 que contiene cifras concernientes únicamente a la población mayor de 65 años. De los tres grupos poblacionales comparados, sólo los cubanos tienen una minoría de personas ancianas clasificadas como «caseros» (hombres y mujeres). Por otra parte, escasamente el 30 por 100 de los cubanos de mayor edad eran considerados como «otros familiares», categoría que incluye a los padres de los «caseros». El porcentaje era más de tres veces superior al correspondiente entre toda la población de mayor edad de los EE.UU. (8,9) y significativamente por encima de las cifras de la población de origen hispano (19,9). La última hilera de cifras en la Tabla demuestra igualmente que de los tres grupos poblacionales, los cubanos de edad avanzada son menos dados a convertirse en «internos de instituciones», categoría que incluye a los residentes en casas de salud y de convalecencia.

Tabla 7

Distribución en porcentaje, según la relación doméstica, de personas de 65 años en adelante, cubanos, hispanos y población total de EE.UU., 1980

	Cubanos	Hispanos	EE.UU.
Personas de 65 años en adelante	100,0	100,0	100,0
Casero masculino (titular de la vivienda)	30,8	34,4	34,7
Casera femenina (titular de la vivienda)	17,6	23,7	28,4
Esposa	16,7	16,8	20,8
Otros familiares	30,7	19,9	8,9
No familiares	2,9	2,3	1,3
Residentes en alojamientos colectivos, incluidos los internos en instituciones	1,3	2,9	5,9

Fuente: Oficina del Censo de EE.UU. (1983a, 51).

Los miembros mayores contribuyen al mejoramiento de la economía familiar. Su contribución más evidente consiste en encargarse del cuidado de los nietos, facilitando así la función laboral de sus hijas y nueras.

Los ancianos cubanos ayudan igualmente al mejoramiento de la posición económica familiar por medio de contribuciones directas a los ingresos de la familia. Aparte de la posibilidad de ingresos a través de empleos remunerados, existen también aportes financieros derivados de la Seguridad Social y de la Asistencia Pública. Aunque, como señala Queralt (1983, 55-56), los ingresos que los ancianos cubanos perciben de estas fuentes son relativamente limitados (los inmigrantes recientes no son dados a requerir demasiado de la Seguridad Social), el hecho de que una gran proporción de los ancianos viva con sus hijos significa que los fondos que reciben de estas fuentes contribuyen al incremento de los ingresos en la casa tri-generacional en la que residen.

Este fenómeno se ve claramente en la Tabla 8. Al reflejar la mayor edad de la población, los cubanos sobrepasan los otros dos grupos poblacionales en la proporción de familias que reciben algún tipo de subsidio económico. Aún más significativo resulta, sin embargo, la segunda serie de cifras en la Tabla: aproximadamente tres cuartas partes de las familias cubanas que reciben subsidio económico público se encuentran por encima del nivel de pobreza, en una proporción considerablemente más alta que lo que indican las cifras correspondientes tanto a la población hispana como a la total de EE.UU. La única explicación viable para este hallazgo sería la importancia del hecho de que la familia tri-generacional traiga como consecuencia el que los ingresos de los mayores contribuyen a los ingresos familiares, además de las personas trabajadoras.

Tabla 8

Familias con subsidios públicos en cubanos, hispanos y población total de los EE.UU., 1979

	Cubanos	Hispanos	EE.UU.
Porcentaje de todas las familias que perciben subsidios públicos .	16,8	16,0	8,0
De las familias con subsidios públicos*, porcentaje que supera el nivel de pobreza	74,1	50,5	61,0

Fuente: Oficina del Censo de EE.UU. (1983b, 168).
* Ingreso de Seguridad Suplementaria (Supplementary Security Income —S.S.I.—), Ayuda a familias con niños dependientes (A.F.D.C.), o cualquier otro tipo de beneficencia pública.

Mientras que la familia tri-generacional entre los cubanos es indudablemente el producto de las normas y valores vigentes en el grupo, los hallazgos presentados anteriormente sugieren que la práctica de estos valores se reafirma y mantiene dada la productividad económica que de ella se desprende, proveyendo así una mecánica para la contribución de los mayores en el «status» y movilidad familiar.

Una mayor prueba de que la familia cubana se estructura de manera que se facilite la movilidad social nos la proveen los resultados adicionales del Censo de 1980: los cubanos menores de 35 años muestran un índice de escolaridad superior a la población total estadounidense y a la de origen hispano (Oficina del Censo, 1983b, 163). Al margen de este hecho, previamente mencionado, de que la familia cubana presenta en comparación con aquellos grupos poblacionales un número significativamente mayor de trabajadores. En términos de la escolaridad debemos añadir que, como consecuencia de los altos niveles de participación laboral femenina, los niños cubanos de tres y cuatro años de edad presentan un índice de escolaridad superior al de los preescolares de los otros dos grupos poblacionales (Oficina del Censo de EE.UU., 1983b, 163).

Discusión

Como ya se ha indicado anteriormente, el presente análisis es complementario y no conflictivo con las explicaciones corrientemente admitidas de doble énfasis en un nivel individual y otro estructural comunitario en torno a la adaptación económica de los cubanos en EE.UU. En esta sección se examina precisamente esa complementariedad y sus implicaciones con vistas a futuros estudios.

Los hallazgos de este análisis apuntan, al unísono, hacia la existencia de una «ética laboral familiar» entre los cubanos. Esto se corresponde con la observación, hecha por otros investigadores, de que los cubanos en EE.UU. poseen aspiraciones relativamente altas y expectativas de movilidad social ascendentes (Portes, McLeod & Parker, 1978, 251; Portes & Bach, 1985, 270).

Esta orientación se ha visto con frecuencia remontada hasta la selectividad socioeconómica inicial de la emigración de Cuba. Por lo tanto, es en la perspectiva del nivel individual donde se pueden encontrar los orígenes psicológicos de las características económicas familiares que han sido expuestas aquí.

Por otra parte, la literatura sobre el enclave permite la comprensión del contexto estructural de las estrategias familiares. Las vías más prometedoras para investigaciones posteriores en este área se centran en los mecanismos mediante los cuales el entorno facilita el trabajo de las mujeres fuera de la casa. Los estudios realizados han demostrado que en la comunidad cubana coexiste el alto índice de participación laboral femenina con orientaciones muy tradicionales sobre los papeles sexuales, fundamentalmente porque el trabajo femenino se considera como un puro instrumento de ayuda en el mejoramiento del «status» económico de la familia (Ferree, 1979, 44-45; Prieto, 1977, 23). Tal planteamiento guarda relación con los hallazgos de Ortiz & Cooney (1984) en torno a la poca importancia de las actitudes respecto a los papeles sexuales para explicar el comportamiento laboral de las mujeres hispánicas.

Si se aplica la descripción del enclave que nos ofrecen Portes y Bach (1985) en la comprensión del trabajo femenino, se ve rápidamente que, hipotéticamente, existen ciertas características del enclave que tenderían a facilitar ese trabajo dentro de un ambiente sociocultural tradicional. Estas características son las siguientes: 1) el gran número de pequeñas empresas de inmigrantes que con un particular criterio de empleo proveen la oportunidad de trabajar a mujeres dentro del entorno familiar y de las amistades; 2) la práctica seguida por empresarios inmigrantes de invocar la solidaridad étnica a fin de obtener mano de obra barata, práctica que atraerá especialmente a las mujeres con una orientación tradicional sobre los papeles sexuales y sin aspiraciones profesionales; 3) debido a lo anteriormente dicho, existen muchas empresas en el enclave con mano de obra predominantemente femenina y étnicamente homogénea, característica que, a su vez, convierten a estas empresas en lugares aceptables de trabajo para las mujeres; 4) la primacía en la economía de Miami, y especialmente dentro del enclave, de sectores de trabajo que por lo general emplean un considerable número de mujeres: ventas al por menor, servicios, y manufactura de material perecedero (Jorge & Moncarz, 1982, 17, 22; U. S. Bureau of The Census, 1983b, 355); y 5) la disponibilidad de guarderías dentro del enclave que, como hemos visto con anterioridad, son muy utilizadas por las madres cubanas trabajadoras (no parece que se confiaría en el cuidado extrafamiliar de los niños si no estuviera disponible dentro de la comunidad étnica).

Evidentemente, la naturaleza y dinámica del trabajo femenino dentro del enclave merece una investigacion más amplia. Los datos existentes relativos a las características del enclave de Miami se limitan a la información dada por entrevistados masculinos. Un sondeo similar al realizado por Portes y sus colaboradores, pero enfocado hacia entrevistadas femeninas, probaría muchos de los argumentos presentados en esta sección.

Conclusiones

Es cierto que las comparaciones de la adaptación económica entre los distintos grupos de población hispana en los EE.UU. carecen de significado puesto que ignoran las diferencias en las condiciones estructurales dentro de las cuales se lleva a cabo la adaptación económica de los diferentes grupos. Desgraciadamente, esas comparaciones se realizan constantemente y representan la base del mito del éxito cubano. No obstante, son comparaciones que por lo general se llevan a cabo con datos relativos al nivel familiar (tales como los de la Tabla 1), mientras que las explicaciones para la adaptación económica de los cubanos se desarrollan a nivel individual o de comunidad.

El análisis presentado aquí demuestra que a nivel individual el mito del éxito cubano ha sido sobrevalorado y que la clave de los logros económicos observados en los inmigrantes cubanos reside en el grado evidentemente alto de cooperación económica dentro de la familia. Se trata de una familia con determinadas características especialmente concebidas para facilitar la movilidad ascendente: un número relativamente amplio de trabajadores, alto índice de trabajo femenino, presencia de una generación mayor que contribuye directa e indirectamente al bienestar económico familiar, bajo nivel de fertilidad, altos niveles de escolaridad. La presencia de un enclave hace posible que se den muchas de estas características en la organización familiar.

Desde esta perspectiva, puede afirmarse que existe un éxito cubano real. Pero tal éxito no está basado, como se cree popularmente, en la movilidad ascendente meteórica de algunos individuos que surgiendo de la nada hacen fortuna captando invariablemente la atención del público. En su lugar, se trata de la historia algo menos espectacular de un grupo inmigrante con una unidad familiar que se organiza con el fin de realizar sus aspiraciones de adaptación económica.

Colaboradores de este volumen

Carlos M. Fernández-Shaw. Diplomático. Cónsul General de España en Miami. Autor de *La Presencia Española en EE.UU.*

Alejandro Portes. Profesor de Sociología en las Universidades John Hopkins y Florida International. Entre sus últimas obras: *Latin American Journey,* con Robert L. Bach, y *La Economía Informal,* con M. Castells.

Frank de Varona. Historiador y Educador. Superintendente asociado del distrito de escuela del condado de Dade (Miami).

Ramón Bela. Ha sido Director Ejecutivo de la Comisión Fulbright en España y del Departamento de Estados Unidos y Europa en el ICI, así como secretario ejecutivo de los comités conjuntos cultural y científico.

Juan Olivas. Sociólogo, gerente de la Casa de España en Nueva York. Especialista en temas de emigración e hispanos.

Félix Almaraz. Profesor de Historia en la Universidad de Texas en San Antonio. Entre sus obras: *Tragic Cavalier, Governor M. Salcedo.*

Manuel L. Carlos. Profesor de la Facultad de Antropología de la Universidad de California en Santa Bárbara y ex Director de su Centro de Estudios Chicanos.

Tony Bonilla. Director del Hispanic Leadership Conference. Abogado en Corpus Christi, Texas.

Rodolfo J. Cortina. Profesor de Lenguas Modernas en la Universidad Internacional de la Florida y Director de su Centro de Estudios Multiculturales y Multilingüísticos.

María Jesús Gil. Profesora de la Facultad de Ciencias Políticas y Sociología de la Universidad Complutense de Madrid.

Alberto Moncada. Sociólogo y escritor. Asociado al Centro de Estudios Norteamericanos de la Universidad de Alcalá. Entre sus obras: *La americanización de los hispanos y Norteamérica con acento hispano* (en prensa, ICI).

Alfredo Jiménez Núñez. Profesor de Antropología de la Universidad de Sevilla. Director del Area Cultural de la Exposición de 1992. Entre sus obras: *Los hispanos de Nuevo México.*

Margarita Melville. Antropóloga. Coordinadora del Centro de Estudios Chicanos de la Universidad de Berkeley. Entre sus obras: *Whose Heaven, Whose Earth y Twice a Minority: Mexican American Women.*

Manuel Lizcano. Sociólogo. Universidad Complutense. Fundador del Instituto Isdiber (1969-1983). Instituto Isdiber (1969-1983).

Félix Padilla. Profesor de Sociología en la Universidad de Paul. Entre sus obras: *Puertoricans Chicago.*

Mark Zimmerman. Especialista en literatura comparada. Programa de Estudios Latinoamericanos. Universidad de Illinois.

Nicolás Kanellos. Profesor de Lengua y Literatura en la Universidad de Houston. Editor de *The Americas Review* y *Arte Público Press.*

Ana Roca. Lingüista. Coordinadora del Programa de Español del Departamento de Lenguas Modernas en la Universidad Internacional de Florida.

Maida Watson. Crítica literaria. Profesora de Lenguas Modernas en la Universidad Internacional de la Florida.

Ricardo Fernández. Educador. Profesor de Pegagogía y Director del Centro para la Igualdad Educativa en la Universidad de Wisconsin.

Óscar Martínez. Historiador. Profesor en la Universidad de Arizona, Tucson. Especialista en temas fronterizos.

Orlando Rodríguez. Investigador asociado al Centro Hispano de Investigación. Fordham University. Bronx, New York.

María Jesús Buxó. Catedrática de Antropología en la Universidad Central de Barcelona.

Enrique Guerrero. Politólogo. Secretario General Técnico del Ministerio español de Educación y Ciencia.

Ernesto Barnach Calbo. Director de Area de la OEI. Autor del libro *La Lengua Española en los Estados Unidos.*

Alicia de Jong Davis. Periodista de varios medios de comunicación. El Paso, Texas.

Lisandro Pérez. Decano del Departamento de Sociología y Antropología en la Universidad Internacional de la Florida.

Carlos M. Álvarez. Psicólogo. Profesor en la Escuela de Educación de la Universidad Internacional de la Florida.

Tomás Calvo Buezas. Profesor de Antropología en la Universidad Complutense de Madrid. Autor del libro *Los más pobres en el país más rico.*

Miguel Siguán. Director del ICE de la Universidad Central de Barcelona.